身の毛もよだつオーストリア実娘監禁事件を題材にした「ルーム」
殺人鬼エド・ゲインをモデルにしたヒッチコックの傑作スリラー「サイコ」
韓国・華城連続殺人事件の闇が描かれるサスペンス「殺人の追憶」
本書はこうした実話ベースの映画の元になった
数々の事件、史実の顛末をたどった1冊である。
映画と現実はどこが違うのか。
劇中では描かれなかった本当の動機、犯行の詳細。
事件関係者の信じられないような生い立ちと、その後の生き様、死に様。
事件が映画に、映画が事件に及ぼした予期せぬ影響。
読んで思い知るがいい。

事実は映画より [illegible]。

映画になった戦慄の実話

INTRODUCTION

映画「チェイサー」より

第1章 血も涙もない

第2章 悪夢

第3章 悲劇

第4章 闇

第5章 アンビリバボー

●本書は、小刊刊「映画になった戦慄の実話100」（2017年2月発行）、文庫「映画になった戦慄の実話」（2018年10月発行）を再編集したものです●本書掲載の情報は2021年10月現在のものです●作品解説に付記された西暦は初公開年、国名は製作国を表しています●本書の内容は大半の記事が映画の結末に触れています。悪しからず、ご了承ください。

映画になった戦慄の実話

映画「フローズン・グラウンド」より

第1章 血も涙もない

逮捕直後のチャールズ・スタークウェザー。
砕けたフロントガラスで頭は血だらけだった

ナチュラル・ボーン・キラーズ

全米を震え上がらせた若き乱射魔

FILMS

チャールズ・スタークウェザー事件

１９５９年６月25日、米ネブラスカ州で１人の男が電気椅子によって処刑された。チャールズ・スタークウェザー、20歳。ガールフレンドの家族３人を殺害後、彼女と２人で逃走、その後の11日間で10人をあの世に送った大量殺人鬼で、１９９４年のアメリカ映画「ナチュラル・ボーン・キラーズ」の主人公ミッキーのモデルとなった人物だ。

映画の主人公は背が高くガッシリした体格だが、実際のチャールズは１６０センチそこそこの小男で、さらには近眼、ガニ股、吃音。学校ではイジメの対象になっていた。しかし、ただやられているだけではない。身体能力が高かったため、しばしば暴力で怒りを爆発させ、高校を退学処分となっている。

その後、新聞倉庫で短期バイトに就いていた際、運命の相手に出会う。近くの学校に通う13歳のキャリル・フュゲートである。コンプレックスを抱え、貧乏にあえいでいたチャールズに希望の火が点ったかに思われたが、その火はすぐに消える。キャリルの両親が交際に大反対したのだ。おまけに、父親の車でキャリルに運転を教えている最中に事故を起こし、実家を追い出されてしまう。倉庫を辞めて給料のいいゴミ収集業に転職したものの、かつかつの生活だった。

悪夢の大量殺人を犯したチャールズ(右)と恋人のキャリル・フュゲート

ナチュラル・ボーン・キラーズ

1994／アメリカ／監督：オリバー・ストーン
若き殺人カップルの軌跡をフィルムやVTR、アニメ合成などが入り乱れるスタイリッシュな映像で綴った大傑作。原案はクエンティン・タランティーノ。1999年4月に起きたコロンバイン高校銃乱射事件（本書2ページ参照）の犯人2人に大きな影響を与えた作品としても有名である。

学歴も資格もない自分が貧乏から抜け出すには何か大きな事をするしかない。チャールズの野心は、犯罪で具現化される。１９５７年11月30日。ガソリンスタンドでキャリルの誕生日プレゼントを買おうとしたが金が足りない。チャールズは邪険に追い払おうとする店員の態度に怒り、後日、店員を射殺したのだ。

事件は通りがかりの犯行と目され彼に嫌疑が向けられることさえなかったが、これが惨劇の始まりとなった。

１９５８年1月21日。22口径のライフルで武装したチャールズは、キャリルの家を訪ね彼女の母親と義理の父親を撃ち殺し、2歳の義妹を殴り殺す。

3人の死体をニワトリ小屋と納屋に隠した後、2人でそのまま6日間キャリルの家に滞在。その間、訪ねてきた親戚には「家族はインフルエンザに罹《かか》って寝てる」とキャリルが追い返した。この態度を怪しんだ祖母が通報し、警察が駆け付ける。果たして、家には死体だけが転がっていた。

その頃、隣町の知人宅に向かった2人は、行き当たりばったりに人を殺しまくっていた。まず、途中で車が立ち往生したため、近所の家で70歳の男性を射殺。１００ドルと拳銃と馬を奪い、その足で車を調達するため16歳のカップルを撃つ。カップルの女性はレイプされたうえ、半裸で恋人の上に横たわっていたという。さらに、2人は身を休めるために町で一番の金持ちの家に押し入り、夫婦とメイドを殺す。この時点で町中がパニックに見舞われていた。商店街はシャッターを下ろし、外を歩くのは自警団

映画で殺人カップルを演じたウディ・ハレルソン(左／ミッキー役)とジュリエット・ルイス(マロリー役)。「ナチュラル・ボーン・キラーズ」より

だけ。チャールズのクビには1千ドルの賞金が賭けられた。

2人が町を抜け出し、州境に近づいたとき、ラジオで逃走車両を中継されたため、新しい車を手に入れようと昼寝をしている男性を射殺する。キャリルが「助けて」とパトカーに向かって投降したのは、その直後のことだ。

全米が注目した裁判で、チャールズは「40年生きるより、俺を愛してくれるヤツと1週間すごした方がマシだ」と供述、審議が進むに連れ、若者たちのカリスマとなっていく。その人気はファンクラブが結成されるほどだった。が、陪審員が出した評決は有罪・死刑。

一方、キャリルは、チャールズに家族を人質に取られたから彼の言いなりになっただけで、自分は被害者だと弁明した。しかし、新聞社が『キャリルは2人殺した』というチャールズが書いた留置所の落書きをすっぱ抜き、さらには、改めてチャールズが、16歳カップルの女性と金持ち一家のメイドはキャリルが殺したと証言したことにより、陪審員は彼女の共犯を確信する。結果は終身刑。14歳という年齢が考慮された判決だった。

ちなみにキャリルは1976年、32歳で仮釈放された後、テレビに出るなどして無実を主張。2021年10月現在も存命である。

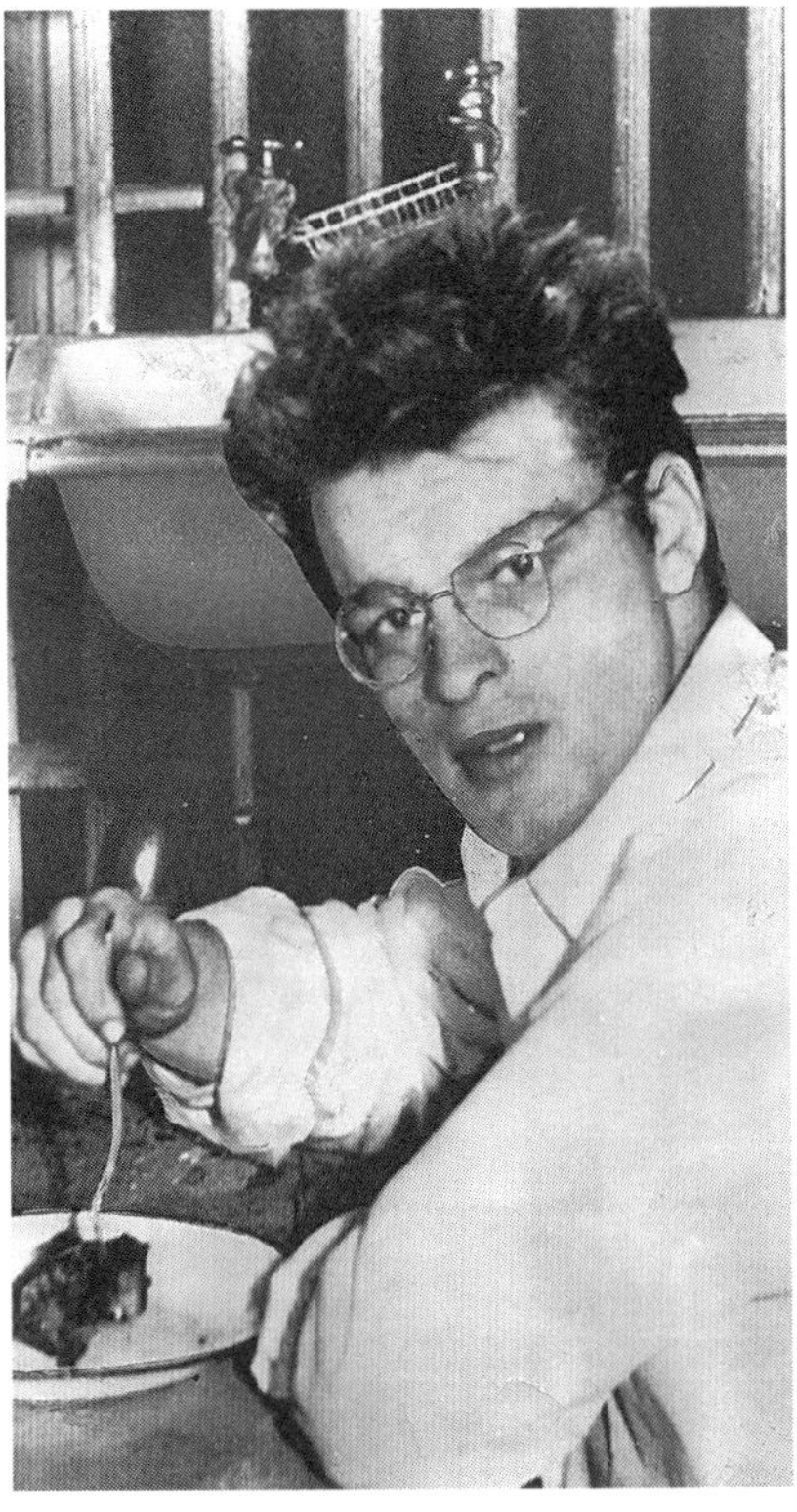

自身が心酔するジェームス・ディーンを真似た風貌もあいまって獄中のチャールズには多くのファンレターが寄せられた

映画「冷たい熱帯魚」より
©NIKKATSU

冷たい熱帯魚

7人を殺し遺体を消した鬼畜な夫婦

FILMS

埼玉愛犬家連続殺人事件

家庭不和を抱えながら小さな熱帯魚屋を営む主人公が、人の好さそうな同業者と出会ったことから連続殺人の片棒を担がされ、破滅への道に迷い込んでいく――。

映画監督、園子温の名を一躍世に轟かせた「冷たい熱帯魚」は、１９９３年から１９９４年に埼玉県熊谷市周辺で起きた「埼玉愛犬家連続殺人事件」をモチーフとしている。犬が熱帯魚に代わってはいるが、詐欺的な商売で稼いでいたペットショップの経営者夫婦が４人を殺害し、遺体を風呂場でバラバラに解体、骨を灰になるまで焼いて山林に撒き、肉を切り刻んで川に遺棄する様は、まさに本事件そのものだ。

映画は、園監督ならではの世界観で驚愕の結末を迎えるが、現実の犯人夫婦は共に死刑が確定。共犯者に仕立てられたショップの役員（映画で吹越満が演じた役のモデル）は3年間の服役の後、事件を克明に描いた手記『共犯』を発表している。

「どうすりゃ金が手に入るか。結論は一つしかない。持ってるヤツから巻き上げて、そいつを消す。ボディを透明にするんだ。死体がなけりゃ、ただの行方不明だからな」

映画の中で、でんでん演じる熱帯魚ショップのオーナー村田が口にするセリフは、そのまま事件の首謀者、関根元（逮捕時53歳）の人生哲学だ。

若い頃からペットショップを開業。売った犬を盗んで別の客に売りつけるなど悪徳商売を繰り返していた関根が、熊谷市で「アフリカケンネル」を開くのは１９８２年のこと。左手の小指がないうえ、強面の顔。まるでヤクザまがいの風体だったが、一度、口を開けば独特のユーモアと話術で人を引きつけてしまう関根には、根っからの詐欺師の天分が備わっていた。

共犯者の妻・風間博子（同38歳）は、元は犬好きのお嬢様だったが、店に出入りするうち関根と関係を持ち夫婦となった。刺青を彫っていた関根の先妻に対抗して自分も背中に龍の刺青を入れるなど、完全に関根に取り込まれていた。

関根には十分な商才もあった。シベリアン・ハスキーを日本に最初に輸入し、ペット

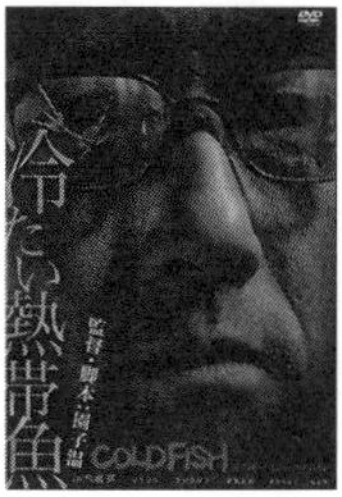

冷たい熱帯魚

2010／日本／監督：園子温
1993年に発覚した埼玉愛犬家連続殺人事件にインスパイアされた狂気のサスペンス劇。人の好さそうな風貌で気にくわない相手を次々消していくショップのオーナー役でんでんの怪演が高く評価された。DVD販売元：ハピネット

雑誌に自分の顔写真入り広告を打ち大勢の客を呼び寄せた。普通に商売しても稼げたであろう。だが、関根は自分が有名ブリーダーであることを利用し、子犬が生まれたら高値で引き取ると謳って犬のつがいを法外な値段で売り付け、いざ子犬が持ち込まれると難癖を付けて値切るなど、実にあくどい商売を続ける。挙げ句、騙されたと文句を言ってくる客はことごとく消し去った。手口は、知り合いの獣医から譲り受けた犬の殺処分用硝酸ストリキニーネを栄養剤に混ぜて飲ませるというもの。死体は前述した手口で跡形もなく処分した。

「最初は怖くて膝ががくがくしたが、要は慣れ。何でも大切なのは経験を積むことだ」

これは、関根が死体処理中に共犯の元役員に語った言葉である。肉は焼くと臭いがキツイから死体の肉と骨を分離しようと思いつくなど、過去に死体を焼いた経験がなければできないことだろう。

映画のモチーフになった埼玉愛犬家連続殺人事件の主犯、関根元（右）と風間博子死刑囚。関根は2017年3月27日、収監先の東京拘置所で病死。享年75

1994年1月、大阪で男女5人を殺した自称「犬の訓練士」が逮捕されたことから、埼玉でも愛犬家が何人も行方不明になっていることが発覚する。マスコミが逮捕前から連日、関根と風間の元に押し寄せ、ワイドショーの格好のネタとなった。警察が動き出したところで、関根に脅され死体処理を手伝わされていた店の役員が自首。犯行を全て自供したことで関根と風間の悪魔のような所業が明るみになったのである。

裁判で2人は互いに主犯は自分ではないと罪をなすりつけあいながら、最高裁まで争ったが、2009年6月、共に死刑が確定した。

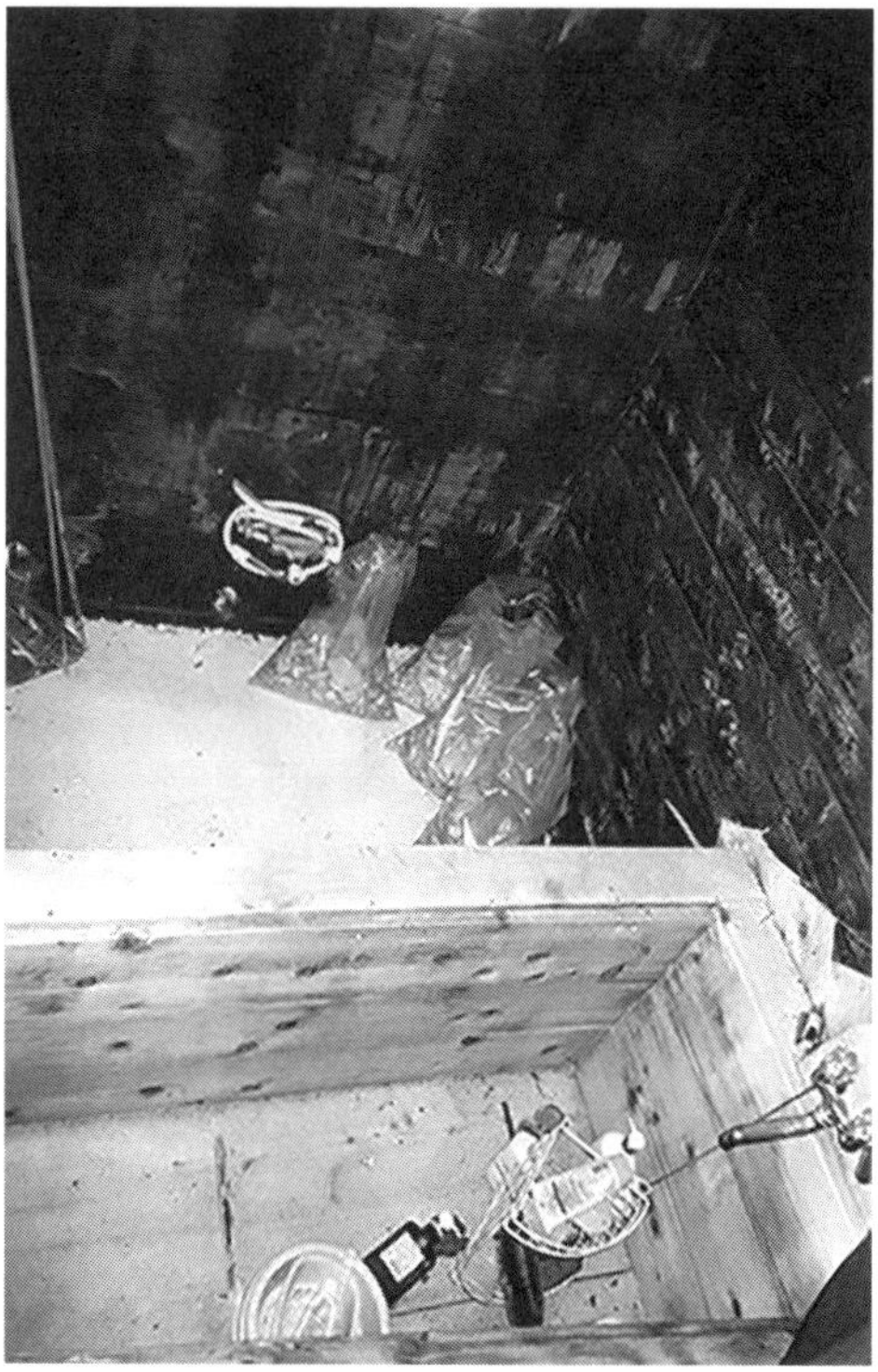

遺体の解体現場となった風呂場

冷酷無比な殺人犯を演じたピエール瀧（左）とリリー・フランキー。映画「凶悪」より

凶悪

死刑囚の告発で発覚！

FILMS

上申書殺人事件驚きの顛末

リリー・フランキーとピエール瀧の怪演が話題を呼んだ映画「凶悪」は、死刑判決を受けた男が、表沙汰になっていない3件の殺害事件を告発した、いわゆる「上申書《じょうしんしょ》殺人事件」がベースになっている。死刑囚から事の詳細を記した手紙を受け取った雑誌「新潮45」の記者が半年間にわたり取材を続け、2005年に誌上で発表。警察の捜査で事件の黒幕だった〝先生〟と呼ばれる不動産ブローカーが逮捕された。

元暴力団組長の後藤良次（1958年生）が〝先生〟こと三上静男（1950年生）に出会ったのは1992年のこと。面倒見が良い三上のもと、後藤はカタギになるべく不動産ビジネスを手伝う。が、体面や不義理を第一に考えるヤクザの思考回路は変わらず、2000年、小さなトラブルが原因で2人を殺害、さらに3人を監禁・暴行したうえ灯油をまいて放火し、重軽傷を負わせた罪で死刑判決を受ける。

しかし、後藤にはどうしても許せないことがあった。自分が死刑判決を受けた事件とは別に〝先生〟三上が首謀した複数の殺人事件があり、これを明らかにせずには死にきれなかった。犯行を手伝った報酬を受け取る約束を反故にし、のうのうと生き続ける三上に後藤は強い恨みを持ち、告発を決意したのだ。

後藤が、拘置所の同房者を取材していた『新潮45』の記者に宛てた手紙には、3つの事件の詳細が記されていた。

①石岡市焼却事件／1999年11月中旬頃、三上が金銭トラブルを巡って男性を絞殺。後藤と一緒に茨城県石岡市のある会社まで運び、敷地内の焼却場で廃材と一緒に焼いた。この事件で三上は億単位の金を入手している。

凶悪

2013／日本／監督：白石和彌
獄中の死刑囚が告発した上申書殺人事件の真相を『新潮45』編集部が暴き、首謀者逮捕に至るまでを描いたノンフィクション『凶悪 –ある死刑囚の告発–』の映画化。事件を追う記者を山田孝之が演じている。BD販売元：Happinet

②北茨城市生き埋め事件／1999年11月下旬、三上が埼玉県大宮市（現さいたま市）の資産家男性を水戸市の駐車場で拉致し、自分の所有地まで運んで穴を掘り、生き埋めにして殺害。三上は男性が所有していた土地を転売し、約7千万を入手。

③日立市保険金殺人／2000年7月中旬、多額の借金があった茨城県阿見町のカーテン店（映画では電気屋）経営者を三上と後藤らが軟禁。糖尿病と肝硬変を患っていた被害者に1ヶ月の間に大量のウオッカを飲ませ殺害、事故死に見せかけるため山中に遺棄した。実はこの事件、もともとは保険金が目的で男性の家族が依頼したものだった。実際、家族に生保会社2社から約1億円の保険金が支払われたが、大半は三上の手に。

当初、手紙をもらった記者は内容が本当なのか半信半疑だった。そこで本人に面会して直接話を聞くとともに、自ら裏取り取材を進める。

結果、①の事件については調べようもなかったが、②の事件については登記簿を発見。後藤が地図から生き埋め現場の場所も思い出したものの、記者が現地に着いたときには三上が遺体を掘り出し、移し替えた後だった。

③の事件で殺害を依頼した家族は、自宅を借金のカタに取られていたものの、その家に住み続け、警察から事情を聞かれた際も、店主は自殺したと主張、遺体を急いで火葬していた。しかし、記者は後藤が③の事件で正確な保険金額を知っていたことを〝秘密の暴露〟に該当するものと判断。2005年10月、『新潮45』に取材結果を掲載するとともに、後藤の担当弁護士が茨城県警に詳細を記した「上申書」を提出する。

すぐさま警察が捜査を始めると、経営者の遺体を捨てるため茨城県の山中に向かう三上と後藤の車を

Nシステムが捉えていることが判明。同年11月に③の事件の親族ら5人と実行犯の後藤ら3人を、そして12月には遂に三上を逮捕に持ち込んだのである。

結局、後藤が告発していた3つの殺人事件の内、日立市の事件のみが保険金殺人として裁判に。判決では、首謀者である三上に無期懲役、後藤には懲役20年（別事件で死刑確定）、保険金殺人の依頼をした死亡者家族3人に懲役13～15年が言い渡された。

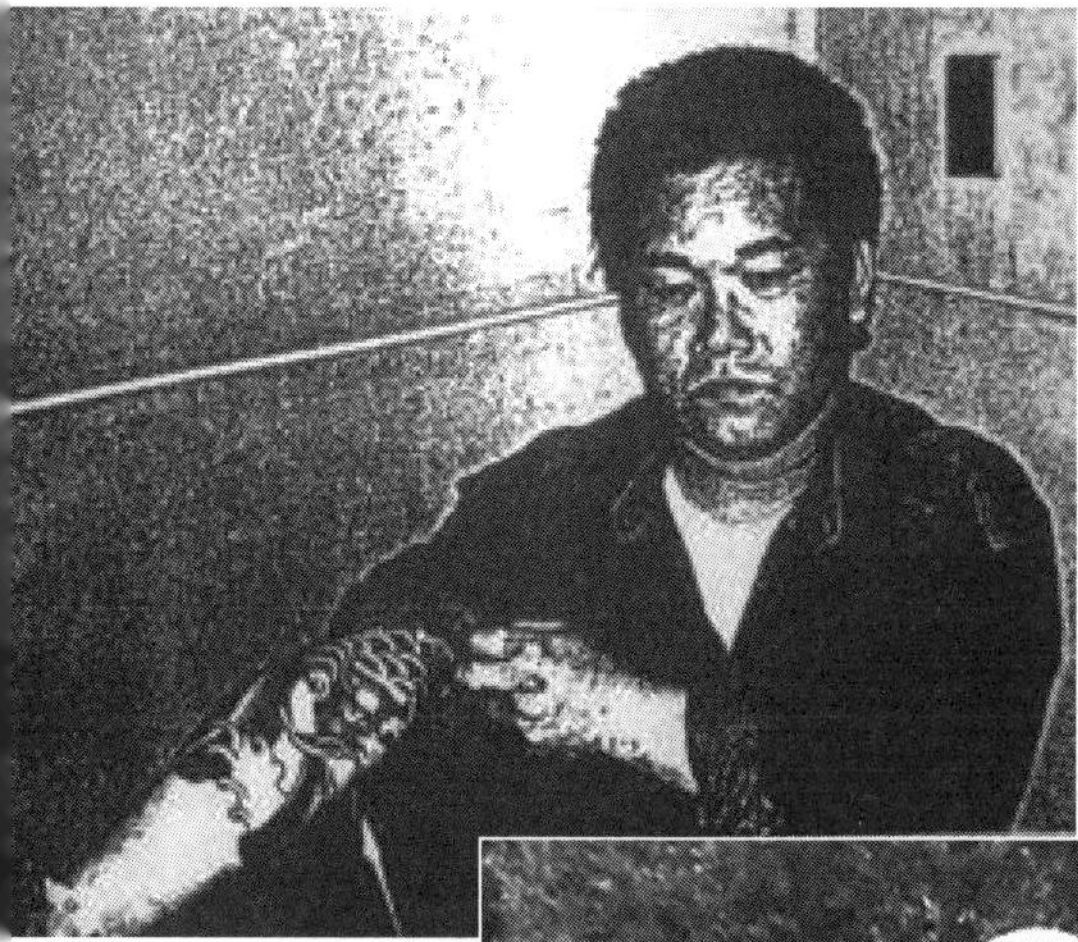

主犯の〝先生〟こと三上静男（右）と、獄中から事件を告発した元暴力団組長で死刑囚の後藤良次

稀代の殺人カップル、レイモンド・フェルナンデス（左）とマーサ・ベック。ごく普通の見た目に余計に戦慄が走る

ハネムーン・キラーズ

婚活女性20人を餌食にした鬼畜カップル

FILMS

レイモンド＆マーサ事件

１９７０年公開の映画「ハネムーン・キラーズ」は、１９４０年代のアメリカで実際に起こった連続殺人事件を、新聞報道と法廷記録をもとにドキュメンタリータッチで描いた戦慄のサスペンスである。結婚相手を新聞の文通欄で探す孤独で裕福な女性を狙い、金品を奪うどころか殺人まで働いていたレイとマーサ。少なくとも20人を殺害したとみられる２人は「ロンリー・ハーツ・キラーズ」と命名され、繰り返しＴＶドラマや映画のモチーフとなっている。

事件の主役の１人、レイことレイモンド・フェルナンデスは、20代半ばでスペインに妻子を残し仕事を求めてアメリカに渡ってきた男だ。運良く働き口は見つかったが、事故で脳を損傷。穏和な人柄だったのがキレやすく気難しい性格になってしまう。

そんなときに思いついたのが、文通で結婚相手を探す「ロンリー・ハーツ・クラブ」への入会である。目的は結婚詐欺だった。奥手でウブな男を装い、何通か手紙をやり取りする間に資産状況を聞き出し、手頃な相手にプロポーズ。甘い言葉を囁いては現金や宝石を盗んで姿を消す。それがレイの仕事となる。

一方、フロリダ生まれのマーサ・ベックは写真のとおりの肥満体で、看護学校を出て病院に就職した後、行きずりの男との間に２人の私生児を出産。自身の母親も含め、３人の面倒を１人でみていた。１９４７年12月、生活に疲れきっていた当時28歳の彼女は、ロンリー・ハーツ・クラブの広告に興味を持ち入会する。これに目を付けたのが33歳のレイだ。看護師なら小銭を貯めているのではないかと睨み手紙を出した。

半月の文通を経て、２人の交際がスタートする。マーサは、小柄で貧弱ながら、シャ

ハネムーン・キラーズ

1970／アメリカ／監督：レナード・カッスル
1940年代のアメリカで実際に起こった連続殺人事件をベースにしたフィルム・ノワール。製作当初は、当時まだ若手映画監督だったマーティン・スコセッシが企画を進めていた。巨匠フランソワ・トリュフォーが「最も好きなアメリカ映画」と賞賛した1本でもある。

ルル・ボワイエ（フランス出身の二枚目俳優）に似ているレイにぞっこんになった。が、マーサに財産がないと知るやレイは財布だけ盗みニューヨークに帰ってしまう。が、そんなことでマーサの愛の炎は消えない。病身の母を捨て、2人の子の手を引きレイの元へ押しかける。レイが正直に、自分が結婚詐欺師だと告白してもどこ吹く風。子供が邪魔だと言われれば、2人を救世軍の建物の前に捨てた。

レイは、そこまで自分を愛してくれる彼女の情にほだされる。ここから二人三脚の結婚詐欺が始まった。

1948年2月、2人はペンシルバニアに乗り込み、1人の未亡人に目を付ける。レイはマーサを妹と紹介したうえで、会うなり未亡人にプロポーズ。郡の役所で結婚式を挙げる。その後、3人は未亡人の家で生活を共にするが、嫉妬深いマーサは、芝居とわかっていても目の前でレイといちゃつく女が許せない。一方、女性は新婚なのに初夜も迎えられない状況を怪しみ出し、これを機にレイとマーサは金と車を盗み行方をくらます。同居4日目のことだ。

そもそも女を甘い言葉で酔わせ、金を吐き出させるのが結婚詐欺師の腕の見せ所なのに、マーサが側にいては成功するはずがない。が、レイは、1人で待っていられないと泣く彼女をどうしても突き放せなかった。

女性たちをたぶらかすレイ（右）の仕事を、マーサの嫉妬がぶち壊していく。
映画「ハネムーン・キラーズ」より

1949年、2人は3つの殺人を犯す。原因はいずれもマーサの嫉妬である。1人目の被害者は66歳の女性。例によって兄妹と偽り同居したものの、女性がレイのベッドに入るのを見たマーサが、思わずハンマーを振り下ろしてしまう。

2歳の娘がいる未亡人の場合も例外ではない。若い彼女に嫉妬して八つ当たりするマーサに、不信感を募らせる新妻。仕方なくレイが彼女に睡眠薬を飲ませたうえで銃殺し、泣き叫ぶ娘はマーサがタライの中で溺れさせ、地下室に母子の死体を埋めた。

ほどなく、母子の姿が見えなくなったのを不審に思った隣人の通報により2人は逮捕される。警察の調べでレイとマーサが関わった20人の女性の死亡が確認されたが、立件されたのは前記の3件だけだった。

裁判で死刑判決を受けた2人は1951年3月8日、電気椅子で処刑される。最後、レイは「マーサを愛してると言いたい」と彼女への愛を伝え、マーサは「この事件はラブ・ストーリーなの。愛に苦しむ人にはわかってもらえるはず」と語ったそうだ。

公判中の1枚。弁護士を挟んでレイ（右）とマーサ

モンスター ～少女監禁殺人～

遺体解体の一部始終をビデオに収録！

知り合って4年後の1991年に結婚式を挙げたポール（左）とカーラのスナップショット。この時点で、ポールは2人の少女を殺していた

カナダの悪魔 ベルナルド夫妻

FILMS

誰もがうらやむカップルだった。男は資産家の息子で二枚目の公認会計士。女は高級ホテルのレストランで働く町一番の美人。友人たちは、彼らを「ケンとバービー」の愛称で呼んだ。が、実はこの2人、女性3人をレイプして殺害、遺体解体の一部始終をビデオに収めて喜ぶ悪魔だった。ポール・ベルナルドと、その妻カーラ。2006年のアメリカ映画「モンスター〜少女監禁殺人〜」のモデルになった鬼畜夫婦である。

ポールは1964年、カナダのトロント市で生まれた。両親は装飾ビジネスで財をなした金持ちで、幼少期から何ひとつ不自由はなかったという。人生が狂い出したのは15歳になった頃。仕事のストレスで神経を病んだ父親が母親に暴力をふるった挙げ句、ポールの妹に性的イタズラを働くようになったのだ。父の姿を見たポールは、自分の中にも同じような衝動があることに気づき、大学へ入った頃には暇さえあれば女性を犯す己の姿を思い描いていた。

衝動は日ごとに肥大を続け、1987年5月、初めて妄想を実行に移す。深夜にすれ違った女性の後をつけ、女性の両親が住む家の前で押し倒すだけのずさんな犯行だったが、事件を目撃した者はいなかった。

これに味をしめ、続く3年間でさらに17人の女性を陵辱。平和な町に突如現れた凶悪犯を、新聞は「スカボローのレイプ魔」としてセンセーショナルに書きたてた。

同年10月、運命の出会いが訪れる。レストランで働くカーラ・ホモルカ（当時17歳）をポールが見そめ、その日のうちにプロポーズしたのだ。カーラが夫の正体を知るのは、それから2年後の1989年頃。ある夜、自宅へ戻ってきたポールが事もなげにこう言

モンスター 〜少女監禁殺人〜

2006／アメリカ／監督：ジョエル・ベンダー
1990年代のカナダを震撼させた「ベルナルド事件」を、共犯者である妻カーラの視点から描いたサスペンス。監督のジョエル・ベンダーが、カーラの担当弁護士や精神分析官に取材して、ストーリーが作られている。日本での劇場未公開。

ったのだ。

「さっきレイプしてきたんだ」

翌朝のニュースが、夫の話と全く同じ事件を報じていた。が、愛する男がレイプ魔だと知っても、カーラの気持ちは揺るがない。貧しい家で育った彼女にとって、ポールは最高の王子様であり続けた。

1990年12月、ただのレイプに飽きたらなくなったポールは、新たなターゲットに狙いを定める。獲物に選んだのは、あろうことかカーラの実妹タミー（当時15歳）だった。

協力を命じられたカーラは最初こそ拒んだものの、夫に嫌われたくない一心で、最終的に妹の部屋への侵入を手伝ったばかりか、実妹に睡眠剤の使用まで持ちかける。

結果は最悪だった。昏睡状態の肉体をポールが弄んだ直後、タミーが

犠牲になった3人の少女たち。
一番下がカーラの妹タミー

夫婦が少女を拉致する映画内のワンシーン。実際の事件でも、カーラが被害者を押さえつけ、ポールがナイフで脅す役割だった。映画「モンスター～少女監禁殺人～」より

自らの吐瀉物をノドに詰まらせ、そのまま息を引き取ったのだ。２人は慌てて死体を洗い、汚れた服を着替えさせ病院へ連絡。事件は事故として処理された。

タミーの死から半年後、仕事帰りに14歳の少女をさらったポールは、被害者をアパートに監禁、２週間にわたって陵辱する。ポールはその一部始終をカーラに撮影させた後で少女の首を絞め、遺体を電気ノコギリで刻み、湖に捨てた。

１９９２年４月、いつものように獲物を探して町に出た２人は、帰宅途中の女子中学生（当時15歳）をアパートへ連れ込む。時を同じくして、少女がさらわれる場面を目撃した通行人がトロント市警へ通報する。が、数名の警官がポールの部屋に入ったとき、すでに少女はバラバラにされた後だった。

裁判が始まると、カーラは一貫して「夫に脅された」と言い張ったが、押収ビデオから、嬉々としてポールの犯行を手伝っていた事実が明らかとなり、懲役25年が確定。ポールには、3少女の殺害と14件のレイプ容疑でカナダの最高刑である終身刑が下った。

ちなみに、ビデオの内容は「あまりに残酷すぎる」との理由で裁判長が廃棄を命じ、詳細はわかっていない。映画で犯行の状況がほとんど描かれないのは、そのためだ。

3人目の少女を殺害した直後に、自宅から連行されるポール。2021年10月現在、カナダ・オンタリオ州のミルヘブン刑務所に服役中

カーラは2005年に刑期を終えて出所。半年後に再婚し、3人の子持ちに。写真は2016年に撮影された1枚

映画は、些細な喧嘩をきっかけに
凄惨な殺人事件に発展していく。映画「ヒーローショー」より

ヒーローショー

大学のサッカーサークルを舞台に起きた惨劇

FILMS

東大阪生き埋めリンチ殺人事件

お笑いコンビ、ジャルジャルが主演を務めた映画「ヒーローショー」。その爽やかなタイトルから、真っ当な青春群像劇を想像しがちだが、さにあらず。ヒーローショーのバイト仲間が女の取り合いから、やがて血みどろの報復合戦へとエスカレートしていく超バイオレンスな内容。映画は2006年、東大阪大学の学生2人が生き埋めのまま殺された実際の事件をモチーフに作られている。

発端は2006年6月15日、大阪の東大阪大学のサッカーサークルに所属する徳満優多（当時21歳）が、サークル仲間、藤本翔士（同21歳）の彼女に好意を持ちメールを3通送ったことだった。怒りで徳満に殴りかかったものの逆に返り討ちに遭った藤本は、友人の岩上哲也（21歳）に相談。高校を卒業後、ゴト師として生計を立てていた岩上は「慰謝料をふんだくろう」と、翌日、会社員M（21歳）など3人の知人とともに、徳満と、彼の相談相手だったサークル仲間の佐藤勇樹（21歳）を公園でボコボコにしてしまう。そして、そのまま朝の5時までファミレスに軟禁し、慰謝料50万円を支払うことを2人に約束させる。岩上はバックにヤクザがいることを匂わせていた。

これにビビった佐藤が故郷・岡山の中学の同級生、小林竜司（21歳）に泣きついた。10万貸してくれ。じゃないとヤクザに埋められる、と。小林は、同じ中学時代の仲間、広畑智規（21歳）に声をかける。大阪府立大に通いながらも昔からワルで小林らのリーダー格だった広畑は、さっそく中学の同級生の白銀資大（21歳）とともに岡山に帰り小林と合流、仕返しの計画を練った。

6月18日深夜3時、会社員Mの運転する車が山陽自動車道の岡山インターに着く。車には50万円を調達してくれる知人がいるという徳満らの話を信じ込んだ藤本と岩上、

ヒーローショー

2010／日本／監督：井筒和幸
2006年に起きた東大阪生き埋めリンチ殺人事件をモチーフに、暴力の連鎖をリアルに描いたバイオレンス映画の傑作。お笑いコンビ、ジャルジャルの後藤淳平が主犯の男を、福徳秀介が解放される被害者役を演じている。DVD販売元：よしもとアール・アンド・シー

そして彼らを誘導してきた徳満、佐藤、佐山（サークル仲間）も乗っていた。

藤本と岩上、会社員Mが車から降りるや、待ち構えていた小林、広畑、白銀、小林のバイト仲間の16歳少年らが3人をボコボコにした後、3台の車のトランクに押し込み、インターから50キロ南の公園で再び暴行。ゴルフクラブや金属バットで藤本と岩上をメッタ打ちにした。

午前4時半、小林が以前勤務していた建設会社の資材置き場がある山中に3人を連行し、16歳少年がユンボで穴を掘り始める。この間も暴行は続き、藤本を穴の前に立たせると、Mに「助かりたかったら石をぶつけてトドメをさせ」と石をぶつけるよう強要。藤本が穴に落ちるとユンボ少年が土砂を被せた。

この後Mは、「警察に言ったら家族皆殺しにする」と脅されながらも解放されるが、岩上は粘着テープでグルグル巻きにされ、小林の自宅マンションへ運ばれる。暴力団に憧れていた小林は、岩上が組の名前を騙ったのが許せなかった。そこで知り合いの暴力団員にわざと電話をかけ、岩上の処分を相談する。

事件現場となった資材置き場

組員は、岩上がすでにサラ金にも行けない瀕死状態と知ると「処分しちまえ」と一言。結局、小林は、再び少年たち3人を使って岩上を資材置き場に生き埋めにしたのである。

Mの通報で事件は明るみに出た。またたく間に小林や広畑ら9人が大阪府警・岡山県警の合同捜査本部に検挙され、藤本と岩上の遺体も見つかった。

実行犯の小林や参謀の広畑はもちろん、徳満や佐藤らも現場で殺害を止める意思表示をしなかったとして「共謀共同正犯」に問われ、藤本殺しの容疑で逮捕となった。また、小林が相談した暴力団員も殺人の共犯とされた。裁判の結果、小林は死刑、広畑が無期懲役、他加害者に7年〜15年の懲役刑が下されている。

主犯の小林竜司死刑囚。
2021年10月現在、大阪拘置所に収監中

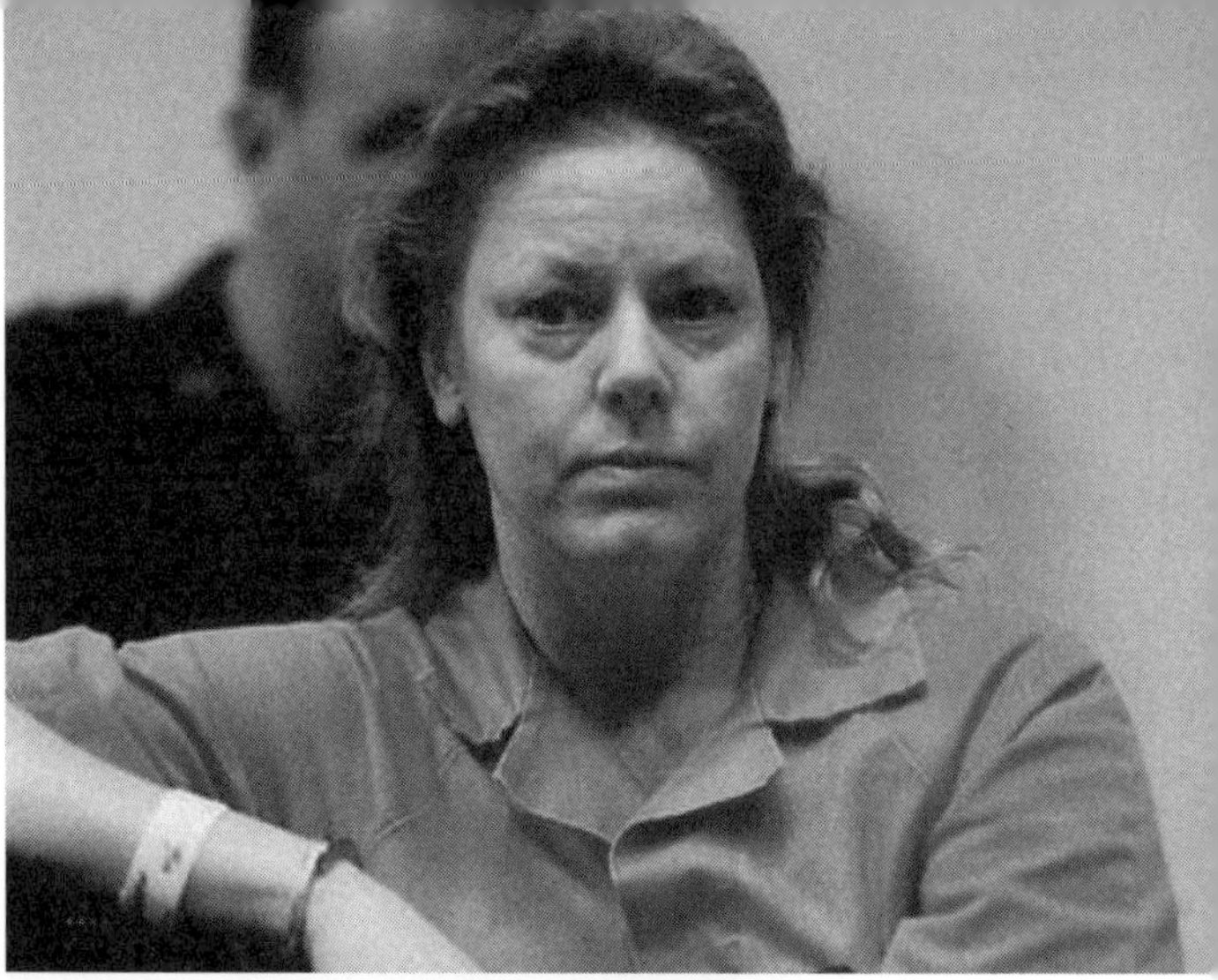

アイリーン・ウォーノス本人（右）。7人を殺害した凶悪犯ながら、その波乱に満ちた生き様に魅了される人は少なくない。下が役を演じたシャーリーズ・セロン

映画「モンスター」より
© 2003 Newmarket Films

モンスター

全米初の女性連続殺人犯

アイリーン・ウォーノスの哀しき生涯

FILMS

２００３年のアカデミー賞で主演女優賞を獲得したのは映画「モンスター」のシャーリーズ・セロンだった。絵に描いたような美女役が多かった彼女が13キロも太り、体当たりで実在の連続殺人犯を演じ、高い評価を受けた。モデルになったアイリーン・ウォーノスは、ドライバー相手の売春婦で、１９８９年から１９９０年にかけ男性客7人を銃殺したアメリカ初の女性連続殺人鬼である。彼女に死刑が執行されたのは、全米で映画が公開される1年前、２００２年のことだった。

１９５６年2月、ミシガン州で生まれたアイリーンは両親の顔を知らない。15歳で彼女を出産した母親はアイリーンが4歳のときに家出し、幼児性愛者だった父は13歳の少女に対する強姦罪で有罪となり、刑務所で自殺していた。親代わりになった祖父母も最悪だった。祖母はアルコール中毒で、祖父は物心ついたときからアイリーンを性的に虐待。さらに父親の親友だった男や、2歳上の兄までもが幼い彼女を犯したという。アイリーンはタバコ欲しさに9歳でフェラチオを覚え、13歳で妊娠。デトロイトで出産すると、そのまま赤ん坊を養子に出し、家を離れて売春を始めた。森の中の廃屋を根城に客を探す毎日。日銭を稼ぐことはもちろん、客と行ったホテルで風呂に入れるのも喜びだった。

16歳で故郷を捨てコロラドへ。飲酒運転中に銃を発砲し初めて警察に逮捕される。事件の舞台となったフロリダに出るのは20歳の頃だ。病死した兄の保険金が軍資金だった。ほどなくヒッチハイクで出会った69歳の石炭会社の社長と電撃的に結婚。人生を変えるチャンスだったが、アイリーンはこれを棒に振る。粗野で他人を思いやることを知らず育ったことが原因してか、気に入らないことがあれば杖で旦那を殴り、結婚の無

モンスター

2003／アメリカ／監督：パティ・ジェンキンス
アメリカ初の女性連続殺人犯、アイリーン・ウォーノスの生涯を描いた作品。美をかなぐり捨てたシャーリーズ・セロンの演技が絶賛され、アカデミー賞最優秀主演女優賞に輝いた。ちなみに、1991年公開のリドリー・スコット監督作「テルマ&ルイーズ」もウォーノスの事件を題材としている。

効を申し立てられたのだ。結婚生活はわずか1ヶ月間だった。

それでも若いアイリーンには希望があった。フロリダは刺激的な場所で、売春の実入りも良い。デイトナビーチ沿いの安モーテルを定宿に日々をエンジョイする。が、しょせんは家なしのその日暮らし。人生が落ちていくのも自然の流れだった。

1981年、コンビニ強盗で1年ほど服役した後、偽造小切手を使い再び獄中へ。出所した頃は30歳手前で、売春も以前のように稼げない。が、ここで運命の出会いがある。

1986年、金を使い切ったら自殺しようと、たまたま入ったゲイバーでレズビアンの女性ティリア・ムーア（当時24歳）と知り合う。自分を受け入れてくれる彼女にアイリーンは夢中になり、やがて恋仲に。同棲生活が始まる。映画では2人の関係は短かったように描かれているが、実際には3年続いた。アイリーンが売春や窃盗で稼ぎ、ティリアが手助けをする。その間、車上荒らしや公務執行妨害、偽証、銃の不法所持などの容疑で2人一緒に逮捕されることもあったが、アイリーンは愛する相手とともに生きることに大きな充実感を覚えていた。恋人の間柄が終わった後も離れることは考えられず。ティリアを友人として傍に置いた。

アイリーンが初めて人を殺すのは1989年12月のこと。いつものように幹線道路脇に佇み客待ちしていると、電気屋を営む51歳の男が車を横付けした。アイリーンが乗り込み、値段交渉が成立。道路脇の森に停めた車中でコトに及ぼうとしたとき、男が豹変する。アイリーンを酷く殴りつけたうえ、ハンドルに手を縛り付けたまま乱暴に犯し始めたのだ。

身の危険を感じたアイリーンは必死で縄をほどき、いつも携帯していた護身用の銃を撃つ。正当防衛

20歳で69歳の石炭会社社長と結婚したが、1ヶ月で破綻

だった。が、彼女に警察に連絡する発想はなく、男のサイフから金を奪うと、車に積んであったカーペットで死体を包み森に捨てた後、その場を去ってしまう。

売春でちまちま稼ぐより、殺して金を奪った方が手っ取り早い。真意は知れないが、以降、アイリーンは1990年11月末までの1年弱で都合7人の男性客の命を奪い、その間、何事もなかったかのようにパブやバーで自由を謳歌した。

逮捕は1991年1月。映画では、アイリーンに殺人を止めさせるため、ティリアが警察に協力したかのように描かれているが、事実は違う。ティリア自身、少なくとも1件の殺人事件に関与していたため、自分が罪に問われないことを条件にアイリーンを売ったのである。しかも、ティリアは警察幹部たちと組み、〝アメリカ初の女性連続殺人犯〟であるアイリーンの映画化をハリウッドに打診までしていたというから驚きだ。

裁判で当初アイリーンは、殺人は正当防衛だったと主張する。が、公判に検察側の証人として出廷してきたティリアの証言で彼女の裏切りを知り精神が崩壊。全ての犯行は金のためにやったと自供する。

死刑判決を受けたアイリーンは、11年間の服役の後、2002年10月9日午前9時47分、薬物注射で処刑される。聖書と一緒に火葬されることを望み、最後に「私はキリストと船に乗って旅立ち、再び地上に現れる。I'llbe back!」との言葉を残したという。享年46だった。

公判中アイリーンは笑顔を振りまく一方、
鬼の形相で陪審員を罵倒することも多かった

西口彰本人。警察の取り調べ時に撮られたもの

復讐するは我にあり

5人の命を奪った悪魔の申し子

西口彰の殺人逃避行

FILMS

佐木隆三の直木賞作品を原作に、１９７９年の映画賞を総ナメにした「復讐するは我にあり」。殺人と詐欺を繰り返しながら全国を行脚した緒形拳演ずる榎津巌は、裁判官をして〝悪魔の申し子〟と言わしめた実在の殺人鬼、西口彰がモデルである。

１９２５年、キリスト教カトリックの家庭に生まれた西口は16歳のとき詐欺罪で逮捕されて以後、窃盗や恐喝などの罪でムショと娑婆を行き来していた。あくまで〝小悪党〟だった男が〝悪魔〟に変身するのは１９６３年10月18日。福岡県行橋市で専売公社職員とトラック運転手を殺害、27万円を奪い逃走したのだ。

10日後に、静岡県浜松市の貸席（お茶屋）に宿泊。目撃証言からこの時点ですでに西口には全国指名手配がかかっており、新聞に顔写真、交番や電柱にも手配書が貼られていたが、貸席業の女将も、その母親も西口を犯人と気づかなかった。どころか、自らを京都大学教授と名乗り、端整な顔立ちと柔らかな物腰に惹かれた女将は、西口と肉体関係まで持ってしまう。映画では、女将を小川真由美が演じ、緒形拳との濃厚な濡れ場が描かれていたが、実際の西口も女性によくモテて、いったん浜松の貸席旅館を出た後も、徳山の旅館で東大教授を名乗り、美人の女中と床を共にしたという。

再び浜松に戻り、貸席の女将とその母親を殺害した後、広島、千葉、福島、北海道、東京、栃木と逃亡を続ける西口。この間、本物の弁護士バッヂを盗み上着の襟に装着し保釈金を騙し取るなど数々の詐欺を働き、そのつど１万円程度の現金を手に入れていた。

そして、12月29日、東京・雑司ヶ谷のアパートで、81歳の現役弁護士を絞殺。現金や弁護士バッヂなど14万円相当を略奪し、死体と一緒に４日間を過ごす。

復讐するは我にあり

1979／日本／監督：今村昌平
稀代の殺人鬼、西口彰はもちろん、事件に関係した人間の業や情欲を徹底的に描いた傑作。1979年の数々の映画賞で、最優秀作品賞、監督賞、助演男優賞（三國連太郎）、助演女優賞（小川真由美）に選出された。撮影が実際の事件現場で行われたのは有名な話。写真は北米向けに作成されたBlu-rayのパッケージ。

映画で描かれていない西口逮捕のきっかけは、1人の少女の証言だった。1964年1月2日、西口は熊本県玉名市の寺に現れる。住職は、戦後まもなく福岡県で起きた殺人事件を冤罪と考え救援活動を続けていた人物で、訪問の際、西口は例によって弁護士を騙り、活動の支援を申し出ていた。犯罪を重ねるうち、西口の法律知識は相当なものになっており、当初、住職もその正体を見破れなかった。が、11歳の娘は気づく。よく行く銭湯に貼られた手配書の写真の人物と、突然我が家に現れた男の顔がソックリだったのだ。

娘の必死の訴えを聞いた母親は、自らも手配書を確認し、男が西口であることを確信。近くの交番に通報する。住職は驚愕の事実を伝え聞き、今夜は旅館に泊まるという西口を、危険覚悟で自宅に宿泊させる。家族は鍵のかかった部屋に寝かせ、翌朝、警察に身柄を引き渡す計画だった。果たして、恐怖の一夜は無事に明け、朝になり家を出た時点で、西口は周囲に張り込んでいた玉名署員に拘束される。福岡での殺人から77日後のことだ。

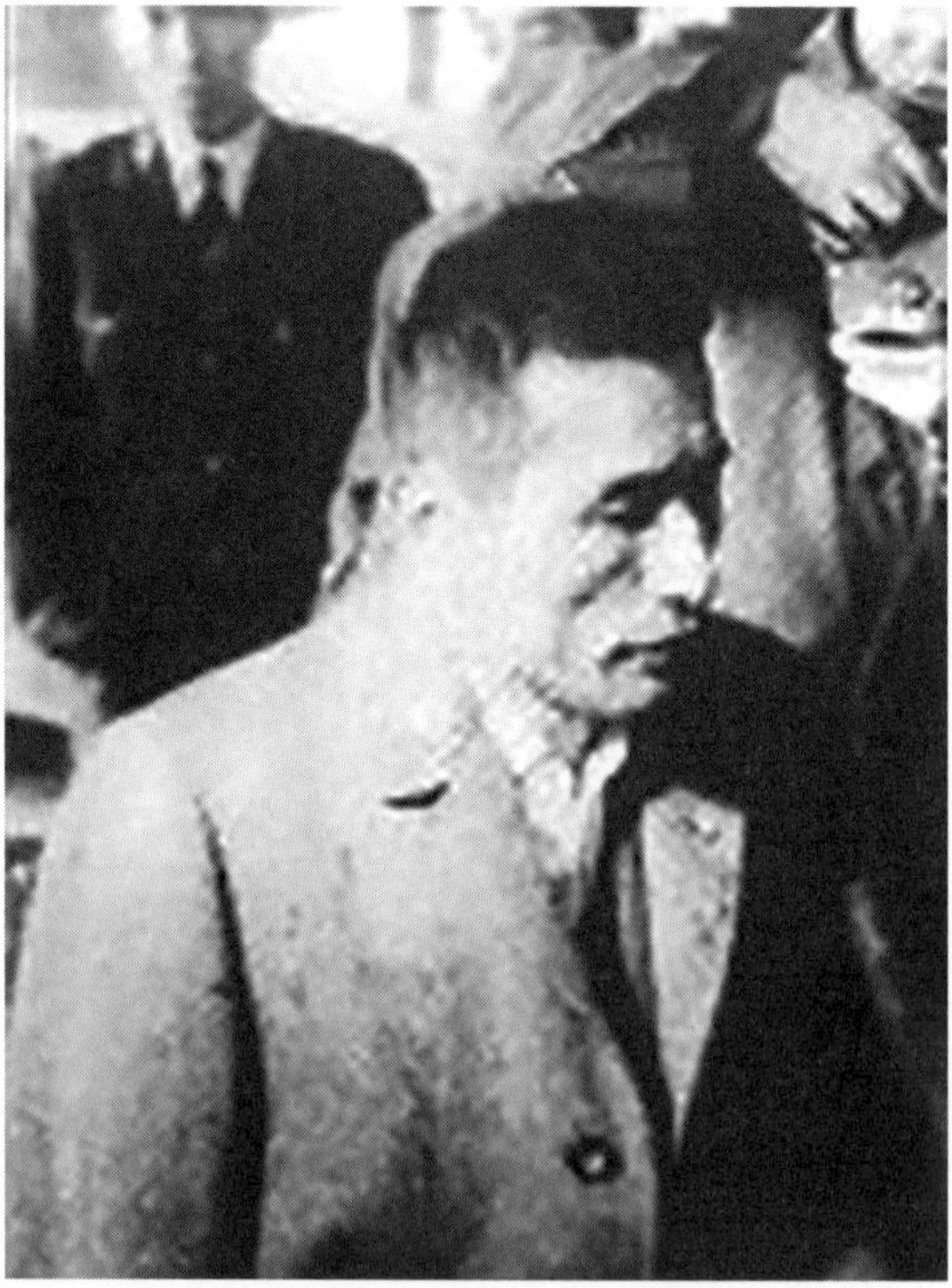

福岡県警行橋署に連行される西口。映画の冒頭、緒形拳がパトカーの車内で口にする「ドカンと冷えとるじゃろね、留置所は」という印象的な台詞は実際に西口から発せられたものだという

福岡地裁の判決は死刑。弁護側は控訴したが、二審でも判決は変わらず、この後、西口が最高裁への上告を取り下げたことで死刑が確定した。処刑執行は1970年12月11日。享年44だった。

佐木隆三の著作によれば、世間を恐怖に陥れた西口の犯行は、すぐに映画化の話が持ち上がり、逮捕から1ヶ月後にはすでにシナリオの決定稿が完成していた。タイトルは「一億人の眼」。監督は新人が起用される予定だった。しかし、西口の父親が映画化中止を訴えたことで、話はなくなる。西口本人はともかく、映画化によって、西口の子供まで断罪されるのは許してほしいという父親の嘆願に、映画会社が折れたようだ。今村昌平監督の「復讐するは我にあり」が公開されるのは、それから15年後のことだ。

福岡地裁小倉支部での公判の模様。中央のメガネの男性が西口

犯行を計画したリチャード・ヒコック(右。当時28歳)と、
実際に手を下した相棒のペリー・スミス(同31歳)。
獄中で知り合った間柄だった

冷血

作家カポーティが追いかけた凶行

FILMS

クラッター一家惨殺事件

『ティファニーで朝食を』などの著作で知られる作家、トルーマン・カポーティの『冷血』は、実際に起きた殺人事件をカポーティ自身が徹底的に取材した上で書き上げ、その後多くの作家に影響を与えることになる〝ノンフィクションノベル〟の金字塔である。

本作発表から1年後の1967年、同名の映画が公開された。実際の事件現場で殺害シーンを撮り、法廷場面は事件が裁かれた実際の法廷を使用、さらには陪審員も6人は当時陪審員を担当した人物に演じさせるという、こちらもリアリズムに徹した作品だ。

小説、映画で忠実に再現された殺人事件。それは、まさに〝冷血〟と呼ぶに相応しい残忍な一家皆殺しだった。

米カンザス州ホルコムで農場を営むクラッター家4人の殺害死体が自宅で発見されたのは1959年11月16日のことだ。主人ハーバードは喉を掻き切られた上に至近距離から散弾銃で撃たれ、妻、娘、息子の3人は皆、手足を紐で縛られた姿で銃殺されていた。

冷酷無比な犯行に警察は怨恨を疑うが、被害者家族は近所でも評判の一家。恨みを買う理由など思い当たらないと住民は口を揃えた。一方、奪われた金品は、現金50ドル足らずとラジオ、双眼鏡のみ。妻や娘が強姦された形跡もなかった。

犯人の目的は何なのか。現場には指紋等の証拠もほとんど残っておらず、捜査は早くも暗礁に乗り上げる。ところが、警察当局が犯人の情報提供に1千ドルの懸賞金をかけてまもなく、1人の受刑者が重大な情報をもたらす。房の中で、事件当時は釈放されていたリチャード・ヒコックなる詐欺の常習者に対し「クラッター家は大金持ちで、自宅

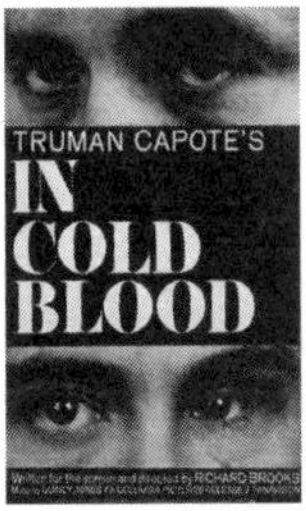

冷血

1967／アメリカ／監督：リチャード・ブルックス
作家トルーマン・カポーティが、1959年に実際に発生した殺人事件を徹底的に取材、加害者を含む複数の関係者にインタビューしながら事件の発生から犯人の死刑執行に至る過程を著した同名小説を忠実に描いた作品。DVDのパッケージ写真は、実際の犯人の眼が使われている。

の金庫に少なくとも1万ドルは眠っている」と話したことがあるというのだ。リチャードは、以前クラッター家の農場で働いていたという彼の話を鵜呑みにし、本気で強盗を働く様子だったと囚人は警察に語った。

しかし、このネタは完全なデマだった。主人のハーバートが支払いは常に小切手で済ませ、自宅に金庫はおろか、現金すらほとんど置いていないことは、近隣住民なら誰でも知っていたのだ。

事件発生から6週間後、寄せられた情報をもとに、リチャードと、相棒のペリーがラスベガスで逮捕される。2人は犯行の後、小切手詐欺を働きながら逃走を続け、警察が足取りを追っていた。

自供によれば、彼らはニセの儲け話を信じて事件当日の深夜、クラッター家に侵入。しかし、金庫はどこにもなかった。このまま帰ろうと主張するペリー。ありもしない金庫を探し続けるリチャード。そして最終的にはペリーが一家を惨殺してしまう。ガセネタを掴まされた上に、口先ばかりで何もできないリチャードに苛立っての凶行だったようだ。

2人は一審で死刑判決を受け、その後2度控訴するも棄却され、事件から5年後の1965年4月14日、絞首台の露と消えた。

発生から事件を追いかけていたカポーティは、さぞ胸をなで下ろしたに違いない。獄中で2人から多くの話を聞き、事件を1冊にまとめようとしていたカポーティにとっては、彼らに早く死なれては困る。

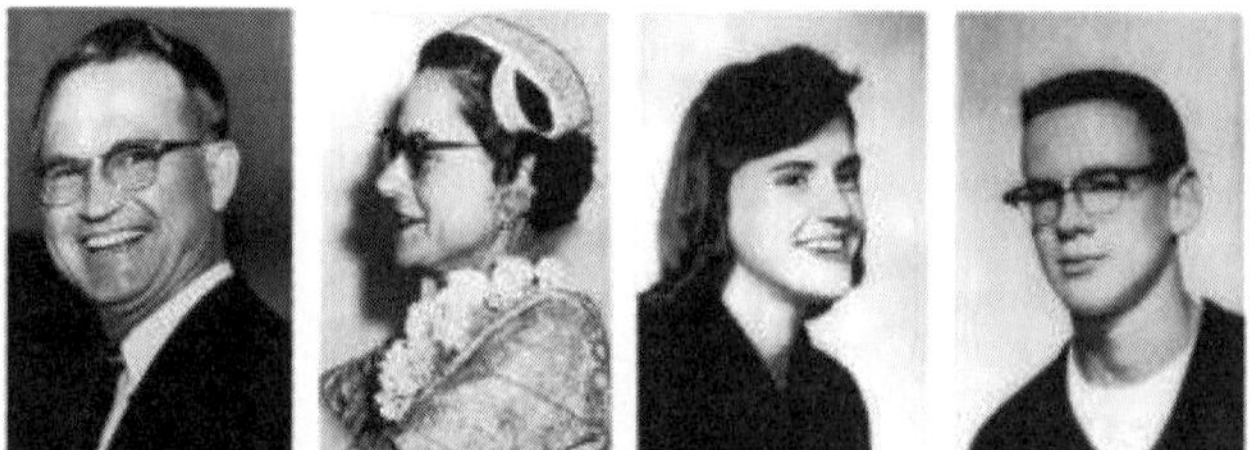

映皆殺しに遭ったクラッター一家。左から主人ハーバード(事件当時48歳)、妻ボニー(同45歳)、長女ナンシー(同16歳)、長男ケニヨン(同15歳)

そこで自らが紹介した優秀な弁護士を付け裁判を闘わせたものの、これが意外に長引いた。本が、処刑で終わることは最初からわかっている。が、実際に2人が首を吊られない限り、結末は書けない。この辺りの作家の苦悩は、2005年に公開された映画「カポーティ」で描かれているとおりだ。

カポーティは渾身の一作『冷血』を世に発表して以後、1冊の本も出していない。晩年はアルコールと薬物中毒に苦しみ、テレビで不可解な発言を口にするなど奇行をさらし、1984年に心臓発作でこの世を去った。事件を追いかけ神経をすり減らした作家の哀れな末路というべきだろうか。

犯行現場は凄惨を極めた

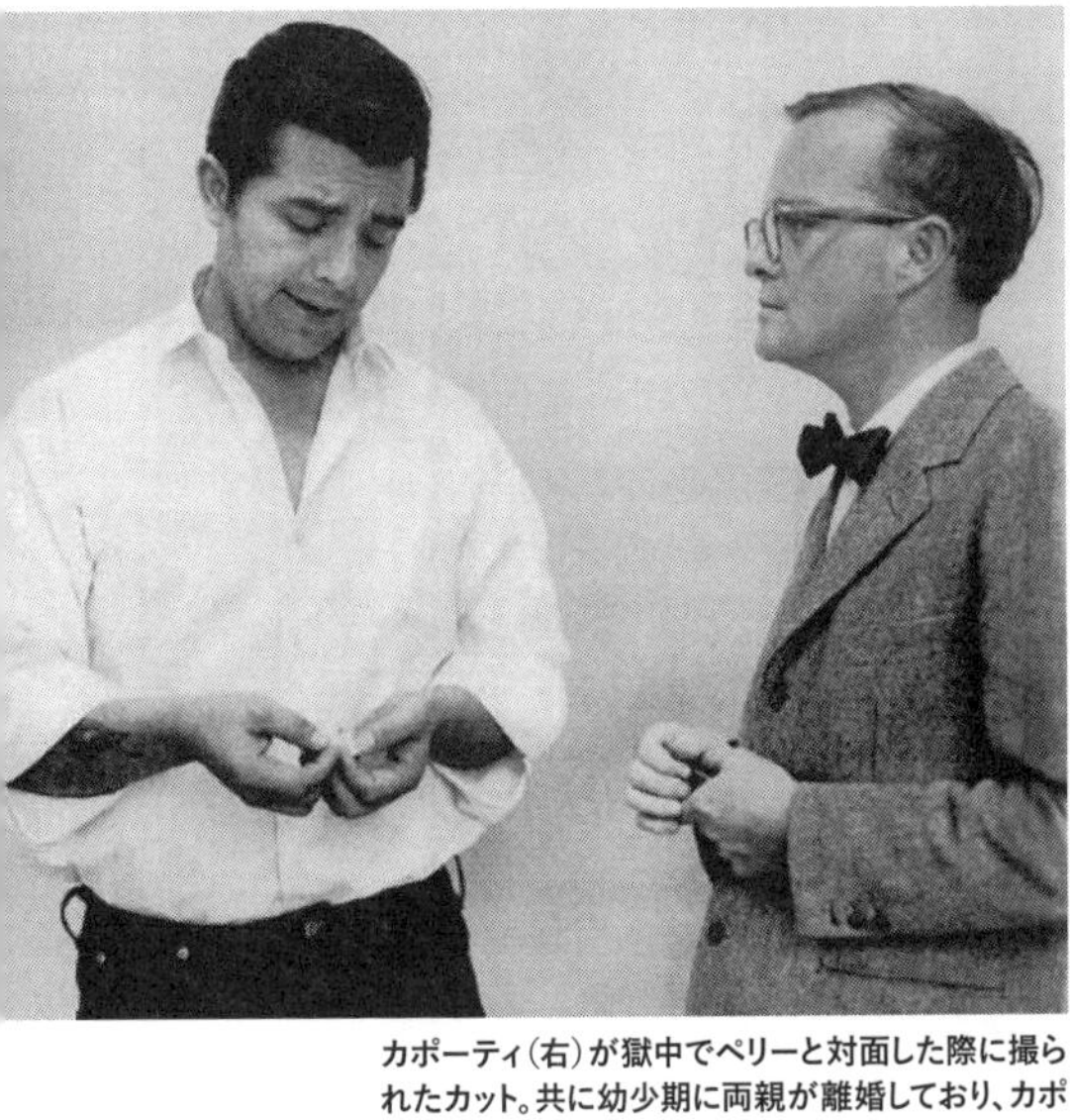
カポーティ(右)が獄中でペリーと対面した際に撮られたカット。共に幼少期に両親が離婚しており、カポーティはペリーに特別な親近感を抱いていたという

フローズン・グラウンド

恐怖の人間ハンティング！

冷酷無比な殺人鬼を演じたジョン・キューザック。映画「フローズン・グラウンド」より

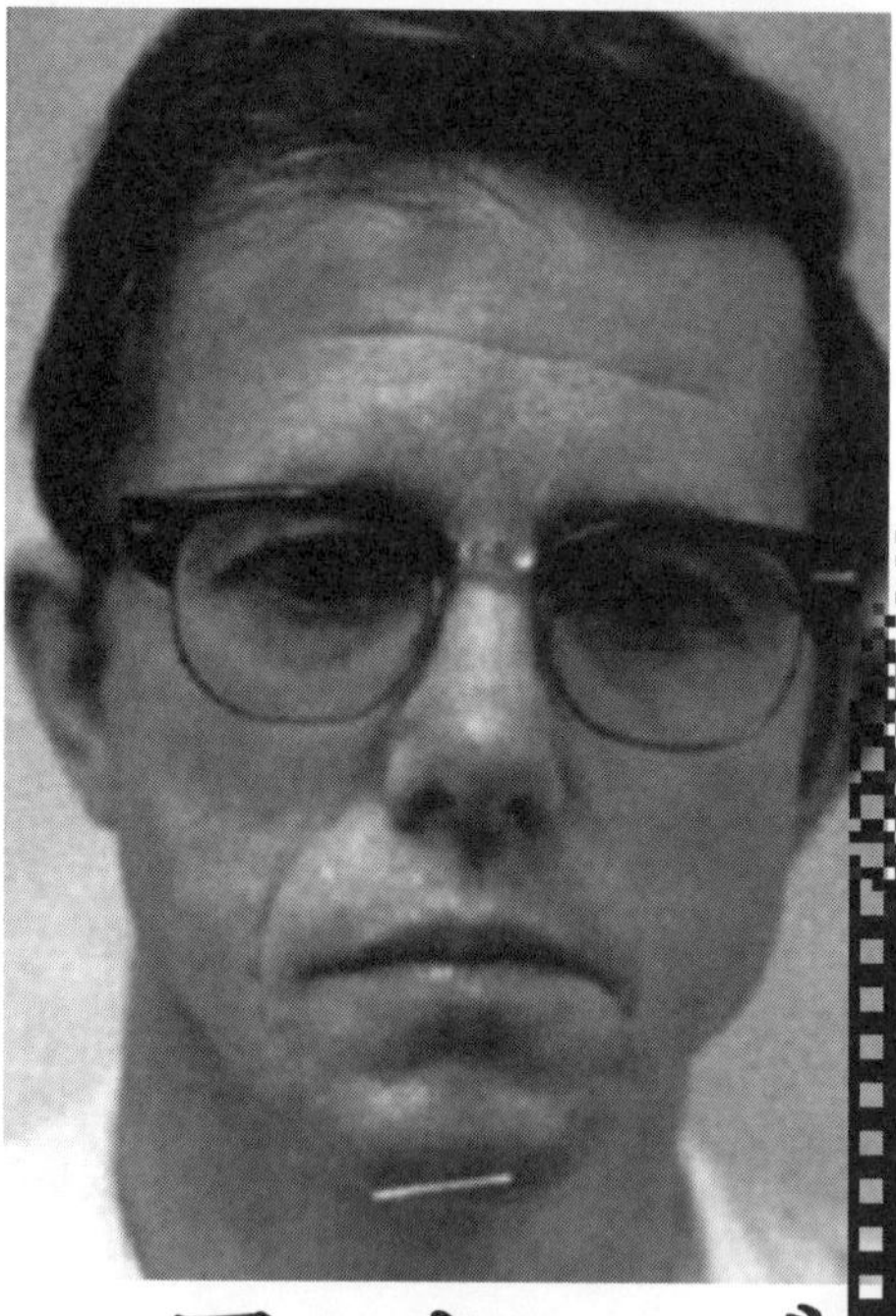

犯人のロバート・ハンセン本人

アンカレッジ連続殺人事件

2013年に公開されアメリカ映画「フローズン・グラウンド」は、1980年代、若い女性を次々に拉致してレイプ、猟銃で殺害したロバート・ハンセンのおぞましい犯罪がベースになっている。12年間で17人の命を奪ったシリアルキラーの鬼畜すぎる犯行手口！

1980年代初頭、米アラスカ州で売春婦やストリッパーが次々と行方不明になった。最初は問題視していなかった警察も、1982年になって立て続けに4人の銃殺遺体が発見されたことで、ようやく捜査に着手する。が、犯人につながるような手がかりは一切見つからなかった。

事件が動き出すのは1983年6月。シンディ・ポールソンという17歳の娼婦が、客に殺されかけたと、手錠をかけられ血まみれの状態で警察に駆け込んできたのだ。何でも男性客に200ドルでオーラルセックスを持ちかけられ相手の車に乗ると、いきなり手錠をかけられ自宅へ。局部にハンマーを挿入されるなどの拷問を加えられた後、山小屋に押し込まれたという。

隙を見て逃げ出してきたという彼女の証言から、男がロバート・ハンセン（当時45歳）という妻子持ちの白人男性であることが判明する。が、地元警察は「その日は友人といた」と主張するハンセンの言い分をそのまま信用してしまう。保守的な土地柄もあって、娼婦の存在を軽く見ていた警察の怠慢ぶりは、映画でも描かれるとおりである。

最終的にハンセンを追い詰めたのは、州警察の捜査官グレン・フロスのチームだ。改めて捜査した結果、気の弱く善良そうに見えたハンセンが過去に窃盗や少女への性犯罪

フローズン・グラウンド

2013／アメリカ／監督：スコット・ウォーカー
ニコラス・ケイジ&ジョン・キューザック共演のクライム・サスペンス。1980年代、米アラスカ州で実際に起きた猟奇殺人事件を題材にしている。

歴があることが判明。アリバイを証明していたハンセンの友人らを改めて尋問すると、証言を覆したばかりか、ハンセンが自宅の貴重品が盗まれたと警察にニセの通報をして、保険金詐欺を行っていることまで打ち明けた。

さっそく家宅捜索に出向いたところ、1枚の地図が見つかり、一気に事件が解決に向かう。その地図に、先に発見された4人の遺体が埋められていた場所に印が付けられていたのだ。

さらに、ハンセン宅から押収されたライフルが、弾道検査によって4人を殺害した凶器と認定されたうえ、犠牲者たちから奪い取った宝石類も発見された。

動かぬ証拠により逮捕されたハンセンは司法取引に応じて17人の殺害と30人へのレイプを認める。ただし裁判で審議されたのは、4件の殺人のみで、84年2月18日、仮釈放なしの懲役461年の刑が確定した。

映画では、シンディの事件が中心に取り上げられているため、ハンセンが犯した陰惨な犯行の詳細は描かれていない。が、法廷で明らかになったその手口はまさに鬼畜としか言いようがない。

ハンセンが狙ったのは娼婦やストリッパーなど、金で買える

劇中、捜査官が壁に貼り出す写真は実際の被害女性の画像がそのまま使われている。
映画「フローズン・グラウンド」より

女性ばかり。彼女たちが自分の車に乗るや、手錠やロープで自由を奪い、気が済むまでレイプし、拷問を加える。

そして最後は、所有する軽飛行機に乗せ、人里離れた山小屋に連行。１９６７年にアンカレッジに移り住んで以来、狩猟にハマっていたハンセンは、女性を裸にし、時には目隠しをして森に解き放ち、逃げ出したところを狩り用の大型ナイフや猟銃で〝ハンティング〟していたという。それは、楽しんでシカやクマを狩る姿と何ら変わらなかったそうだ。

ハンセンは30年近くペンシルベニアの刑務所に収監されていたが、２０１４年8月、病気で死亡した。享年75。

逮捕時のハンセン

ハンセンの供述場所から発見された遺体を運び出す捜査員

殺人狂時代

チャップリンが演じた伝説のシリアルキラー

アンリ・ランドリュー事件

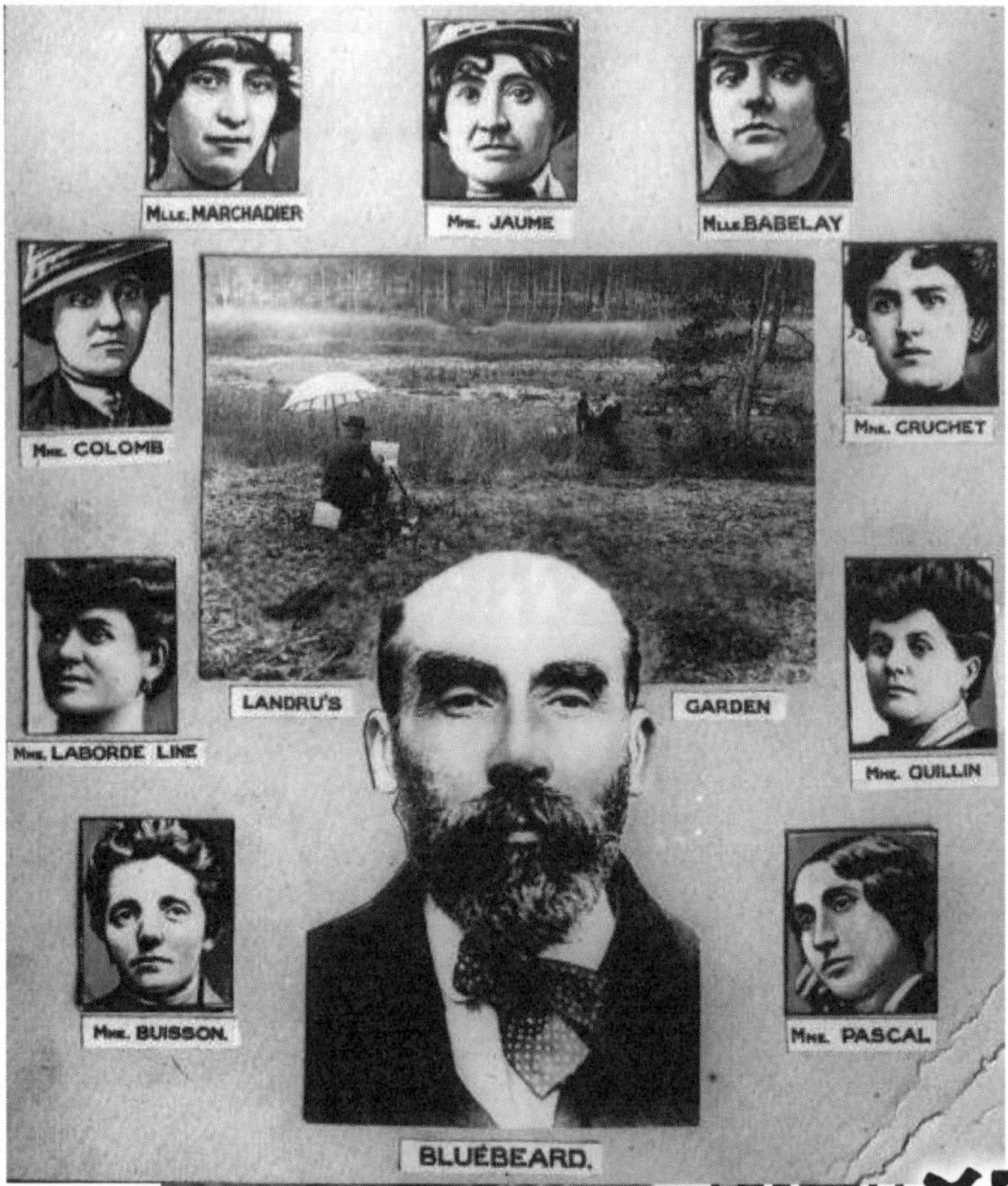

アンリ・デジレ・ランドリュー（中央）と犠牲者たち

ランドリューと妻レミー。1900年ごろの撮影

チャールズ・チャップリン監督・主演による1947年公開作「殺人狂時代」は、世界大恐慌の時代を背景に、30年間勤務した銀行をクビになったフランス人男性ヴェルドゥが、妻子を食わせるため財産持ちの中年女性を次々と殺害、最終的に死刑に処されるブラック・コメディだ。この冷酷無比な殺人鬼には、実在のモデルがいる。第一次世界大戦中から戦後の1914年～1919年、10人の未亡人を殺害、金品を奪ったアンリ・デジレ・ランドリュー（1869年パリ生）。右ページの写真を見てもわかるとおりの容姿の冴えない中年ハゲ男は、いったいどんな手口で犯行を重ねたのか。

チャップリン演じる主人公同様、ランドリューにも妻子があった。20歳で従妹のレミーと結婚し、もうけた子供が4人。彼は家族を養うため建築事務所で懸命に働いた。が、31歳のとき積立預金を雇用主に持ち逃げされたことを機に詐欺師の道へ入り、以後、12年間、出入獄を繰り返す。この間に母親は病死、父親は息子を恥じ自ら命を絶った。

第一次世界大戦が始まった1914年、出所したばかりのランドリューは、金品奪取目的でブティック勤務の未亡人に結婚をエサに近づき、同居を始める。が、婦人は翌1915年4月、息子と共に行方不明となる。ランドリューが初めて犯した殺人である。

これに味をしめた彼は、本格的に結婚詐欺に乗り出すべく、新聞に広告を掲載する。

「当方、子供が2人いる男やもめ。十分な収入があり、愛情豊かで真面目、社交界に出入りあり。結婚を前提に未亡人と付き合いたし」

この文言に、5年で300人近くの応募者が集まる。時は戦争真っ只中。フランス中に戦いで夫を亡くした妙齢の女性が溢れていた。彼女らにとって、将来を約束してくれ

殺人狂時代

1947／アメリカ／監督：チャールズ・チャップリン
オーソン・ウェルズの原案をチャップリンがシナリオを構成、2年をかけて完成させた傑作。処刑前の主人公の言葉は、戦争による理不尽な殺戮への警告として語り継がれる名台詞だが、同時に"赤狩り"によるチャップリン排斥の動きを加速させるきっかけにもなった。

るランドリューの誘い文句は実に魅力的だった。

加えて、彼は劇中で描かれるとおり、バラの花をこよなく愛し、物腰も柔らかく女性を安心させる雰囲気を持っていた。ランドリューが応募者の中から選んだ資産持ちの未亡人は、彼の外見など全く気にせず、その人柄に魅せられていく。こと結婚詐欺においては、彼は一流中の一流だった。

こうして、1919年1月までに都合9人の未亡人が財産と命を奪われる。犯行は、ランドリューがパリ南部ガンベ村に借りたエルミタージュ荘（後に観光名所となる）で実施され、遺体は大型ストーブで跡形もなく焼却された。死体が見つからなければ捕まらない。ランドリューには絶対の自信があった。

ちなみに、犯行期間、彼は映画同様、ターゲット宅と家庭を行き来していた。定期的に生活費を入れてくれる夫が結婚詐欺を働いてることなど、妻は知る由もなかった。

ランドリュー逮捕の経緯は以下のとおりである。

1919年、最後の犯行を終えてまもなく、7人目の犠牲者の妹が、パリ郊外の歩道を歩くランドリューを発見した。妹は姉が失踪する前に、婚約者としてランドリューの写真を見せられていた。その特

喜劇王チャップリンが残忍な殺人鬼に。映画「殺人狂時代」より

徴的な外見を忘れるわけがない。彼女はすぐに警察に通報する。同じ頃、エルミタージュ荘の近くの住民も、中年の婦人が訪れては忽然と姿を消す事態が繰り返されるのを不審に思い、地元警察に調査を要請していた。ランドリューの家の煙突からは異臭を放つ黒い煙が巻き上がっていた。

パリ市警は、ランドリューが捜索願いの出ている女性と何らかの関係があると見て彼を逮捕、署に連行する。その途中、1人の刑事がランドリューが妙にそわそわしている様子を奇妙に感じ、手首を押さえつけ、衣服の中から黒い手帳を押収した。そこには総勢283人にも及ぶ女性の詳細なデータの一覧表が記載されており、その中に10人の行方不明者も含まれていた。

「1人を殺したら悪人で、100万人を殺したら英雄」

映画で処刑寸前にチャップリンが口にする台詞はつとに有名である。一方、判決で斬首刑を宣告されたランドリューが牧師に告げた最後の言葉はこうだ。

「私より貴方の魂を救済することを考えた方が良い」

1922年2月25日、処刑は執行される。享年52だった。

公判中、ランドリューは終始、余裕の態度を取り続けた

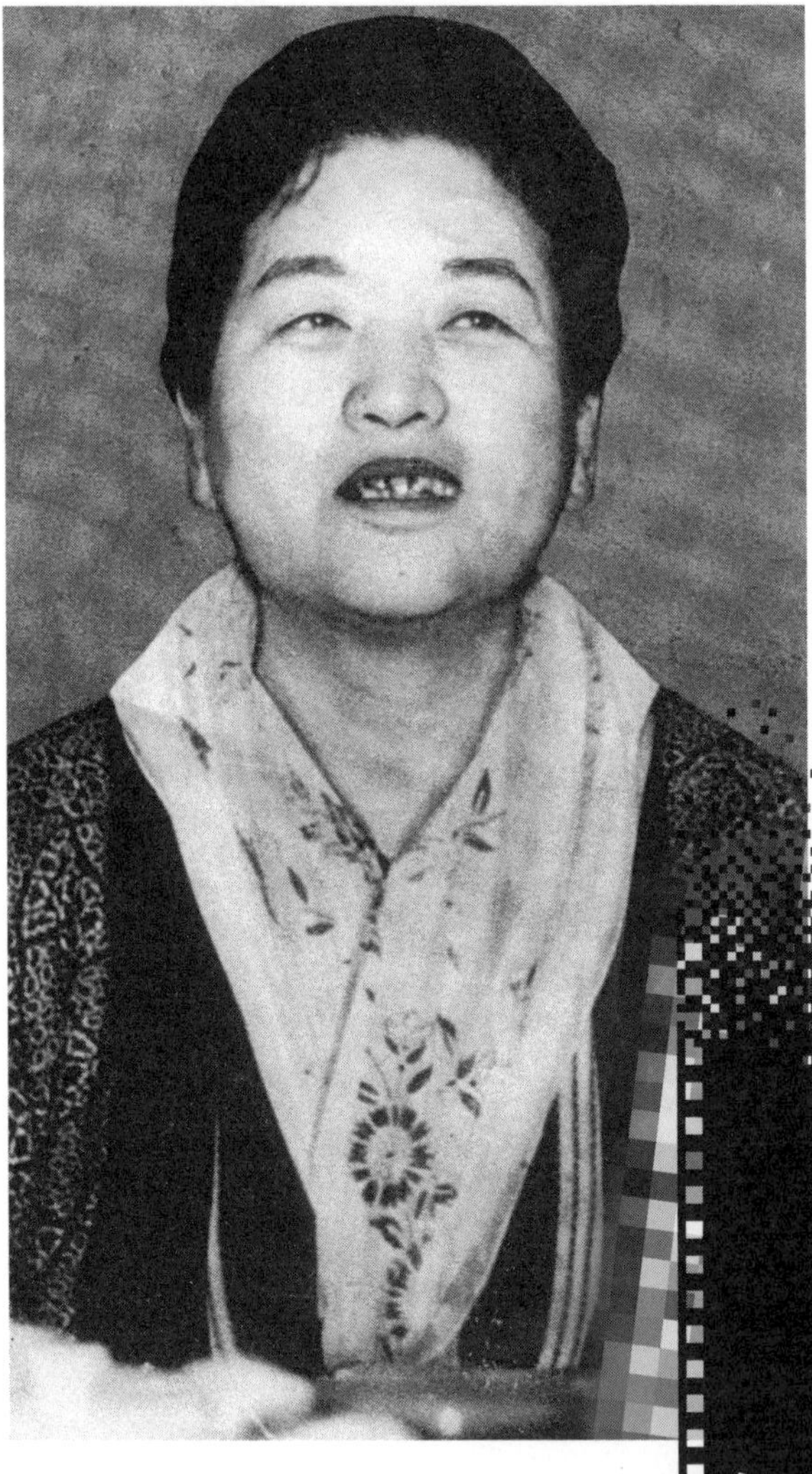

「稀代の悪女」「毒婦」などと呼ばれた小林カウ

天国の駅

戦後初の女性死刑囚

FILMS

“毒婦”小林カウの欲と罪

小林カウは、戦後、女性の死刑執行第1号となった〝毒婦〟の代名詞と言うべき人物である（享年61）。1960年から1961年にかけて、栃木県塩原温泉郷にあった「ホテル日本閣」の乗っ取りを企て経営者夫婦を殺害。さらにカウは、病死したはずの前夫も毒殺していた。

映画「天国の駅」は、カウをモデルに吉永小百合が初の汚れ役に挑戦、自慰シーンなども話題になった作品だが、あくまで悪い男たちに運命を狂わされた悲劇のヒロインとして描かれており、事実関係も実態にはほど遠い。


1908年（明治41年）、埼玉県大里郡（現熊谷市）の農家に生まれ育ったカウは、器量はともかく、着飾ることが好きな、目立つ存在の女性だった。22歳で結婚。一男一女を授かるも、夫は虚弱体質で、性欲旺盛なカウの欲望に応えられない。その代わりだったのか、カウは熊谷名物の菓子・五家宝や、からし漬けを行商して歩き、金を貯める歓びを覚える。子供の頃からケチと評判だったが、当時のカウは尋常ではなかった。一度、懐に入った金は手放さず、炭代から八百屋代、果ては電気代まで自分の身体で支払ったという。

1951年（昭和26年）、43歳のカウの前に1人の男が現れる。25歳の警察官、中村。カウは初めて性の快感にハマり離婚を申し出る。夫は拒否したがカウの気持ちは変わらず、あろうことか、オブラートに包んだ青酸カリを夫に飲ませ殺害してしまう。その犯行は、行商で鍛えた口の旨さで近所の医者に「脳溢血」の死亡診断書を書かせ闇に葬られた。

しかし、2人の関係は2年で終わり、1956年、カウは行商で貯めた金で塩原の温泉街に土産物屋をオープンする。同時に、自らエロ写真や大人のオモチャを売り歩き、

天国の駅

1984／日本／監督：出目昌伸
戦後初の女性死刑執行者となった「ホテル日本閣殺人事件」の主犯、小林カウをモデルに、その半生を描く。主演を吉永小百合が、共犯の雑用係を西田敏行、若い警官を三浦友和が演じた。

ほどなく始めた食堂も成功。いよいよ長年の夢だった旅館の経営に目標を定める。

1958年秋、生方鎌輔（当時52歳）が所有するホテル「日本閣」が売りに出されていると の噂を聞きつけると、さっそく色仕掛けで鎌輔に取り入り、共同経営者に。鎌輔はカウの財力に惹かれたのだろう。妻と別れる手切れ金を貸して欲しいと言う鎌輔に、カウは答えた。いっそ奥さんを殺してしまえばビタ一文払わなくて済む、と。ビビる鎌輔。しかし、カウに迷いはなかった。ホテルの雑用係、大貫光吉（同36歳）に「手間賃は2万、うまくいったら抱かしてやる」と迫り、奥さん殺害を命じたのである。

1960年2月8日、大貫が1人で寝ていた奥さんを麻紐で絞殺。鎌輔も含め3人でボイラー室の床に埋めた（後に、ボイラー室に奥さんが埋められていると噂になり、裏の山林に埋め直した）。

逮捕時のカウ

邪魔者を消したカウは日本閣に乗り込み、女将として采配を振るい始める。が、まもなく鎌輔に騙されていたと気づく。改築費として200万円を注ぎ込みカウ名義になっているはずの新館が、旧館と共に競売にかけられることを知ったのだ。

カウは裏切った鎌輔が許せず、またも大貫を利用して殺害を計画。同年の大晦日、ホテルの帳場でテレビを見ていた鎌輔の背後からカウが細引きで首を絞め、大貫が包丁で首を切りつけトドメをさした。

これで日本閣を我が物にしたカウだが、さすがにホテルの経営者夫婦が2人とも姿を消せば新聞も警察も騒ぎ出し、まもなくカウと大貫が殺人容疑で逮捕される。犯行からわずか2ヶ月後、1961年2月のことだった。

1966年7月、カウと大貫に下された最高裁の判決は両者とも死刑。4年後の1970年6月11日、カウの処刑が執行される。当日、カウは自ら死に化粧を施し絞首台に上ったという。

事件発覚後、無人となったホテル日本閣は見物人で賑わった

逮捕・連行されるマルセル・プチオ本人

怪人プチオの密かな愉しみ

ナチス占領下のフランスで
ユダヤ人63人を殺害した〝死神博士〟

FILMS

マルセル・プチオ事件

１９９０年に公開された「怪人プチオの密かな愉しみ」は、ナチス占領下のパリで〝死神博士〟の異名をとった殺人医師、マルセル・プチオの半生を描いたホラー作品だ。

映画は全編、まるで悪夢であるかのような描写で貫かれ犯行の詳細は曖昧だが、プチオは少なくとも63人のユダヤ人らを殺害したものとみられている。

１８９７年、パリ郊外のオセールで生まれたプチオは幼くして母親を亡くし、親戚に預けられて育った。勉強は良くできたものの、教室で猥褻写真を配ったり、父親の銃を盗むなどの奇行が目立ち、１９１５年、精神障害と診断され退学処分に。その後、窃盗で逮捕された際も、精神障害を理由に不起訴となる。１９１６年、第一次世界大戦の勃発に伴い、陸軍へ入隊し、戦場で負傷。診療所で毛布を盗んで軍事刑務所に入れられたが、神経衰弱を演じて除隊となる。退役軍人として、年金の支給資格を得るのが目的だった。その後、プチオは驚くべきことにパリ医科大学で学位を取得、25歳で開業医に。さらに、28歳のとき町長選に出馬、見事当選してしまう。過去の素性からはとても信じられないが、映画でも描かれるように、プチオは貧しい家庭の子供や老人たちを無償で診察し、多くの住民たちから慕われていた。

しかし、化けの皮はすぐに剥がれる。１９３１年、公金横領などの罪で有罪となると、悪い噂が噴出し始める。違法な中絶手術を行っている、麻薬を密売している、死亡する患者が相次ぐのはプチオが殺害しているのではないか等々。その噂は全て真実だった。

１９３３年、パリに引っ越すと、古いホテルを改装し、新たに診療所を開設する。〝密

怪人プチオの密かな愉しみ

1990／フランス／監督：クリスチャン・ド・シャロンジェ
ナチス占領下のパリで、多数のユダヤ人を殺害し死体を焼却炉で処理していた実在の医師、マルセル・プチオの半生を描いた衝撃作。

かな愉しみ〟を覚えるのも、この頃からだ。改装した際に造った〝三角の部屋〟に患者を閉じ込め毒物を注射、彼らが悶え苦しみながら死んでいくのを覗き見し、遺体を切断したというから背筋が凍る。

悪事がさらにエスカレートするのは、第二次世界大戦が勃発し、1940年代に入ってヒトラーがホロコースト政策を実施し始めてからだ。プチオは、ナチスの追っ手から逃れてきたユダヤ人たちを、国外に逃亡させてやると2万5千フラン（約2500万円）の手数料を騙し取った挙げ句、〝三角の部屋〟で殺しまくった。

手口は様々で、毒物を注射するだけでなく、ナチスが強制収容所で使用したものと同じ劇薬のチクロンガスを使ったり、首輪で吊るしたり。遺体はセーヌ川に捨てた他、地下室に造った焼却炉で灰にした。

こうしたプチオの悪事が発覚するのは1944年3月。診療所の煙突から出た黒煙があまりに臭いと、周囲の住民から苦情が出たのがきっかけだった。

連絡を受けた警察が屋敷の中に入ると、半開きの焼却炉からは女性の手が飛び出し、周辺には腐敗した人の頭や様々なパーツが転がっていた。

その日、プチオは外出しており、騒動の真っ只中に帰宅する。悪知恵が働く彼は、警官がフランス人

プチオが自身の診療所に造った三角部屋。
患者が悶え苦しみながら死にゆく様を覗き見していた

であることを確認したうえで言った。

自分はここの屋敷の主の弟で、兄はレジスタンスのリーダーだ。現在、秘密作戦の最中で、ここで死んだ者は対独協力者であり我がフランスを売った裏切り者たちである。後日、兄を出頭させる――。

この説明に警官は納得し、プチオを取り逃がしてしまうのだ。

公判では、犯行の詳細を饒舌に語った

警察が、偽名を使い軍人に扮していた彼を逮捕するのは、パリ解放後から6日後の１９４４年10月31日。取り調べで、プチオは少なくとも63人を殺害したことを自供する。

マスコミによって〝死神博士〟と名付けられたプチオの裁判は注目を浴び、彼はカメラの前で嬉々として〝三角の部屋〟を説明した。が、一方で自分の行為はあくまでレジスタンス活動だったと主張。最終的に27件の殺人事件で有罪となり、１９４６年5月25日、ギロチン台の露と消えた。享年49。

チェイサー

10ヶ月で老人や風俗嬢など20人を惨殺したシリアルキラー

FILMS

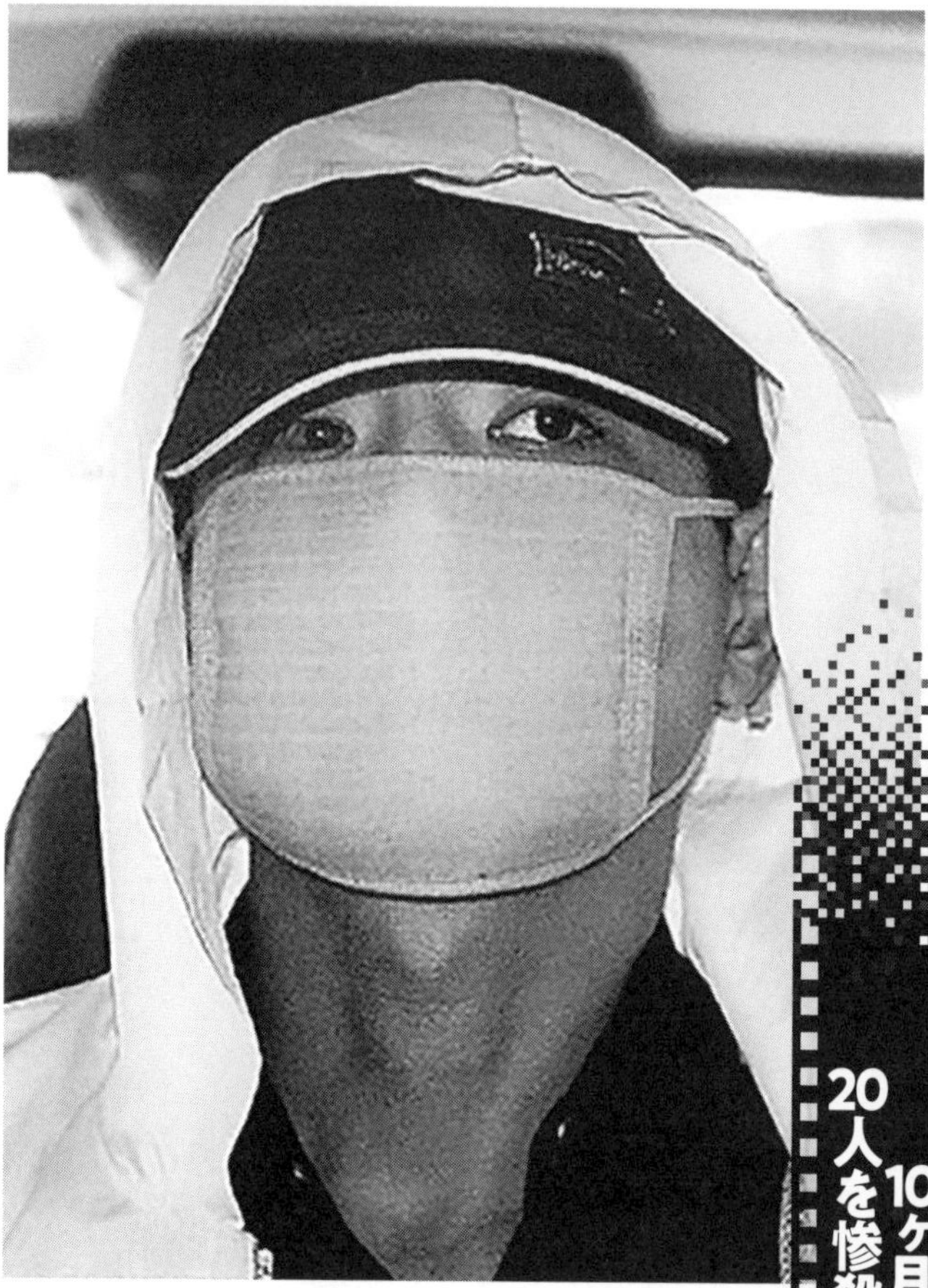

2004年、逮捕時のユ・ヨンチョル(当時34歳)。2006年に死刑判決が下ったが、韓国では1997年以降死刑が執行されておらず、ヨンチョルは現在も監獄に収監されている

韓国の殺人機械 ユ・ヨンチョル

２００4年7月18日、韓国史上最悪の殺人鬼が逮捕された。ユ・ヨンチョル。10ヶ月の間に老人や風俗嬢をふくむ20人を手にかけ、マスコミから「殺人機械」と呼ばれたシリアルキラーだ。取り調べに対しヨンチョルは「１００人は殺す予定だった。捕まるのが早すぎた」などとうそぶき、遺体の一部を食べていたことまで告白。２００8年には事件（通称、ソウル20人連続殺人事件）を題材にした映画「チェイサー」が公開された。韓国全土を震撼させた猟奇殺人鬼とは、いかなる男だったのか。

劇中では一切描かれないが、ヨンチョルの生い立ちは悲惨そのものだ。ソウルから車で4時間の貧しい田舎町に生まれた彼は、幼児期に母に見捨てられ、粗暴な気質だった父から殴る蹴るの暴行を受けて育った。内気な性格から友人もできず、暴力におびえながら暮らす日々。孤独感にさいなまれたヨンチョルは、10代後半から盗みや詐欺に手を染め、以後、刑務所への出入りを繰り返した。

１９９1年、そんなヨンチョルにも幸せな時期が訪れる。飲食店で知り合った女性と恋仲になり、ほどなく一子を授かった。当時の近隣住民によれば、この時期の彼はヒマさえあれば子供と遊ぶ良き父親だったそうだ。

平穏な生活は9年で終わる。２０００年夏、通りすがりの風俗嬢から、なぜか自分の容姿をバカにされたと誤解したヨンチョルは、反射的にその女性の顔面が変形するまで殴り倒し、ソウル刑務所へ送られる。夫の意外な気性におびえた妻が、子供を連れてどこかへ逃げ去ったのは、その直後のことだ。

3年後、刑期を終えたヨンチョルは、出所から2週間で最初の殺人を犯す。深夜にソ

チェイサー

2008／韓国／監督：ナ・ホンジン
風俗嬢などを狙う連続殺人鬼と、その正体を追うデリヘル業者の追跡劇を描いたクライムサスペンス。犯罪の猟奇性や警察のずさんな捜査など「ソウル20人連続殺人事件」のエピソードを巧みに取り入れ、韓国で観客動員数500万人を超えるヒット作に。犯人役ハ・ジョンウの演技が高く評価された。

ウルに住む資産家夫婦の家に侵入し、ハンマーで被害者の全身を粉々に砕く残忍な手口だった。「自分が不幸なのは、金持ちがいるからだ」と思い込んだのだという。続けてその後の3ヶ月でさらに8人の老人たちを殺すと、殺人鬼の標的は風俗嬢へと切り替わった。このときの心理状態を、ヨンチョルは後に「寂しすぎて、死体でもそばに置いて慰めにしようと思った」と語っている。

殺しの手口は映画と同じで、ランダムに決めた場所へデリヘル嬢を呼び出した後、自宅へ連れ込んで監禁。ハンマーでいたぶり殺した後、粉砕機でバラバラに解体して山へ埋める。ちなみに、被害者の名前が別れた妻と同じだった場合は、尻や顔の肉を少しずつ削ぎとり、死ぬ直前まで地獄の苦しみを与えた。また、血液型が自分と同じO型の風俗嬢は、生きたまま腹を切り裂き。「健康のため」と称して肝臓や腎臓をむさぼり食ったという。犯行の猟奇性に関しては、映画よりも現実がはるかに上回る。

ヨンチョルが逮捕されたのは、従業員から連絡がないのを不審に思ったデリヘル業者が、顧客名簿から怪しい男の電話番号を特定したのがきっかけだった。映画では、ここから数日に及ぶ追跡劇が展開するが、実際はその夜のうちに警察が身柄を確保している。

尋問に対し、ヨンチョルは犯行をあっさり自白。「早く死刑にしろ」と主張し、裁判への出席を拒み

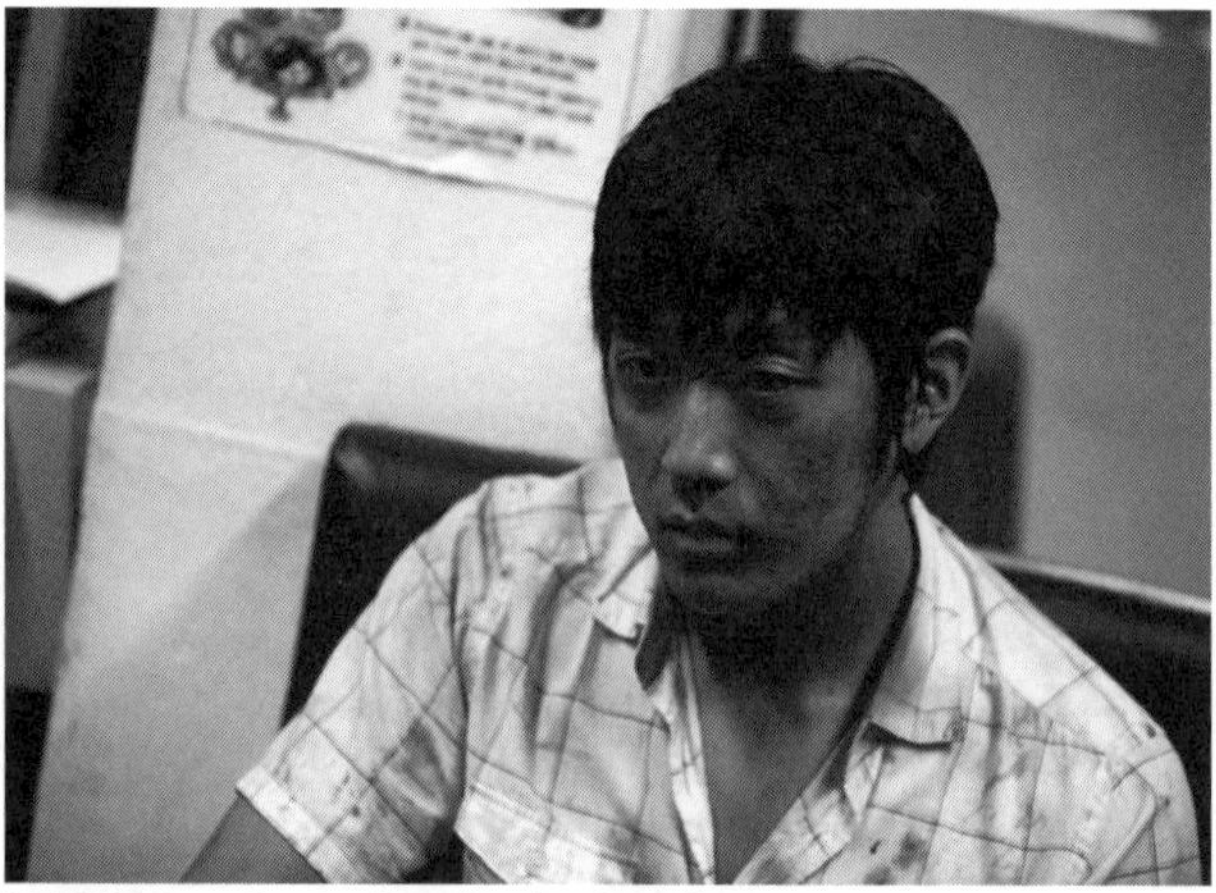

犯人を演じたハ・ジョンウの芝居が観る者の度肝を抜いた。
映画「チェイサー」より

続けた。中でも世間の怒りを買ったのは、遺族たちへの暴言だ。娘を殺された親に「あんな仕事をしてたんだから死んで当たり前だ」と罵り、最後に殺したデリヘル嬢の姉には「妹のせいで捕まった。本当なら、次はおまえを殺してやる予定だった」と言い放つ。傍聴席から非難の声があがると、その場で被告人席を破壊し飛びかかった。

そんな冷血漢が唯一、人間らしい面を見せたのは、生き別れた息子に対してだ。獄中で作成した遺書に、ヨンチョルはこう記している。

「子供が大人になり父親の正体を知るのが一番怖い。この遺書が子供の手に渡るようなことがあってはならない」

彼がマスコミの前では必ず大きなマスクを着けたのも、息子の目から姿を隠すためだったという。

2005年6月9日、最高裁が死刑判決を確定させると、ヨンチョルは「感謝する」とつぶやき頭を下げた。遺族への謝罪の言葉は、最後までなかった。2021年10月現在、刑は執行されておらず、ヨンチョルはソウル拘置所で収監の身にある。

逮捕後に行われた捜索で、山中から11体のバラバラ遺体が見つかった

THE ICEMAN～氷の処刑人

家族では良き父、良き夫

FILMS

ククリンスキーを演じたマイケル・シャノン。
映画「THE ICEMAN～氷の処刑人」より

裏社会の冷徹な仕事師 殺し屋ククリンスキー

2012年に公開された「THE ICEMAN～氷の処刑人」は1960～80年代にかけ、アメリカで100人以上を殺害した実在の殺し屋リチャード・ククリンスキーをモデルにしたクライムサスペンスだ。家庭では良き夫、良き父でありながら、裏ではマフィアの依頼殺人を請け負う冷血なヒットマン。ククリンスキーの二重生活は20年以上に及んだ。

1935年、ククリンスキーは米ニュージャージー州の低所得者用公営団地で三人兄弟の次男坊として生まれた。後に兄は父親の虐待による傷が原因で死亡、弟は25歳のとき12歳の少女をレイプしたうえに殺害、獄中死している。

暴力的な父親と、ネグレクトの母親のもとで育ったククリンスキーもまた当然のように素行不良となった。ストリート・ギャング6人を物干し竿で半殺しの目に遭わせたり、動物虐待を繰り返したりするなど、地元ではその悪名が轟いていた。最初に殺人を犯したのは14歳のときで、ビリヤード場で口論になった相手をキューで何度も叩き命を奪っている。

映画ではこうした彼の生い立ち、家庭環境は一切描かれず、恋愛ドラマの様相で始まる。

一目惚れの相手デボラとカフェでの初デート。やがて結婚し、2人の娘に恵まれる幸福な暮らし。妻には投資などをビジネスとしていると偽り、4人が生活するに十分な金を家に入れていた。妻と娘を愛する頼りがいのあるパパ。ククリンスキーは、この善良な顔を逮捕されるまで貫き通し、近所でも疑う者はいなかった。

劇中では描かれないが、ククリンスキーと裏社会の接点は、有名マフィアのガンビー

THE ICEMAN～氷の処刑人

2012／アメリカ／監督：アリエル・ヴロメン
実在の殺し屋リチャード・ククリンスキーの半生を描いた犯罪映画。獄中で彼をインタビューした作家アンソニー・ブルーノの著作が原作。

ノ一家の幹部、ロイ・デメオの手下に借金をしたことに始まる。金を返し終わった後、デメオが経営するポルノ映画の海賊版製造工場で働いていた1960年、デボラと知り合い結婚。殺しを稼業とするのは60年代半ばからだ。

自身も殺し屋として名を馳せたデメオがククリンスキーの資質を見抜き、ある日、町を歩く一般人の男性を殺すように指示したところ、ためらいもなく男性の頭を撃ち抜いてしまう。以降、ククリンスキーは、デメオの依頼でターゲットを殺し報酬を受ける、暗殺のプロフェッショナルとなっていく。彼が1986年に逮捕されるまでに殺害したのは一般人、マフィア、警察官など少なくとも100人以上、一説には250人とも言われる。

なぜ、ククリンスキーは20年もの長きの間、捕まらずにいたのか。それは、TPOに合わせ殺害方法を工夫した巧妙な手口による。

突然背後に現れて刺殺、言葉巧みに気を逸らしての銃殺、首にロープを巻き付け背負いながら絞殺。中でも彼が好んだのは猛毒で痕跡の残りにくいシアン化合物を使った殺しだ。標的に近づきクシャミをしながらスプレーで噴射すれば、相手は短時間で確実に絶命した。

後始末も完璧で、死亡日時を誤魔化すため死体をしばらく冷凍保存するのが常套手段。ククリンスキ

クリリンスキーと妻デボラと2人の娘。
両親に愛されなかった反動で子供たちを溺愛していた

ーが〝アイスマン〟と呼ばれる所以だ。

しかし、時が経つにつれ死体遺棄でミスが目立つようになり、それがきっかけで警察がククリンスキーに目を付ける。さっそく特殊チームが組まれ、囮捜査を開始。ククリンスキーの友人を通じてウソの殺人を依頼した。ククリンスキーは覆面警官扮する取引相手から手に入れたシアン化合物がニセ物と見破り、計画を中止し帰宅するが、検問でひっかかりあえなく逮捕される。1986年12月17日のことだ。本当の顔を一切知らなかった妻と子供が絶望のどん底に落とされたことは言うまでもない。

1988年3月、裁判で「終身刑2回。110歳まで仮釈放の請求権なし」という判決を受けたククリンスキーは2006年3月5日に70歳で死亡。その直前にマフィアのボス関連の裁判で証言することが決まっていたため、組織に消されたという噂もある。

“仕事現場”はいつも完璧だった

映画になった戦慄の実話

映画「エレファント」より

第2章 悪夢

主役の母親を演じたアンジェリーナ・ジョリー(上)と、モデルになった本物のコリンス夫人。映画「チェンジリング」より

チェンジリング

カリフォルニアの養鶏場で何が起きたか?

FILMS

ウインヴィル連続少年殺人事件の真実

クリント・イーストウッド監督作「チェンジリング」は、アンジェリーナ・ジョリー扮する主人公の9歳の息子が行方不明になり、5ヶ月後に見知らぬ少年を押し付けられる、傑作ミステリーだ。警察は、捜査の怠慢から別の子供を引き渡し、我が子ではないと訴える母親を異常者扱いしたうえ、精神科病院送りに。その間に本当の息子が連続殺人事件に巻き込まれてしまう。面子のため、都合の悪い人間を片っ端から精神科病院送りにするロス市警の腐敗ぶりには目を覆うばかりだが、驚くべきは、これが1920年代に実際にアメリカで起こった事件をモチーフにしている点だ。

映画は、息子の生存を信じ、勇気をもって権力に立ち向かった女性の強さをメインテーマに据え、20人以上の少年たちが殺害された「ウインヴィル連続少年殺人事件」についてはあっさりとしか描かれていない。『いくつかのフィクションもある』とエンドロールで流れるのも、事件の核心部分について隠された重大事実があるからだ。

事件の舞台となったのはカリフォルニア南東部、田園風景が広がるウインヴィルだ。1928年2月、溝の中でメキシコ人と思しき少年の首なし死体が発見され、事が動き出す。警察が捜査を始めると、近所に住む12歳と10歳の兄弟が、養鶏場主ゴードン・ノースコット(当時20歳)と一緒にいるところを目撃されたのを最後に行方不明になっていることが明らかになった。

さっそくロス市警がゴードンの養鶏場に出向くと、メキシコ人少年の頭部が転がっており、その場にゴードンの甥サンフォード(14歳)がいた。捜査員の追及に、サンフォードは驚愕の事実を告白する。ゴードンがおそよ20人の少年たちを殺害したというのだ。

チェンジリング

2008/アメリカ/監督:クリント・イーストウッド
息子が行方不明になり、その5ヶ月後に見知らぬ少年を警察に押し付けられた母親の苦悩を静かなタッチで綴る。1920年代当時、堕落したロサンゼルス警察が保身のため現実に行った非道な行動にがく然とする。

映画では、ゴードンが単に恐怖に怯える少年たちの頭を斧でかち割る〝快楽殺人者〟として描かれているが、実際はサディスティックな小児性愛者で、サンフォードも虐待を受けた被害者の1人だった。ゴードンは、サンフォードを連れて町に出ては10歳前後の少年をさらい、養鶏場に監禁。性的虐待を加えた後、同様な性的嗜好を持つ〝顧客〟に貸し出しては金を稼いでいたのだという。そして飽きれば、銃で撃ったり斧を振りかざすなどして殺害。サンフォードに命じ、生石灰と一緒に死体を埋めて肉を溶かしたうえで骨を養鶏場周辺の砂漠に遺棄していたのである。

もうひとつ、映画で描かれていないのは、この連続殺人にゴードンの母親サラ・ルイーズが関わっていた事実で、彼女もまたサンフォード同様、ゴードンに脅されて少年たちの誘拐や、少なくとも5人の殺害に直接手を下していた。しかも後の裁判で本人が殺害を認めた中には、映画の主役ともいえる9歳の行方不明の少年、ウォルター・コリンズも含まれていたのである。

ロス市警が養鶏場に乗り込んだときゴードン母子はすでにカナダに逃げ出していたが、ほどなく逮捕され、全米が注目する中で裁判が始まった。しかし、ゴードンは弁護人を雇わず、矛盾だらけの供述を繰り返すばかり。サンフォードの証言はもちろん、血に染まった斧や大量の人骨など物証も山ほどあったが、被害者と特定できたのは殺害から日が浅いメキシコ人少年とウインズロウ兄弟の3人だけだった。ゴードンは3少年に対する殺人の罪で死刑。1930年10月2日、「俺のために祈ってくれ!」と叫

20人あまりの少年を殺害した養鶏場主
ゴードン・ノースコット本人

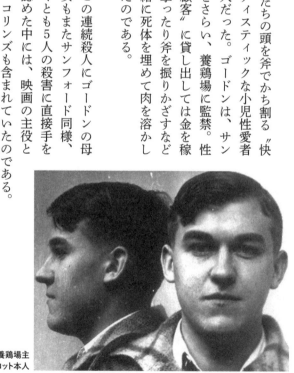

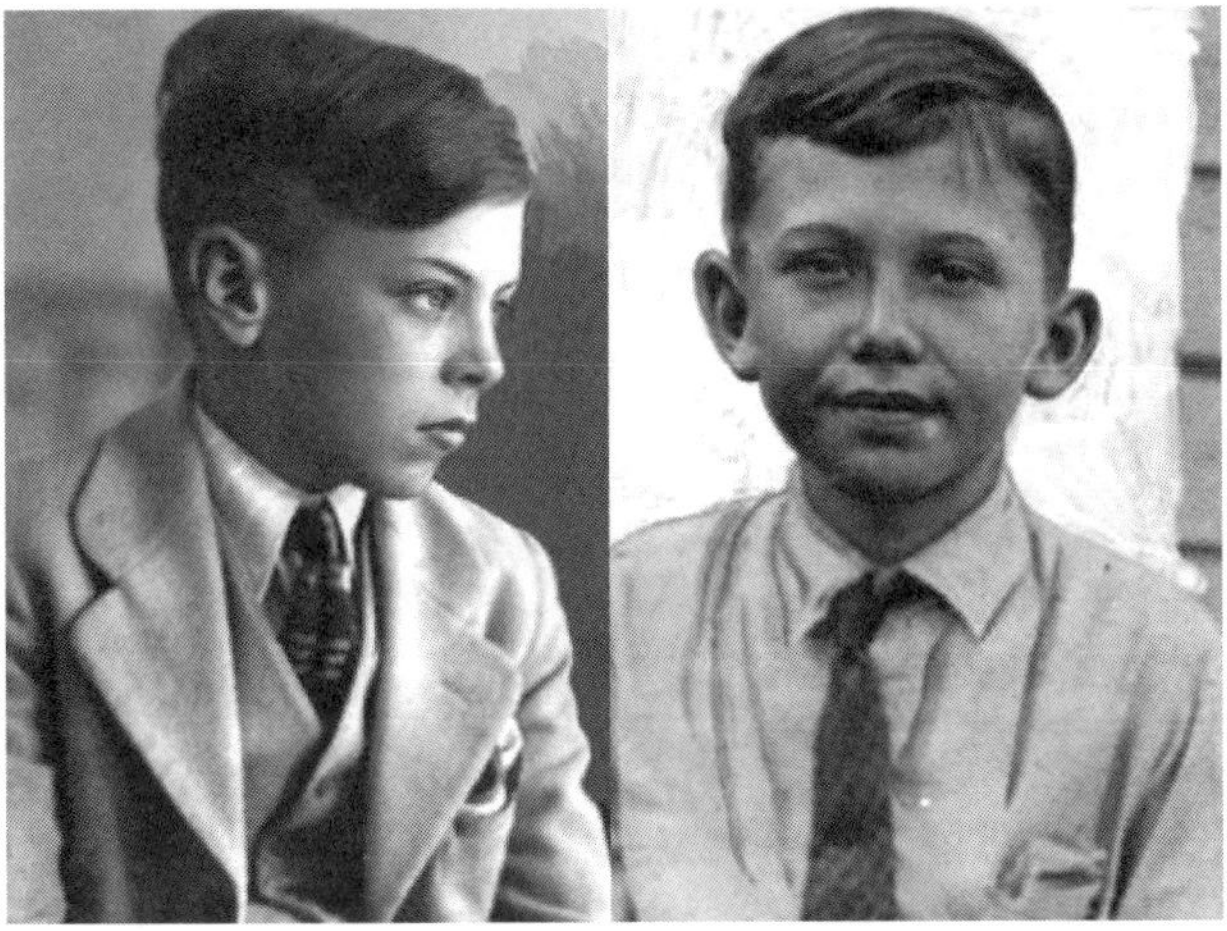

コリンズ夫人の本物の息子ウォルター（右）と、ウォルターとして母親の前に現れた少年

びながら絞首台の露と消えた。享年22。

一方、母親のサラ・ルイーズは素直に5人の少年の殺害を認め終身刑に服役。1940年に仮釈放され、1944年に病死している。また、もう1人の加害者サンフォードは、司法取引によって不起訴となったものの、氏名の変更命令を受けた後に少年院送致となり、ほどなくカナダに強制送還された。関係者の中で長生きできたのは彼だけで、後に家庭を持ち、第二次世界大戦に従軍。1991年に死去した。

映画の主人公でもあるウォルターの母は、実際に腐敗していた警察当局を訴え、失踪人課の担当警部と市警本部長を免職、罷免に追い込む。そして、発見された骨片のどれがウォルターのものかはっきりしなかったことを根拠に、1935年に亡くなるまで彼の生存を信じていたそうだ。

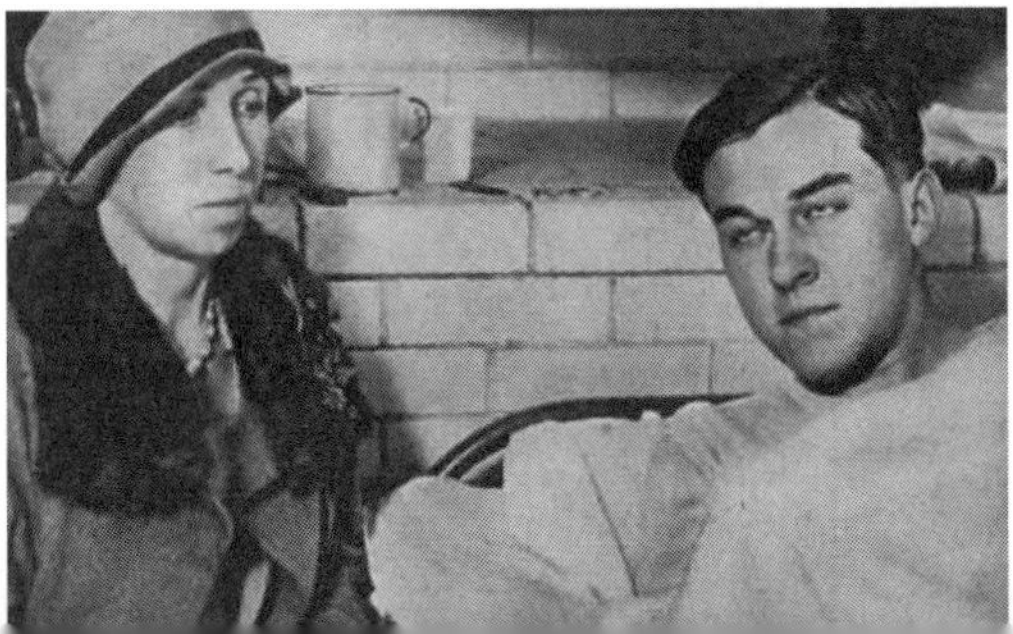

息子を本当に殺したのかを直接聞くため、コリンズ夫人が刑務所でゴードンと面会した際の1枚。このエピソードは映画でも描かれている

エド・ゲイン本人（右）と、彼をモデルにした精神異常者（演：アンソニー・パーキンス）が主人公の映画「サイコ」

サイコ

映画に最も愛されたサイコキラー

エド・ゲインという名の悪夢

FILMS

〝殺人〟を描いた映画は数あれど、実在の人物をモデルに、これほど多くの作品が作られた例は他にないだろう。エド・ゲイン。ヒッチコックの「サイコ」（1960）も、アカデミー賞に輝いた「羊たちの沈黙」（1991）も、レザー・フェイスがチェーンソーを振り回した「悪魔のいけにえ」（1974）も、この男なくして存在しなかった。ある意味、映画に最も愛されたと言ってもいい稀代の殺人鬼、エド・ゲインとはいったい何者なのか。

1957年11月、米ウィスコンシン州プレインフィールド町。人口わずか600人のこの小さな町で、金物屋を営む1人の中年女性が行方不明になった。さっそく地元警察が捜索に乗り出したところ、住民への聞き込みから、町の外れの農場に住む50代の独身男性エド・ゲインが捜査線上に浮上する。少々頭は弱いが、住人から頼まれ事をすれば嫌な顔一つせずこなす人畜無害な善人。エドの評判は概《おおむ》ね良好だった。

しかし、情報をもとに彼の家にガサ入れした警察は、そこで信じられない光景を見る。腸を全て抜かれ逆さ吊りにされた首のない死体、人間の頭蓋骨の上半分を切り取り加工したサラダボウル、人間の皮でできた椅子やゴミ箱、人肌で作ったマスクに、複数の乳首から作ったベルト、人肌のチョッキ。まさに地獄絵図だった。

解体された死体は全て女性で、確認されただけで15体。その中には今回行方不明になっていた金物屋の中年女性と、さらにその3年前に行方がわからなくなっていた酒場の中年女性も含まれ、残りはエドが近所の墓地から掘り起こした死体だった。単なる恐怖や異常を通りこし、もはや神への冒瀆《ぼうとく》ともいえる所業。彼にこれほどの犯行を働かせた原因は何なのか。そこにはエドの母親が大きく影響している。

サイコ

1960／アメリカ
監督：アルフレッド・ヒッチコック
サスペンスの巨匠、ヒッチコックの代表作。会社の金を横領した女が立ち寄った町外れの「ベイツ・モーテル」には、管理人の青年ノーマン・ベイツと、離れに住む年老いた"母"がいた……。全てのサイコ・サスペンスのルーツとも言われる傑作。

エドは1906年、ゲイン家の次男としてウィスコンシン州に産まれた。母親は極めて禁欲的な女性で、子供を作る以外は夫とのセックスを拒否。それが原因か、夫はアルコール依存症に陥り、酔っては妻に暴力を振るった。そんな家庭環境の中で、エドと兄は、母親から「女に交わると天誅が下る」「他者と関わると悪が侵入する」など、狂信的な教えを叩き込まれる。

それでもかろうじて社会性のある人間に育った兄に対し、母の教えを鵜呑みにしたエドは、歪んだマザコン男として人格を形成してしまう。1940年に父、1944年に兄、1945年に母が死去。39歳で天涯孤独となった後は、時折、近隣の手伝いをする以外自宅に引きこもり、やがて妄想の世界にのめり込むようになる。オカルト、解剖、死体への性的執着等々。1957年に逮捕されるまで、彼は地元の墓地を何十回も訪れ、埋葬されたばかりの死体を掘り起こす。ちなみに、エドが手にかけた数々の死体も、彼が殺した2人も母親によく似た、太った中年女性だったという。エドは生涯、母親に依存し、支配され続けていたのである。

エドの逮捕から3年後の1960年、アルフレッド・ヒッチコック監督が「サイコ」を発表する。ジャネット・リーがシャワールームで殺害されるシーンが有名な、サスペンス映画の大傑作だ。主役は、ジャネット・リーが泊まりにきたモーテルを経営するノーマン・ベイツなる人物。アンソニー・パーキンスが演じたこの男こそ、エド・ゲインをモデルにした精神病質者だ。一見、善良そうな人物に見えて、

“悪魔の家”と称されたエド・ゲインの住まい。中は荒れ放題だったが、母親の部屋だけは綺麗な状態のままで保存されていた。母への崇拝は「サイコ」の主役、ノーマン・ベイツに通じる

その正体は自分の欲望のために簡単に殺人を冒す男。母親を崇拝するあまり、死んでミイラ化した状態で母を椅子に座らせているノーマンは、死後も母の部屋を生存中の状態のままにしておいたエド・ゲインそのものだ。映画の完成度はもちろん、『サイコ（精神異常）』という言葉を世に知らしめた意味でも、本作の存在価値は極めて大きい。

「悪魔のいけにえ」は、チェーンソーを振り回す巨漢の怪物レザーフェイスが主役のホラー映画である。実際のエドは１５２センチの小男で、チェーンソーを振り回したわけでもないが、人の皮を顔に貼り付けて若者を追いかけ、捕まえた相手を部屋で解体するレザーフェイスは明らかに彼がモデルだ。しかも、死体を切り刻むその部屋は、エドが異常な犯行を働いた台所とそっくり。血生臭く、清潔感が一切ないその空間を忠実に再現している。

精神科医にして連続猟奇殺人犯。あのハンニバル・レクター博士が強烈な印象を残した「羊たちの沈黙」にもエド・ゲインは登場する。映画は、ＦＢＩ訓練生のジョディ・フォスターがレクター博士に彼のかつての患者について尋ねるシーンから始まるが、その患者こそが、エドをモデルにした殺人鬼バッファロー・ビルだ。誘拐した女性の皮を剥ぎ、乳房つきのチョッキを身に纏い、さなぎから蝶になりたがる異常者という設定は、そのままエドだ。事実、彼は剥いだ人皮を身につけ、深夜、自宅の農場をうろついていたという。

事件から半世紀以上たった今も注目されるエド・ゲインは、裁判にかけられた結果、著しく精神を病んでおり責任能力なしとして無罪に。後に精神科病院送りとなり、１９８４年７月、病死した。享年77。

「悪魔のいけにえ」のレザー・フェイス（上）、「羊たちの沈黙」のバッファロー・ビルもエド・ゲインがモデル

食堂内の防犯ビデオの映像。
この5分後、2人は図書館で自殺を遂げる

エレファント

高校生2人が13人を殺害！

FILMS

コロンバイン高校銃乱射 恐怖の45分間

午前11時24分、異変に気づいた生徒たちが一斉に食堂から逃げ出す

1999年4月20日、米コロラド州のコロンバイン高校で悪夢のような事件が起きた。同校に在籍する2人の生徒が校内で銃を乱射し13人を殺害、最終的に自らを撃って死亡したのだ。17歳と18歳の現役高校生が校内でクラスメイトや教師を次々に射殺していった前代未聞の凶行は、全米はもちろん世界に大きな衝撃をもたらし、後に事件を題材とした映画「エレファント」が作られる。事件当日の校内を舞台に、高校生たちの日常を静かなタッチで描き、2003年カンヌ国際映画祭のパルムドールに輝いた傑作である。あの日、コロンバイン高校で何が起きたのか。凶行開始から終焉までの恐怖の45分間。

アメリカの学校社会では暗黙の序列があり、スポーツに長けていたり、流行りのブランドを着こなす男子は〝ジョックス〟と呼ばれる最上級の階層に属していた。その対極にあるのが、音楽やコンピュータなどスポーツ以外の趣味に打ち込む文化系の〝ナード〟。ある意味、オタク系といってもいい彼らの階級は最下層だ。事件を起こしたエリック・ハリスとディラン・クレボルドは後者に属し、たびたびジョックスのメンバーからイジメを受けていたようだ。しかし、2人が標的にしたのはジョックスではない。彼らは自分たちをのけ者にする学校という不公平な社会をブチ壊そうと目論んでいた。

エレファント

2003／アメリカ／監督：ガス・ヴァン・サント
コロンバイン高校銃乱射事件を題材とした人間ドラマ。事件当日の校内を舞台に、高校生たちの日常を静かなタッチで描き、2003年のカンヌ国際映画祭で最高賞のパルム・ドールと監督賞を史上初めて同時受賞した。

事件当日午前11時10分、エリックとディランは別々の車で学校の駐車場に乗り付け、刻々とその時を待った。事前に食堂に仕掛けた時限爆弾。当初の計画では、昼食時に混雑する食堂を爆破して500人以上を殺害、逃げ延びた者を射殺していく予定だった。

11時17分、セットした時刻になっても爆発せず、業を煮やした2人がいよいよ動き出す。映画では、凶行は図書館から始まるが、実際はキャンパス内の丘で昼食をとっていた生徒らに銃弾を放つところからスタートした。校内に侵入した2人は、廊下ですれ違った教師を撃ったり教室に爆弾を投げ込みながら図書館に足を向ける。この事件で最も残虐な7分間と呼ばれる大殺戮の幕開けである。

11時29分。このとき図書館には生徒52人と教師4人が身を潜めていた。エリックが叫ぶ。

「白いキャップを被っているヤツは立て！　4年間よくもイジメてくれたな！　これから図書館を爆破するから、みんな出て行け！」

しかし、恐怖で誰ひとりとして動こうとしない。2人は、机の下に隠れた生徒たちを覗き込み、銃を向けた。必死に命乞いする女性の頭を冷酷にブチ抜き、恐怖で怯える男子生徒には「見ーつけた」と口にしながら弾を撃ち込んだ。

響き渡る銃声。阿鼻叫喚の悲鳴。地獄絵図さながらの様子は、通報を受け、すでに現地に到着していた警察も把握していた。が、それでも部隊は突入を試みなかった。

11時42分、殺戮を終えた2人がようやく図書館を出る。この時点で、生徒12人が死亡、23人が負傷、

犯人のディラン・クレボルド（上／事件当時17歳）とエリック・ハリス（同18歳）

廊下で撃たれた教師1人が重体に陥っていた。ジョックスを憎んでいたはずのエリックとディランだったが、実際の犠牲者は大半がごく普通の生徒だった。

映画では、この後2人は誰もいなくなった食堂に移動。エリックがディランを殺した後、キャップを被った男子生徒とガールフレンドが身を隠す部屋に侵入、「ど・ち・ら・に・し・よ・う・か・な?」と銃を向けたところで終わる。

一方、現実の終焉はこうだ。図書館を出た2人は校内を歩き回る。が、すでに人の気配はなく、同時にこれ以上の殺戮を行う気力も失いつつあったようだ。倉庫部屋で焼夷弾を炸裂させたり、空の科学室に発砲するなど虚しい凶行を重ねながら無人の食堂へ。ここで、エリックがテーブルに残されたジュースを飲み、火炎瓶を床に投げつける姿が防犯ビデオに残されている。

12時2分、食堂を出た後、2人は再び図書館へ足を運ぶ。そして1人の犠牲者の遺体の近くで、それぞれが自らの銃で頭部を撃ち抜き自殺。ようやく惨劇は幕を閉じた。

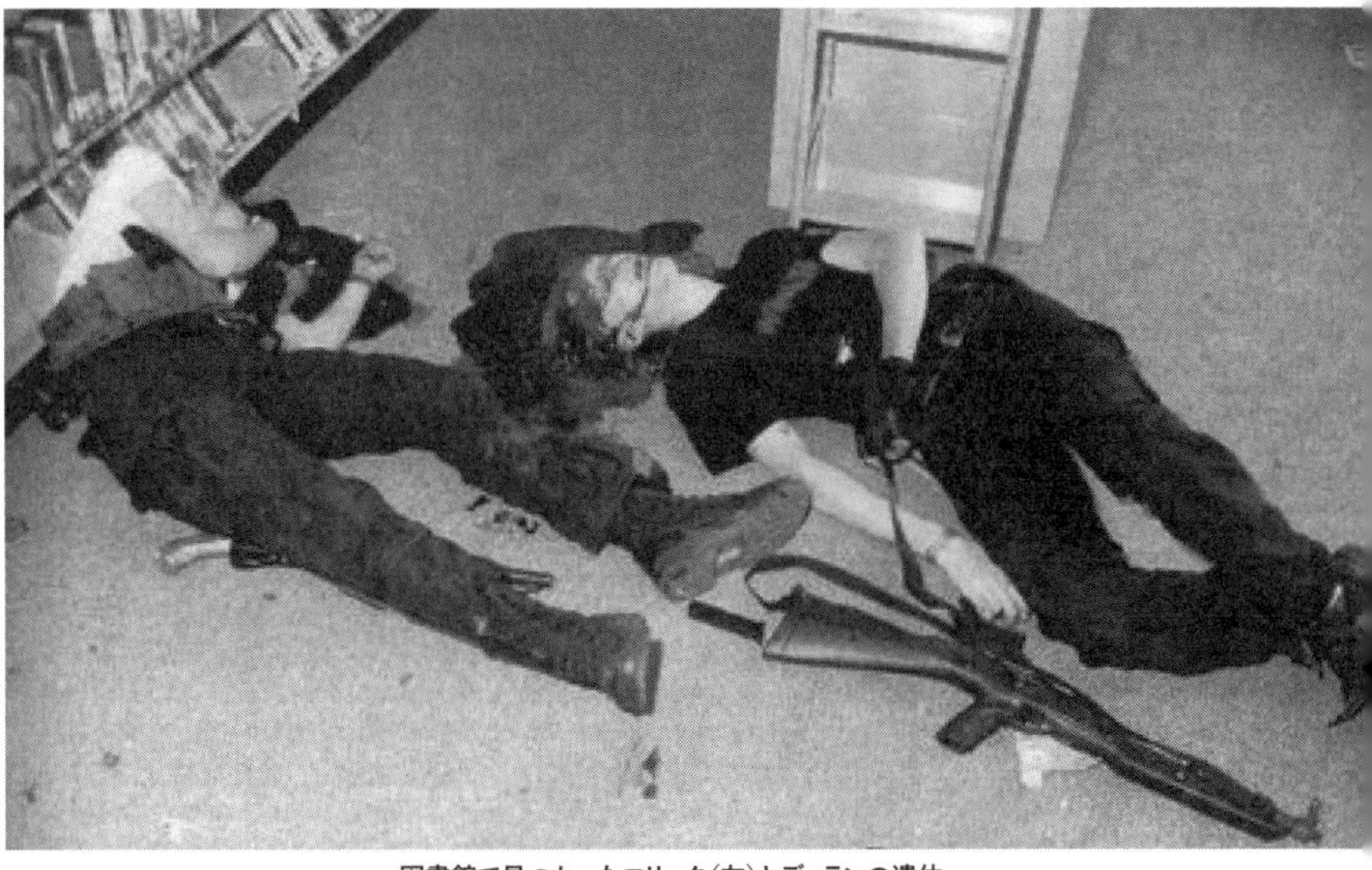

図書館で見つかったエリック(左)とディランの遺体

逮捕された"モンスター"ヨゼフ・フリッツル。
2015年、ヨゼフ・メイホフに改名

ルーム

実娘を24年間、監禁・陵辱したオーストリアの鬼畜

FILMS

ヨゼフ・フリッツル事件

2015年に公開された映画「ルーム」は、17歳のとき見知らぬ男に拉致され物置小屋に7年監禁されていた女性が、そこで産んだ5歳の息子と命がけで脱出、社会に適応していく様子を描いた社会派ドラマだ。が、2008年、オーストリアで発覚し、本作のモチーフになった事件の内容は、映画の何倍も凄まじい。

2008年4月、にわかに信じられないニュースが世界を駆け巡った。オーストリアの首都ウィーン郊外に住む当時73歳の電気工ヨゼフ・フリッツルが、娘のエリザベートを18歳のとき（1984年8月）に薬品で意識を失わせたうえ手錠をかけて、自分しか知らない地下の隠し部屋に誘導。そのまま24年間にわたって監禁、凌辱を繰り返し、7人の子供まで産ませていたというのである。

エリザベートが子供たちとともに閉じこめられたのは、天井までの高さが170センチほどの窓のない部屋で、扉は暗証番号によるロック式。重さ500キロの扉はヨゼフの仕事場の戸棚裏に隠され、外に出るには合計8つのドアを解錠せねばならなかった。

彼女は長年にわたる凌辱により実父の子供を次々に出産する。1996年に産まれた最初の男の子は産後3日で死亡したものの、2008年に事件が明らかになったときには19歳の娘、18歳と6歳の息子が地下室で同居。残りの15歳と14歳の娘、11歳の息子の3人は、養子としてヨゼフ夫妻と一緒に普通の暮らしを送っていた。

ヨゼフ・フリッツル（1935年生まれ）は、21歳でロゼマリアと結婚し、2男5女

ルーム

2015／カナダ・アイルランド・イギリス・アメリカ
監督：レニー・エイブラハムソン
見知らぬ男に拉致、密室に7年も監禁された女性と、そこで生まれ育った息子が、長らく断絶されていた外界へと脱出し、社会へ適応していく過程で生じる葛藤や苦悩を描いた人間ドラマ。2008年に発覚したフリッツル事件を基に書かれたエマ・ドナヒューの小説『部屋』を原作としている。

を授かった。が、生来の性欲の強さゆえ新婚当初から売春宿に通い詰めたばかりか、24歳のとき強姦罪で18ヶ月の懲役刑に服した前歴を持っていた。

その異常な欲望はやがて長女エリザベートに向けられ、彼女が11歳のときから性的虐待を開始。エリザベートは家出などして抵抗したものの、18歳のときに監禁されてしまう。

ヨゼフは娘に無理矢理手紙を書かせ、カルト教団に入信して家を出たと妻や他の子供たちに信じ込ませた。が、さすがに地下室で全員は暮らせないと思ったのか、エリザベートが産んだ子供のうち3人は、家出した彼女が家の前に置き去りにしたとウソをつき、自宅で育てることに。用意周到なヨゼフはエリザベートの監禁翌日、警察に失踪届も提出していたため、ヨゼフの妻は夫の子供だとも知らずに世話をし、学校にも通わせていたという。

ヨゼフは夜9時になると電気の仕事をすると地下に降り、時には朝まで戻らないこともあった。

左／15歳の頃のエリザベート。すでに父親からの性虐待は常態化しており、この3年後に監禁される

下／監禁された女性役ブリー・ラーソンの演技は高く評価され、2015年度のアカデミー賞主演女優賞を受賞。映画「ルーム」より

地下室にいる間は妻にコーヒーさえも運ばないように言い渡していたそうで、警察は彼の妻が共犯との証拠は見つかっていないと発表している。

事件が明るみに出たのは、地下室に監禁した子供が発病、妻の留守中にヨゼフが病院に運び込んだのがきっかけだ。エリザベートが子供のポケットに忍ばせた「助けて」のメモを発見した医師が、ヨゼフに子供の母親を連れてくるよう強く要請。「突然、家出から帰ってきた」と周囲に言い訳しながらエリザベートを病院へ連れていったヨゼフの様子があまりに不自然だったため、医師が警察に通報したのである。

逮捕されたヨゼフには、2009年3月、裁判で終身刑が下され獄中へ。一方、エリザベートとその6人の子供は地元の病院に入院して外部の環境から守られ、治療を受けた。エリザベートを含む監禁されていた4人はほとんど日光に当たっていなかったせいで自然光には耐えられず、治療は窓のない特別な施設で行われたという。医師の発表によれば、彼らは青い色や枯葉が落ちる音、携帯電話の受信音を怖がっていたそうだ。

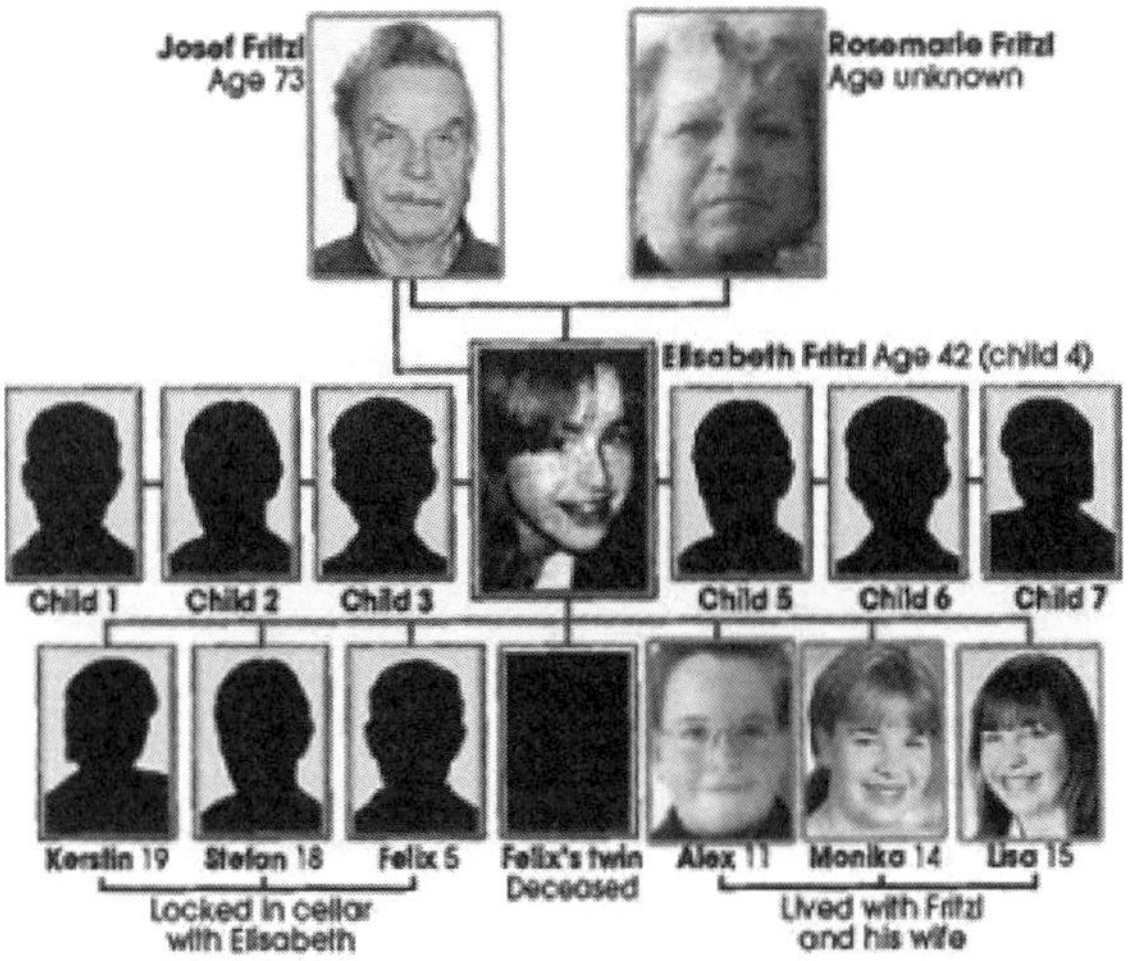

エリザベートは、父ヨゼフと母ロゼマリアの間に産まれた7人の子供の長女で、自身も実父に強姦され7人を出産。彼女の子供のうち左3人がエリザベートと共に監禁、真ん中が死産、右3人はヨゼフとロゼマリアに育てられた

トガニ 幼き瞳の告発

校長、教職員が障害者児童を虐待！

FILMS

韓流スター、コン・ユが事件を告発する主役の美術教師を演じた。映画「トガニ　幼き瞳の告発」より

光州インファ学校レイプ事件

２０１１年に韓国で公開された映画「トガニ　幼き瞳の告発」は、光州の聾唖学校で２０００年から２００５年にかけて校長、教職員らが複数の女子生徒に性的暴行を繰り返していた戦慄の事件を描く衝撃作である。聴覚に障害を持つ少女らを脅し、性の道具として扱った鬼畜な加害者は、裁判で軽い罰に処せられたのみ。被害者の生徒らは実質、泣き寝入りを強いられた。事実を告発した本作は、韓国で公開されるや１ヶ月で４３０万人を動員。あまりに理不尽な事の顛末に国民の批判は沸騰し、警察が再調査を始めるまでに至る。韓国全土が震撼した、地獄の学園レイプ事件の真相。

世間が事件を知るきっかけは２００５年11月、韓国の放送局ＭＢＣが「隠ぺいされた真実〜障害学校　性暴力事件」なる番組を放送したことだった。オンエアされた内容に視聴者は度肝を抜かれた。幼稚園部から小中学部のコースまでが開設されている聴覚障害養護施設・光州インファ学校で５年もの間、校長をはじめ教職員らが女子生徒ら12人に性的暴行を働いていた事実が明るみに出たからだ。

勇気を持って取材に応じた被害者たちの口からは、にわかには信じられない多くの証言が飛び出した。

「放課後、校長先生からお菓子をやると部屋に呼ばれ、されるがまま暴行を受けた」

映画の主役、コン・ユ扮する美術教師は、この番組がオンエアされる５ヶ月前、光州の障害者性暴力センターに、学校内のおぞましい実態を告発した１人の教員がモデルだ。

すでに犯行が始まって５年。この間、事が明るみにならなかった背景には、加害者の教職員が入所児童たちに堅く口封じしていたこと以外に、学校が一族で経営されていた

トガニ　幼き瞳の告発

2011／韓国／監督：ファン・ドンヒョク
韓国・光州の聾唖者福祉施設「光州インファ学校」で2000年から2005年にかけて、教職員らによって行われた入所児童に対する性的虐待と、それを施設や地域ぐるみで隠蔽していた事件の顛末を描いた1本。韓国で大ヒットを記録し、事件のその後に大きな影響を与えた。

構造がある。父が理事長、長男が校長で次男が行政室長（この兄弟は映画で双子として描かれている）。犯罪の隠ぺいにはこれ以上ない環境にあった。

映画は、犯行の様子はもちろん、裁判で加害者に極めて軽い処罰しか下っていないことにも厳しく追及している。警察が逮捕したのは、事件に関わっていた教職員ら9人（映画では3人）。しかし、判決は大半が罰金刑や執行猶予付きで、実刑をくらった者は1人の教員だけ。そして、主犯と言ってもいい校長が2007年にガンで死亡する頃には、市民団体で構成された対策委員会も閉ざされ、一気に社会的関心が薄れてゆく。

しかし、作家のコン・ジヨンにより、事はまた新たに動き始める。「執行猶予で釈放されたという軽い量刑が手話で通訳された瞬間、法廷は聴覚障害者の叫び声でいっぱいになった」

彼は新聞で見つけたこの記事1行に導かれて、ネット小説『るつぼ』（朝鮮語でトガニ）を連載。これが1千600万クリックを記録する社会的関心事となり、やがて映画化につながっていく。

映画公開後、信じられない事実が明らかになった。少女に暴行を働き解雇されていた教職員が、その後同じ学校に復職していたのだ。

映画の大ヒットもあり、検察や教育行政当局に世間の怒りが集中。これを受け事件が再検証され、障

事件を伝える韓国MBCのTVニュース（2005年11月放送）。後ろの建物が舞台となった光州インファ学校で同校は映画公開1ヶ月後の2011年10月、廃校に追い込まれている

害者女性や13歳未満の児童への性的虐待を厳罰化と公訴時効を廃止する法律、通称「トガニ法」が制定される。

また加害者に対する再捜査の結果、一審で罰金刑のみで不起訴とされた、前理事長及び前理事が懲役8ヶ月（執行猶予2年）に。さらには、新たに63歳の元職員の身柄が拘束された。この職員は2005年4月、学校の事務室で女子生徒（当時18歳）の手足を縛ってレイプしたばかりか、その様子を目撃した男子生徒（同17歳）にも割れたビンや鈍器で暴行を働いており、2013年に懲役8年、電子足輪装着10年、個人情報公開10年の刑が確定した。ちなみに、この男子生徒は被害に遭ったショックから飛び降り自殺を図り、脊椎骨折の重傷を負ったという。

성폭행을 당해서 아프다고 했습니다.
그래서 왜 갔냐고 야단을 친 적이 있습니다.
OO학교 졸업생
잘못을 하면 매를 때리는 대신 강한 키스를 했습니다.
오랜시간 계속된 행정실장의 성폭행
OO학교 재학생
청소를 하는데 계속 따라다니면서 관계를 하자고 졸라요.
이소영(가명/피해자)
사회인이 되어서는 남자친구들과 대화도 잘하지 못했어요.
TVカメラの前で生々しい証言を行った被害者の元生徒たち

前 이사장 김덕유
前 상임이사 박영채
인화학교장 김강석
인화원장 임창완
근로시설장 한서동
보호작업장 이학영
前 행정실장 김강준
前 교감 김영채
前 학생부장 박은순
事件に関与した9人。上段左から前理事長、前常任理事、学校長。中段の3人は教師。下段左から前行政室長、前教頭、前学生部長

八仙飯店之人肉饅頭

中華包丁で
10人の首を切断!

犯人のウォン・チーハン(黄志恆)本人

マカオ八仙飯店
一家殺害事件

1993年の香港映画「八仙飯店之人肉饅頭《はっせんはんてんのじんにくまんじゅう》」は、残酷シーンが過激すぎるため日本で公開差し止めとなった作品だ。女性が生きたまま火であぶられ、子供の首も平気で切り落とす殺人描写の激しさは、歴代のホラーでもトップクラスだろう。

そんな〝いわくつき〟映画のベースとなったのが1985年に実際に起きた「八仙飯店一家殺害事件」だ。映画は、中国・マカオの中華料理屋で働く男が、金欲しさで店主の一家を殺し遺体を肉まんの具にして客に食わせてしまうという、いかにもB級ホラーじみた筋書きだが、実際の事件も大筋は変わらない。

犯人の名はウォン・チーハン（当時50歳）。10代の頃から札付きの悪党として知られたこの男は1973年、香港に住む資産家の家に押し入り、老夫婦を風呂桶で溺死させ金を奪う。捜査から逃れるべく、ウォンは指を火で焼いて指紋を消し、マカオへ逃走。数年ほど日雇い仕事を転々とした後、中華料理屋で働き始める。この店の数メートル先にあったのが、惨劇の舞台となる「八仙飯店」だ。

ウォンと八仙飯店の主人は、事件の直前までは定期的に賭け麻雀の卓を囲む仲だった。が、たびたび店主が負け金を支払わず、関係が悪化。路上でつかみ合う2人の姿が、頻繁に目撃されるようになる。

そして、1984年8月、怒り狂ったウォンが衝動的に八仙飯店へ押し入り、中華包丁で店主の首をはねて殺害。返す刀で、現場に居合わせた妻と5人の子供など、合わせて10名の首を切断した。遺体は厨房で細かく切り刻み、胴体から取った人肉はスープと肉まんの中へ。余った手足は、ビニール袋に詰めて海に投げ捨てた。

八仙飯店之人肉饅頭

1993／香港／監督：ハーマン・ヤオ
1980年代にマカオで起きた猟奇殺人を元にした、超過激なスプラッター映画。欧米の大半で上映が禁止され、日本では2004年の東京国際ファンタスティック映画祭等で限定的に上映されただけだが、香港内は大評判を呼びシリーズ3作目まで作られた。

翌日、ウォンはさらに大胆な行動に出る。地元の役所を騙して八仙飯店の不動産を手に入れ、自ら店を切り盛りし始めたのだ。客には「博打のカタに権利を取り上げた」という言い訳を繰り返し、なんと1年半にわたって営業し続けたという。

事件が明るみに出たのは、1985年8月8日のこと。マカオ北部の海岸に老人の手首が2つ流れつき、続けて男女の足やカカトの一部が発見された。警察は当初、遺体を人食いザメの被害に遭ったものとして処理した。が、それから8ヶ月後、香港市警に一通の手紙が届く。

「親戚の一家が行方不明になり、商売敵だったはずの男が店を乗っ取っている」

通報したのは、殺された八仙飯店のオーナーの弟だった。慌てて肉片を鑑識にかけた警察は、遺体が行方不明の一家のものだと断定し、すぐにウォンの身柄を確保した。

取り調べに対し、ウォンは「一家が引越したので、代わりに譲り受けた」と主張していたが、獄中暮らし

鬼気迫る演技で犯人役を演じたアンソニー・ウォン。映画「八仙飯店之人肉饅頭」より

が長引くうち言動がおかしくなっていく。真夜中に突如「やつらだ！」と悲鳴をあげて目覚め、なぜか糞便を漏らしながら床の上で大爆笑。精神のバランスを失ったウォンは、病院のベッドの上で、ほぼ独り言に近い形で全ての殺人を告白し、起訴を受けた直後に缶ジュースのプルトップで手首を切って自殺した。

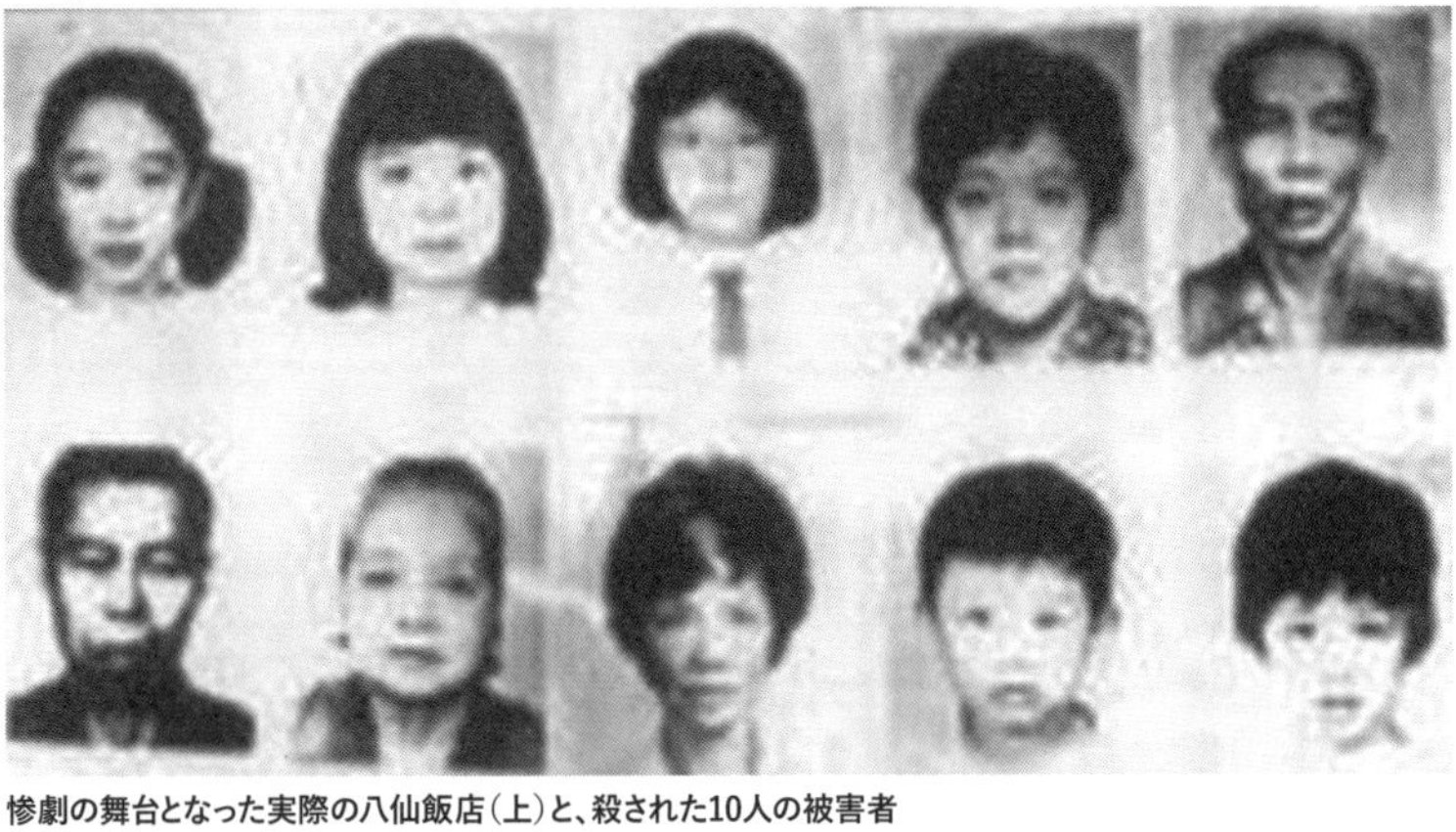

惨劇の舞台となった実際の八仙飯店（上）と、殺された10人の被害者

被害者のボビー・ケント

BULLY ブリー

イジメられっ子が果たした陰惨な復讐劇

FILMS

ボビー・ケント殺人事件

1993年、全米を震撼させる事件がフロリダで起きた。イジメっ子が友人ら7人に殺され、死体をワニの餌にされた「ボビー・ケント殺人事件」だ。事の顛末を克明に追った映画「BULLY ブリー」(=イジメっ子の意味)は大反響を呼んだが、事件はまだ終わっていない。死刑や終身刑の判決を受けた加害者たちが、いまだ塀の中から減刑を求めて訴え続けているのだ。

事件の主役は、イジメられっ子のマーティ・プッチオと、イジメっ子のボビー・ケントである。貧しくも家族仲良く暮らすマーティ家の近所に、裕福で頭の良くスポーツ万能なボビーが越してきたのは小3のときだ。同じ歳の2人はすぐに仲良くなり、傍目には親友と思えるような付き合いが始まる。が、彼らは対等の関係ではなかった。厳格で何でも一方的に決めつける父親に頭の上がらないボビーが、そのストレス発散のため、マーティに暴力を振るっていたのだ。

2人でバカ話をして笑い合っていても、一瞬後にはボビーがマーティを血が出るほど殴りつけることもしばしば。気の弱いマーティは、「引っ越したい」と両親に口にするのがせいぜいで、理由を質されても決して本当のことを言わなかった。

ボビーの行動はどんどんエスカレートし、器用に学校の勉強をこなしながら、要領の悪いマーティを夜遊びに引きずり回し、ついには高校中退に追い込む。

それでもマーティにはサーフィンがあった。子供時代から自由自在にボードを操る彼は地元でも一目置かれる存在で、学校など行かずともサーファーとしての将来が約束されていた。が、ボビーはそれさえ奪ってしまう。体重が重くなればサーフィンに不利な

BULLY ブリー

2001/アメリカ・フランス/監督:ラリー・クラーク
1993年、アメリカで実際に起こった少年少女7人によるボビー・ケント殺人事件を描いた衝撃作。事件のルポルタージュ『なぜ、いじめっ子は殺されたのか?』が原作。

ことを知り、強引にプロテインを勧めたのだ。結果、筋肉が付き体が重くなったマーティは、サーフィンを辞め、地元仲間から孤立することになってしまう。

ボビーとマーティの関係に変化が生じるのは、彼らがアルバイト先で2人の少女、アリとリサに出会ってからだ。Wデートでマーティとリサはすぐに意気投合し、恋仲に。交際が深まるにつれ、リサがマーティとボビーの異常な関係に気づく。当時、ボビーのマーティに対する暴力はより過剰さを増しており、時にそれはアリやリサにまで及ぶこともあった。

リサがマーティの子供を妊娠するのはこの頃で、それを機に、マーティは今までのボビーとの関係を全て打ち明ける。自分の愛する人があまりに理不尽な扱いを受けていることを知ったリサは怒り、やがてボビーの殺害を口にするようになる。マーティも最初は冗談として聞き流していたが、リサからアリ、アリからボーイフレンドのドニー、アリの友人のヘザー、そして、リサの従兄弟のデレクと広まるうちに徐々に現実味を帯び、ついにはギャングのカーフマンを雇うまでに至る。

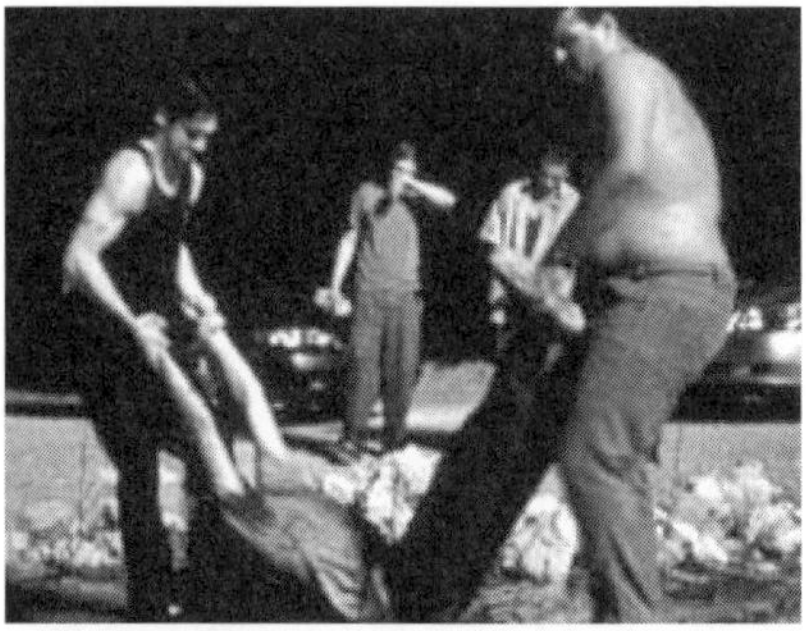
復讐を果たした若者たち。映画「BULLY ブリー」より

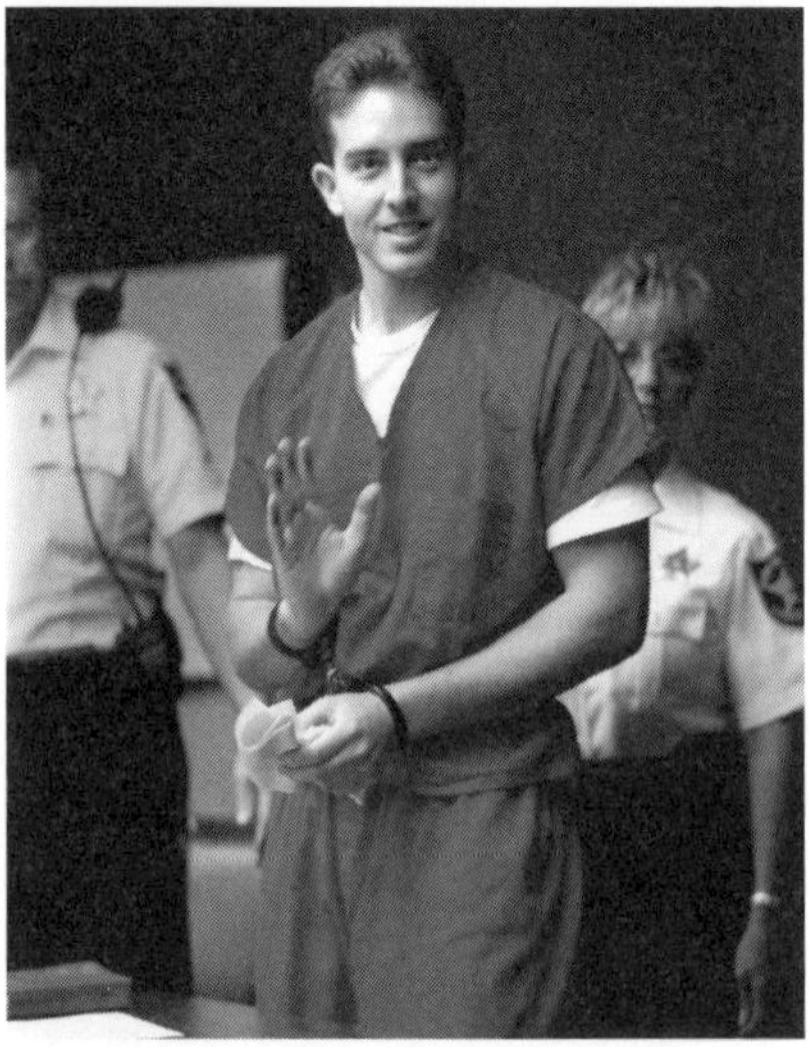
事件の主犯マーティ。ボビーに小3時から10年以上イジメられていた。写真は裁判出廷時に撮られたもの

ボビーもマーティも20歳になったばかりの1993年7月15日、「アリを抱ける」と言葉巧みにボビーをドライブに誘い出し、計画は実行される。もっとも、7人の犯行プランはしっかりと練られたものではなく、誰が殺人の実行犯となるか口論を始めるほどであった。最終的に手を下したのは3人。薬でラリったドニーがボビーの背中にナイフを突き立て、マーティが腹や喉に切りつけ、カーフマンがバットでトドメを。死体は、ワニの餌にしようと川へ投げ捨てた。

7人はあっさり捕まり、ボビーの父親が腕利きの弁護士を雇ったことで、実行犯の3人には日本では考えられない重い刑が言い渡される。

映画は、マーティに死刑判決が言い渡されたところで終わるが、実際はその後も係争が続いた。マーティとドニーが判決に不服を申し立てたのである。最初は事件の悲惨さに気を奪われていた陪審員たちも、徐々に明らかになっていくイジメの実態に着目。1997年、控訴審でマーティは終身刑となったが、現在もなお、さらなる減刑を求め続けている。

上段左からマーティ（事件当時20歳。終身刑）、アリ（同17歳。懲役15年。釈放済み）、ドニー（同18歳。終身刑）、ヘザー（同18歳。懲役7年。釈放済み）。下段左からデレク（同19歳。懲役11年。釈放済み）、カーフマン（20歳。終身刑）、リサ（18歳。懲役22年。釈放済み）

フォーリング・ダウン

“模範的なアメリカの好青年”が犯した大殺戮

FILMS

犯人のチャールズ・ホイットマン（右）と、彼が立て籠もったテキサス大学オースティン校の時計台。時計の文字盤下の白い硝煙は、ホイットマンが狙撃した瞬間を捉えたもの

テキサスタワー乱射事件

マイケル・ダグラス主演の「フォーリング・ダウン」は、日常のストレスを晴らすため、妻子や通行人にライフル銃をぶっ放すサラリーマンの狂気を描いたアメリカ映画だ。異常としか言いようのないこの男には、実在のモデルがいる。1966年の夏、大学の時計台から銃をぶっ放し15人を殺害した、いわゆる「テキサスタワー乱射事件」の犯人、チャールズ・ホイットマン（当時25歳）だ。

「500ヤード離れた柱の陰の男を撃ち抜いたチャールズ・ホイットマンはどこで射撃を習った？ もちろん海兵隊だ！」

スタンリー・キューブリック監督のアメリカ映画「フルメタル・ジャケット」（1987）で、海兵隊の軍曹が新人隊員に講義する際の台詞にあるように、もともとホイットマンは優秀なエリート海兵隊員だった。入隊して2年目の1961年、将来の幹部候補としてテキサス大学に特待生として入学を許され、翌年には大学で出会ったキャシーと結婚。前途洋々の未来が広がっているかに思えた。が、翌年になると学業不振で隊に呼び戻され、年末には兵長から兵士に格下げされてしまう。

1964年、隊を辞めて大学に復帰。数多くのバイトをこなしながら余暇にはボーイスカウト活動に精を出し始める。性格は快活で冗談がうまく、誰にでも愛想の良い〝模範的なアメリカの好青年〟というのが周囲のホイットマン評だった。が、海兵隊も全うできず、学校の先生となった妻より稼げず、大学の成績も芳しくない。ホイットマンの心は劣等感にさいなまれていた。

そこに家族の問題が追い打ちをかける。両親の別居だ。実は父親は、母や子供たちを

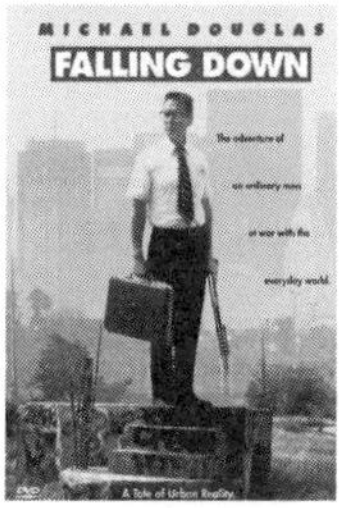

フォーリング・ダウン

1993／アメリカ・イギリス・フランス
監督：ジョエル・シュマッカー
平凡な中年男（マイケル・ダグラス）が、些細なきっかけと偶然の積み重ねからストレスを爆発させ暴走する様を描く。1966年に起きたテキサスタワー乱射事件をモチーフに製作された。

暴力で押さえつけるDV男で、ホイットマンが海兵隊に入ったのも父親の暴力から逃れるのが第一の理由だった。

ちょうどその頃から発作的な暴力衝動や激しい頭痛に悩まされるようになり、心配する妻に促されカウンセリングを受ける。が、症状は一向に改善されないまま、1966年の夏を迎える。

7月31日夜、ホイットマンは手紙をしたためる。苦労をかけないために妻と母親を殺すこと。父への憎しみ。そして精神的な病気があるのか検死解剖してほしいことを理路整然と書き綴った。この後、母親のアパートに出向いて後頭部を撃ち、寝ている妻の胸にナイフを3度突き立てる。

明けて8月1日。何軒かの銃砲店でライフルや拳銃、約700発の銃弾を買い揃えた後、飲食物や双眼鏡、ラジオ、トイレットペーパーなど籠城に備えた生活必需品を車に積み込み、母校のテキサス大学オースティン校へ向かう。

荷物を台車に載せ、地上90メートルの時計台の展望台に着いたのは午前11時45分。受付の女性と居合

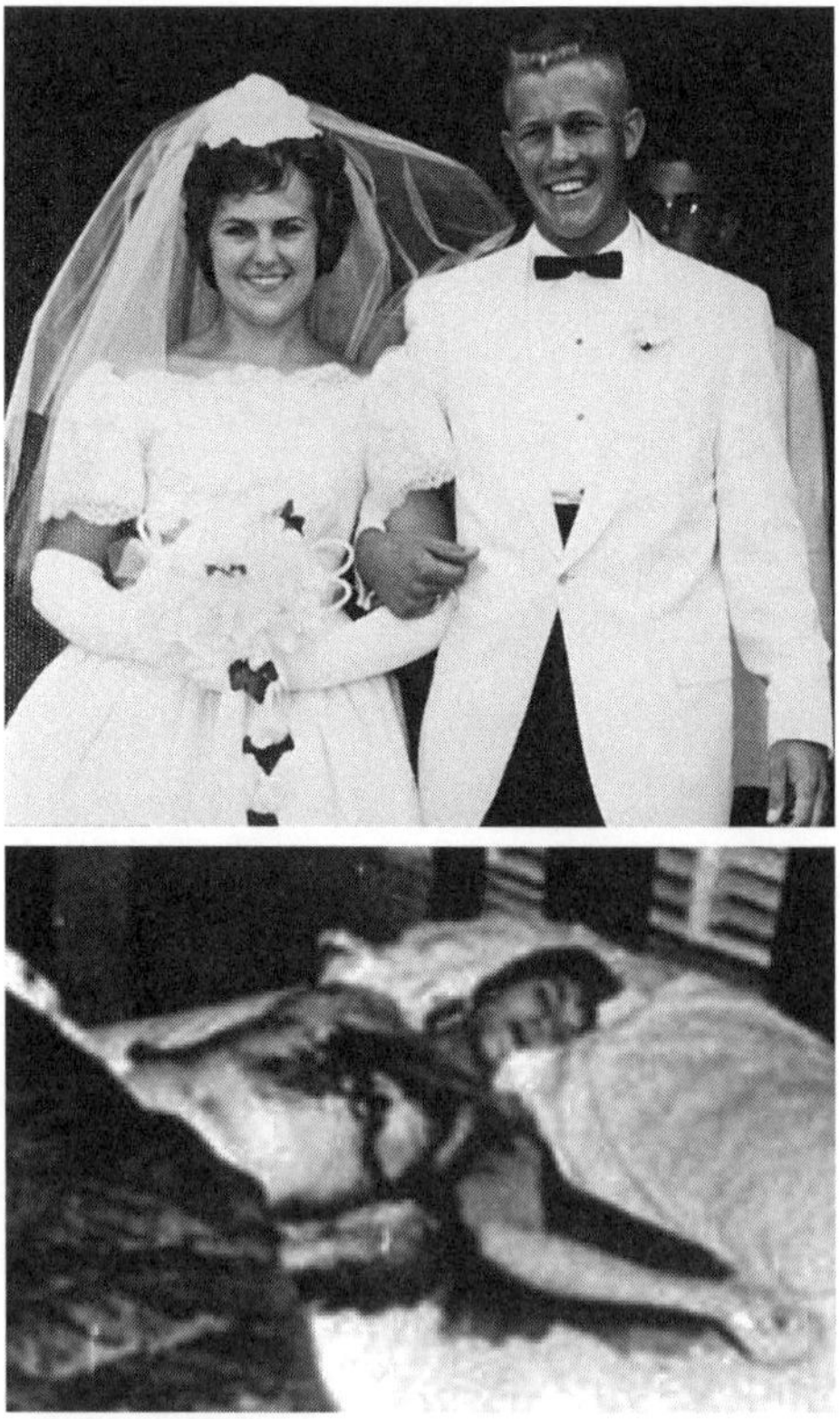

1962年、大学でホイットマンと知り合い結婚したキャシーは、その4年後、「殺人犯の妻になるのは可哀相だ」と事件前夜、夫に刺殺された（享年23）

わせた観光客を撃ち殺した後、本格的な〝狩り〟が始まった。

ホイットマンの銃弾は新聞配達員（当時17歳）、3人の学生に続き妊娠8ヶ月の女子学生の腹部に命中した。幸い彼女は一命を取り留めたが胎児は死亡。女子学生を助けようと走り寄った男性も亡くなった。

続いて数学講師や平和部隊訓練生が射殺され、柱の陰で様子を窺っていた警官も被弾し死亡。さらには、電気修理工、プールの男性監視員とそのガールフレンド、近所の公立校の先生に生徒2人が殺された。

まるで要塞のような時計台に近寄れない警察は、ヘリコプターから狙撃を試みるもあえなく退散。最終的に3名の狙撃者を時計台に潜入させ、挟み撃ちの格好でホイットマンを射殺する。13時24分。最初の銃撃から96分が経過していた。

後にホイットマンを解剖した検死官は、脳幹上部にクルミ大の腫瘍を発見した。これが攻撃中枢の扁桃体《へんとうたい》を刺激した可能性は大きいが、犯行との因果関係は認められていない。

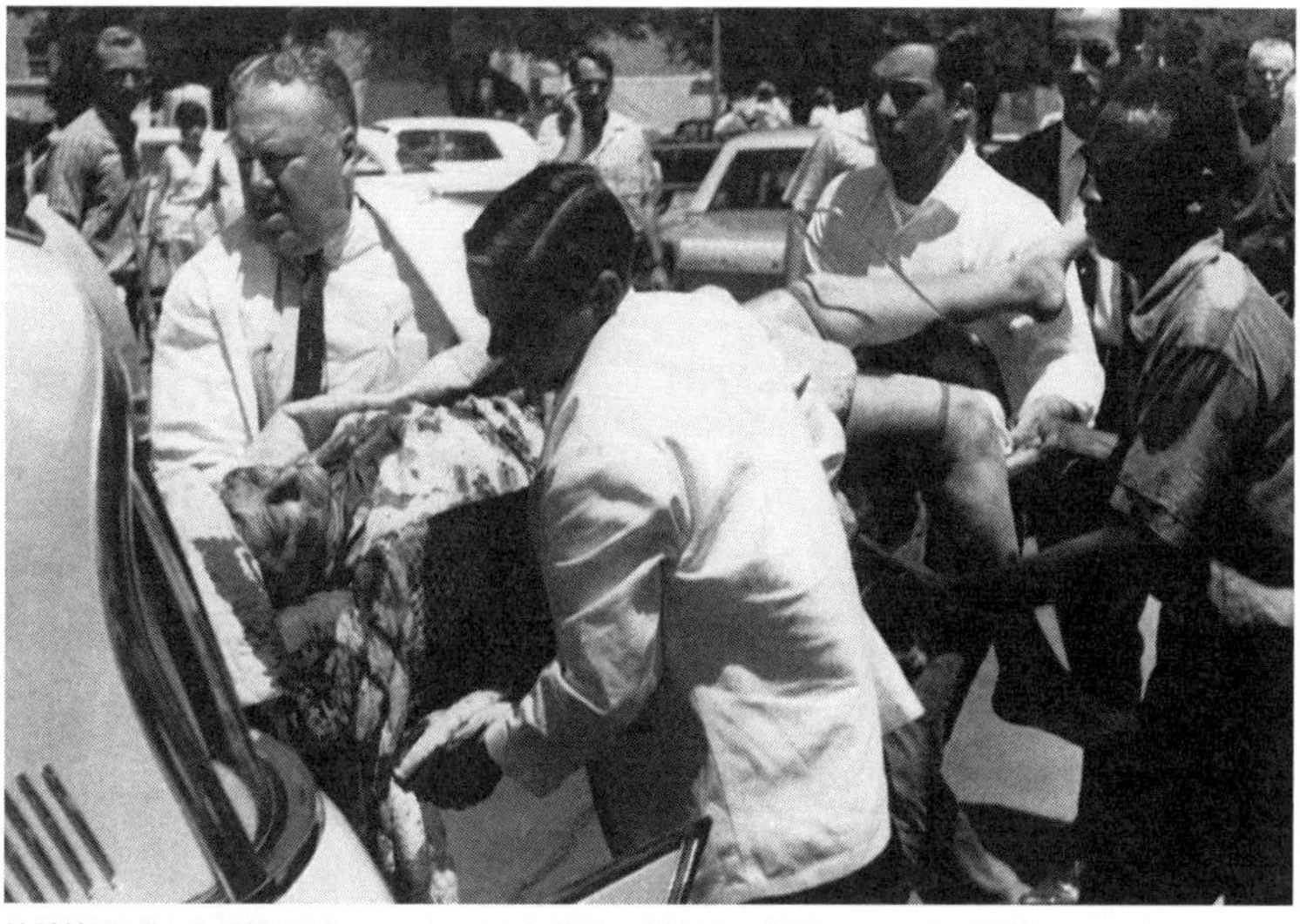

地獄絵図と化した現場。頭上90メートルから無差別に乱射される銃弾により15人が犠牲に。1999年4月にコロンバイン高校銃乱射事件（本書78ページ参照）が起きるまで最悪の学校銃乱射事件となった

青春の殺人者

犯人の死刑囚は現在も 獄中から再審開始を訴える

FILMS

市原両親殺害事件

主人公を演じた水谷豊と、母親役の市原悦子。
映画「青春の殺人者」より
©1976今村プロ　東宝

若き日の水谷豊が主人公を演じた「青春の殺人者」は、千葉県市原市で実際に起きた両親殺害事件を下敷きにした中上健次の短編小説『蛇淫』を原作に、長谷川和彦が監督した青春映画の傑作である。映画は、両親の死体を海に捨てた青年が家に火を放ち、1人走るトラックの荷台に飛び乗るところで終わるが、実際の犯人は殺人と死体遺棄罪で死刑が確定しながら、今なお塀の中から無罪を訴えている。

千葉県警市原署に、「両親（当時父親60歳、母親48歳）が行方不明になっている」と連絡があったのは1974年11月2日のこと。届け出たのは夫婦の長男でドライブイン経営（名義は父親）の佐々木哲也（同22歳）だった。警察がタイヤ販売業を営む佐々木さん宅を捜査すると、多量のルミノール反応が検出された。殺人事件と断定した警察は、すぐさま捜査本部を設置する。

警察の調べで、哲也がソープ嬢に入れあげ、それを両親に叱責されていたこと。また、ドライブインの経営が思わしくなく姉夫婦に任せると言われ車を取り上げられたことなどが判明。さらには、哲也の腕時計からルミノール反応が出たことで容疑が固まり、10日に逮捕となった。

このとき哲也は、父親を殺したのは母親で、母が一緒に死のうと迫ってきたのでやむなく殺して両親の死体を捨てたと供述している。が、9日の午後になり東京湾の五井海岸沖で足をグルグル巻きにされた父親の遺体が、続いて10日朝に母親も近くの岸壁に漂着しているのが見つかると、観念したように犯行を自白した。

父親はゴミ回収や海苔販売などで事業を興し、敷地300坪のタイヤ工場にまで広げたヤリ手で、その稼業を息子に継がせようと早稲田大学の理工学部を目指していた哲也

青春の殺人者

1976／日本／監督：長谷川和彦
1974年、千葉県市原市で実際に起きた親殺し事件をベースに、深い理由もなく、行きがかりから両親を殺してしまった青年とその恋人の末路を描く。1976年度キネマ旬報ベスト・テン第1位。主演の水谷豊、恋人役の原田美枝子もそれぞれ最優秀主演男優・女優賞を受賞した。DVD販売元・キングレコード

の受験票を隠匿。怒った哲也は家出をしたり麻雀などの遊びに耽るようになる。やりたいことを無理矢理取り上げられ拗ねる息子に、自宅を抵当に入れてまで開いてやったのが京葉道路沿いのドライブインだった。

　劇中では、青年が付き合っていたのは幼なじみの少女（演：原田美枝子）だったが、実際に哲也が追いかけていたのはソープ嬢。しかも、彼女にはバンドマンの同棲相手がいた。にもかかわらず、哲也はドライブインの金を持ち出しては洋服や現金をプレゼントし続ける。恋人と思っていたのは哲也だけで、女性は単なる金づるとしか思っていなかったようだ。

殺人か夫婦が消えた
市原で30日夜から車ごと
居間に大量の血こん
不審な行動の長男呼ぶ
タイヤを販売 繁盛していた

事件を報じる新聞

　しかし、女性にぞっこんの哲也に、両親の助言は耳に入らない。犯行当日の10月30日の夕方、まずは、女性関係のことを叱責した父親を登山ナイフで刺殺。その後、2階から降りてきた母親をめった刺しにして殺害。翌未明、ライトバンに2人の遺体を積み込み、重りのホイールと一緒に五井海岸に遺棄した。

　しかし、別の情報もある。裁判では記憶違いではないかと採用されていないが、近くの食堂の主人が、殺害推定時刻を過ぎた当日午後8時に母親がライスを2人分注文して持ち帰ったと証言しているのだ。

息子を溺愛していた母親は、映画で役を演じた市原悦子のように「知らない土地で時効まで母子でひっそり暮らそう」と説得していたのだろうか。

哲也はその夜、「いま市川から電話してる」などと6本のアリバイ電話をかけた後、父親の金庫から50万円を持ち出し、ソープ嬢とともに夜を過ごしたという。

「父親を殺したのは母で、母は自分の知っている第三者に殺された」

裁判が始まると、哲也は自供を否認し、無罪を主張し始めた。映画「青春の殺人者」については、自分が両親を殺害するシーンが描かれており、世間に誤解を与えると非難しているという。第三者が介在した証拠は一切ないが、1992年の死刑確定後も一貫して無罪を主張。現在も再審開始を請求し続けている。

犯人の佐々木哲也死刑囚(逮捕当時22歳)

被害者の少女を演じたイ・レ。映画「ソウォン／願い」より

ソウォン／願い

8歳の少女を性の餌食にした鬼畜

FILMS

チョ・ドゥスン児童強姦事件

雨の朝、8歳の少女キム・ソウォンちゃん（仮名）が登校途中で中年男に「傘に入れて欲しい」と声をかけられる。可哀想に思い足を止めた少女は、近くの教会のトイレに引きずり込まれ、鬼畜の暴行をうけ瀕死の状態で放り出されてしまう——。

2013年に公開された映画「ソウォン／願い」は、2008年、韓国・京畿道安山で実際に起こった「チョ・ドゥスン児童強姦事件」（被害少女に付けられた仮名から、一般にはナヨン事件と呼ばれる）を題材とした戦慄の1本である。

チョ・ドゥスンとは、鬼畜の犯行を働いた男の名前である。逮捕当時56歳。映画で詳細は省略されているが、前科17犯の強姦鬼で、その所業は驚くほど残忍で惨い。

事件が起きたのは2008年12月11日午前8時30分。言葉巧みに少女を教会のトイレに誘い込んだチョは、最初に彼女に自分で下半身を洗うよう命令。少女が拒否すると、頭と顔を集中的に殴り、首を絞めて気を失わせた。そのうえで、蓋を閉めた便器の上にうつ伏せにさせ、肛門と膣にペニスを挿入して射精。さらには右耳にも挿入して欲望を満たす。

この後、チョは証拠隠滅を図る。まず精液が付着した少女の頭を便器の水で洗った後、便器が詰まった際に使うスッポンで肛門から精液を吸い出そうと、少女の体内から大腸自体を吸引。さらに、その大腸を水道水で洗うと、器具の棒の部分で肛門に詰め込み元に戻す。このときに乱暴な扱いで少女の肛門括約筋と会陰が破裂。肛門と膣の境がなくなってしまったという。

男はこの部分に水道のホースを突っ込み洗浄すると、腸が落ちないよう少女のお尻を

ソウォン／願い

2013／韓国／監督イ・ジュニイク
2008年に韓国で発生した少女傷害暴行事件とその裁判に基づき、悲劇に見舞われた家族3人の葛藤を描く社会派ドラマ。韓国で280万人を動員するヒット作となり、第34回青龍映画賞では最優秀作品賞をはじめ3冠を受賞した。少女の父親を名優ソル・ギョングが演じている。

上にして便器に立てかけ、さらに2回射精。再度水道水で少女の体内を洗った後、現場から逃げ去った。

発見当初、担当医が見立てた少女の蘇生率は10％だった。が、幸いにも彼女は意識を取り戻し一命を取り留める。が、大腸と内臓の一部、性器の大部分が壊死《えし》しており、身体に深刻な障害が残る。言うまでもなく、心に負った傷も計り知れないほど重かった。

犯行現場に残っていた指紋などから、ほどなく逮捕されたチョは2009年1月9日、初公判で「酒に酔っていて覚えていない」とシラを切った。3月4日、検察側が無期懲役を求刑。しかし、同月24日に下された一審判決は心身耗弱《しんしんこうじゃく》が酌量され懲役12年だった（9月24日の上告審で刑確定）。

映画はここで終わるが、この後、事件の全容を知った国民から怒りの声が上がる。犯行の残忍さに対し犯人が裁判で見せた無反省な態度、刑量の軽さ。国民の怒りは、やがて児童への性暴力犯罪の処罰強

犯行現場となった教会のトイレ

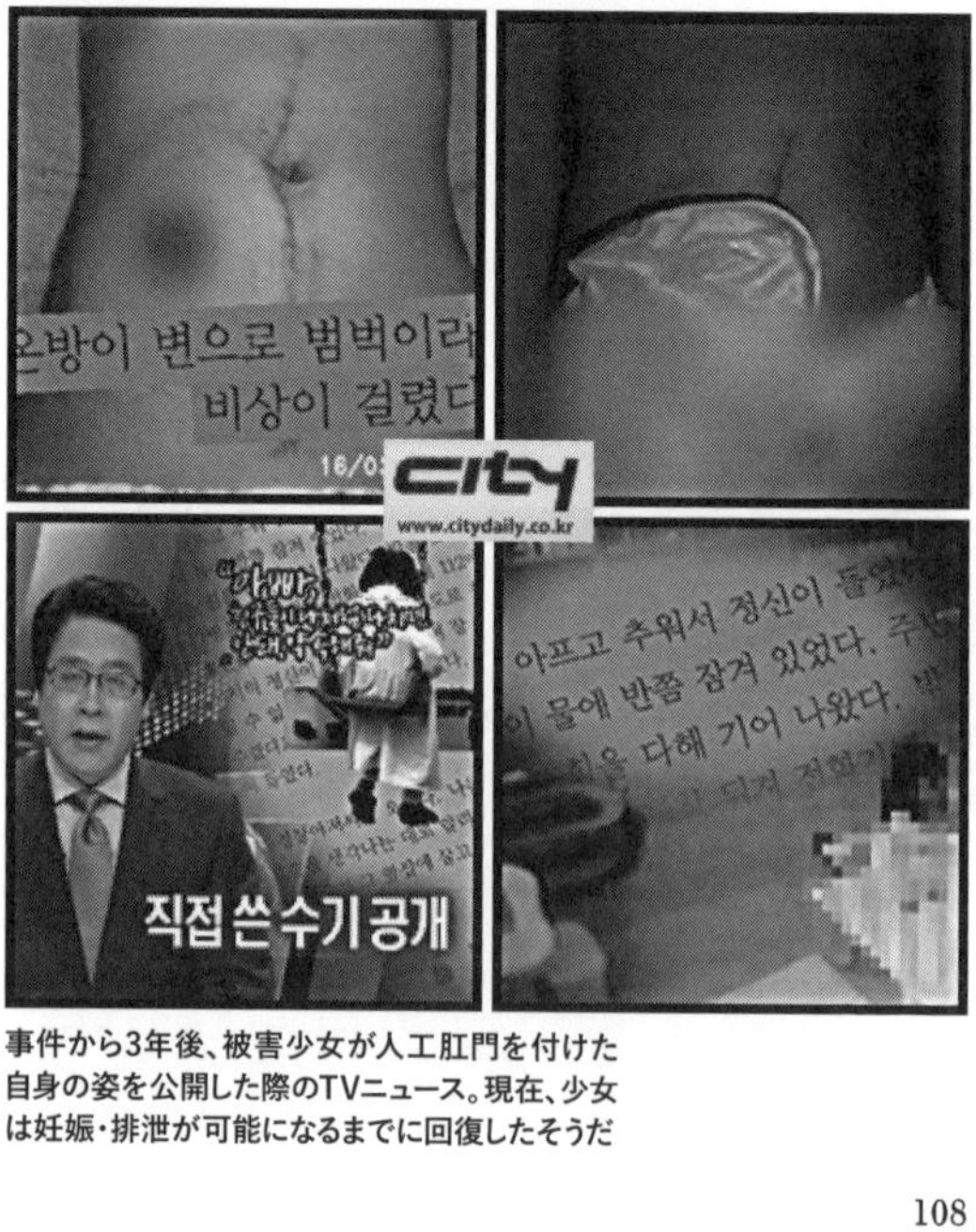

事件から3年後、被害少女が人工肛門を付けた自身の姿を公開した際のTVニュース。現在、少女は妊娠・排泄が可能になるまでに回復したそうだ

化と公訴時効廃止の運動へと発展していく。

結果、韓国政府は同年12月、児童性犯罪に対する刑量を最大50年まで引き上げるとともに、公訴時効も廃止することを決定。また、児童性犯罪疑惑で処罰を受けない最小年齢を現行14歳未満から13歳未満に引き下げ、児童保護区域内の監視カメラ設置拡大、重大児童性犯罪者に対して薬品投与による化学的去勢治療法導入、顔写真公開、居場所追跡のための電子ブレスレット着用最大期限を30年まで延長するなど児童性犯罪に対する様々な対策を設置した。

２０２１年10月現在、チョが出所したとの報道はない。


服役中の強姦魔、チョ・ドゥスン。2020年に釈放予定になっていることに対し、2017年9月、約62万人が署名した出所反対の嘆願書が提出されたが、政府当局は「余罪がないため難しい」と回答している

俺たちに明日はない

映画のイメージとは異なる素顔

1932年頃のボニー（右）＆クライド。写真を撮って、自分たちの記事を掲載した新聞社に送りつけていた

伝説の強盗カップル ボニー＆クライド

FILMS

映画「俺たちに明日はない」は、1930年代に実在した強盗カップル、ボニー・パーカーとクライド・バロウの生き様を描いたアメリカン・ニューシネマの金字塔である。禁酒法と世界恐慌真っ只中のアメリカで、連日、銀行や当局にタテをつく2人は、当時〝アンチ・ヒーロー〟として世間にもてはやされたが、その実像は映画のイメージとかなりかけ離れている。

ボニーがクライドと出会ったのは1930年、彼女が19歳のときだ。ボニーは16歳で高校の同級生と結婚したものの、翌年夫が銀行強盗を働き刑務所送りとなり、このときカフェでウェイトレスをしていた。2つ年上の〝危険な香り〟を持ったクライドに彼女は一目惚れし、ほどなく2人は恋仲となる。

一方、テキサス州ダラス近郊の貧しい農家の6男（8人兄弟）として生まれたクラウドは、親から躾らしい躾を受けずに育ち、17歳で兄も所属していたギャング団に加入。窃盗を繰り返していた。

映画と違い、2人は出会ってすぐに一緒に強盗を始めたわけではない。クライドが自動車強盗の罪で2年間刑務所に入り、その間、ボニーは別の仲間と銀行強盗に手を染め、逮捕されている（証拠不十分で不起訴）。

出所したクライドとボニーが再会し、ここから2人は愛車「フォードV8」で移動しながら強盗に明け暮れる。手口は、クライドが店内に入ってピストルで店主を脅して金を奪い、ボニーが待機させた車でひたすら逃げるという単純なもの。当時は警察が犯罪者を追跡できるのは自州内と制限されていたため、隣の州まで走り切ってしまえば逃げ

俺たちに明日はない

1967／アメリカ／監督：アーサー・ペン
1930年代前半、アメリカ中西部で銀行強盗や殺人を繰り返したボニー＆クライドのカップルを題材にしたアメリカン・ニューシネマの代表作。ボニーをフェイ・ダナウェイ、クライドをウォーレン・ベイティが演じている。

銃でじゃれ合う実際のボニー&クライドの姿（左）が映画でも再現されている。映画「俺たちに明日はない」より

仰せたのである。

調子づいた2人は、クライドの兄夫婦バックとブランシェらと「バロウ・ギャング」を名乗って派手に銀行や商店を襲い、犯行の過程で店主や保安官、警察官を容赦なく殺害していく。そんな彼らを新聞がヒーローのように扱い、世間がもてはやしたのも映画のとおりだ。

しかし、ボニーとクライドの素顔は、劇中で描かれる、強い愛と絆で結ばれた恋人同士のイメージとは異なっている。クライドは刑務所に入っている間、囚人たちに連日レイプされた結果、同性愛者に。一方、ボニーはウェイトレス時代からチップをくれた客と簡単に寝る女性で、2人して気に入ったガソリンスタンドの男性店員を誘惑し、大人のオモチャを使い複数プレイを楽しんだこともあったそうだ。

1934年、彼らに最後のときが迫る。この頃、2人は常に逃げ回る日々で、ボニーは逃走中の自動車事故で火傷をし、クライドと兄のバックも警察との銃撃戦で重傷を負っていた。また、ブランシェは警察に捕まり、バックは傷が元で逃亡中に死亡。バロウ・ギャングの他メンバーも逮捕者が相次いでいた。

そして同年5月23日。2人の行方の情報をつかんだ警察は、ルイジアナ州ビヤンヴィル郡アーケディアの寂れた道路脇に機関銃を設置して待ち伏せ、ほどなくやってきたフォード車に150発の銃弾を浴びせる。運転をしていたクラウド、助手席のボニーともに即死だった。映画史に刻まれるラストシーン同様、その最後は無惨に尽きる。

1934年5月23日、2人が乗るフォードV8が警察から150発の銃弾を浴びた際の実際の写真。
助手席でボニーが蜂の巣にされている

水のないプール

5年間で73人の女性が被害に

映画で主人公を演じた内田裕也。映画「水のないプール」より
©若松プロ

仙台クロロホルム連続暴行魔事件

FILMS

１９８２年公開の「水のないプール」は、内田裕也扮する中年駅員が、狙った独身女性の部屋にクロロホルムを捲き、意識を失った相手を犯しまくる犯罪映画だ。作品の題材となったのは、１９８１年に発覚した連続暴行魔事件。映画では短期間の話に思えるが、実際は5年以上にわたり73人を超える被害者が判明した凶悪な犯行である。

事件は杜の都・宮城県仙台市で起きた。犯人の加藤正範（逮捕当時46歳）は、映画と違い建設メーカーの営業マンだった。工業高校を卒業後、建設業界に飛び込み１９７８年に独立を果たすも失敗。それを機に妻と２人の子供を残し、愛人の家へ転がり込んでいた。

犯行に手を染めるのは、家庭がゴタゴタしていた１９７７年頃から。手口は独特だった。まず、福島県の薬局へ出向き、実在する中学校の理科教諭の名を騙って５００cc入りのクロロホルムの瓶を３本ずつ２ヶ月に一度購入。マイカーの三菱ギャランで市内を走らせ、空き巣を働きながら独身女性の住んでいそうなアパートを見て回った。深夜、カーテンの柄やインテリアで１人暮らしと見当をつけると、ドアの鍵穴や窓の隙間から注射器でクロロホルムを室内に散布して4〜5分待機の後、工業用防塵マスクを着用し中へ侵入した。

クロロホルムを吸った女性が気を失っているのを確認したところで、下着を取り除き、携帯用スポット・ライトで局部を照らして鑑賞し、持参したポラロイドカメラで記念撮影。それからコトに及ぶ。

加藤の供述によれば「相手が妊娠しては気の毒だったから」必ずコンドームを装着したそうで、この気遣いが捜査を遅らせた。被害者が翌朝、何か変だと思っても体液などの証拠が残ってないため、強姦されたことに気づかないケースが多かったのだ。

水のないプール

1982／日本／監督：若松孝二
鬱屈した日々を過ごす中年地下鉄職員がマスクを付けて女性の部屋に侵入、クロロホルムで意識を失った相手をレイプする様を描く。主役の内田裕也自身が、実際の事件に着想を得て企画した1本。

加藤は用心深い性格で、部屋に侵入する隙間がなかった場合のことを考え、常に業務用の小型ドリルまで持ち歩いていたという。ターゲットを選ぶ眼力も正確で、本人が記憶していた被害者73人は、18歳から27歳までの独身女性で、既婚者はたった1人だけだったそうだ。

それほど用心深い加藤が捕まったのは1981年4月30日。予備校生A子さんのアパートに忍び込んだのが運の尽きとなる。部屋には高校時代の女友達が泊まりに来ており、2人はおしゃべりに夢中。やっと寝込んだのは深夜3時過ぎだった。

しびれを切らした加藤が部屋のドアを回すと難なく開く。そのまま中に入り、2人が眠る枕元に200ccほどのクロロホルムを散布した。

頃合いを見てズボンとパンツを脱ぎ捨てコンドームを装着、2人の下着を脱がせにかかる。が、加藤は防塵マスクを被るのを忘れていた。そして、なんと自分自身もベッド脇で寝入ってしまったのだ。そのうちトイレに起きたA子さんは見知らぬ男がいるのに仰天。慌ててアパートの住人に助けを求めた。

加藤は瞬時に逃走したが、部屋に置き忘れたバッグの中には注射器やクロロホルムの瓶、カメラなどの七つ道具の他、免許証までが入っていた。さすがに逃げ切れないと思ったのだろう。翌日、加藤は弁護士に伴われ警察に出頭し、あっさり逮捕された。

劇中では、中村れい子演じるウェイトレスが強姦魔を心待ちにし、男も朝食を用意するなど両者の間に気持ちの交流があったかのように描かれている。

この事件でも、1年間に3度襲われた25歳のＯＬがいたらしい。が、彼女は男の姿を見て悲鳴を上げ、シーツに染みができていたため気味が悪くて引っ越している。にもかかわらず、加藤はさらに女性を追いかけ、新居に局部を撮ったポラ写真を送りつけたそうだ。

鬼畜な強姦魔に心を寄せる女性など、現実にはいないのだ。

仙台市内で
約100件
クロロホルム
カギ穴から麻酔薬をたらし睡眠中にレイプ!
犯人は加藤正範（46歳）。狙われたのはアパートで一人暮らしの独身女性ばかり。
週刊女性　昭和56. 6. 16
気づかぬままに犯された女性たちの悪夢の恐怖がいま……。
注射器、防じんマスク、ミニド
イラスト／杉本
悪にかかる一人住まい

事件は週刊誌をはじめワイドショーなどで大々的に報じられた（『週刊女性』1981年6月15日号の誌面より）

主犯のガートルード・バニシェフスキー（右）と
被害者の少女、シルヴィア・ライケンス

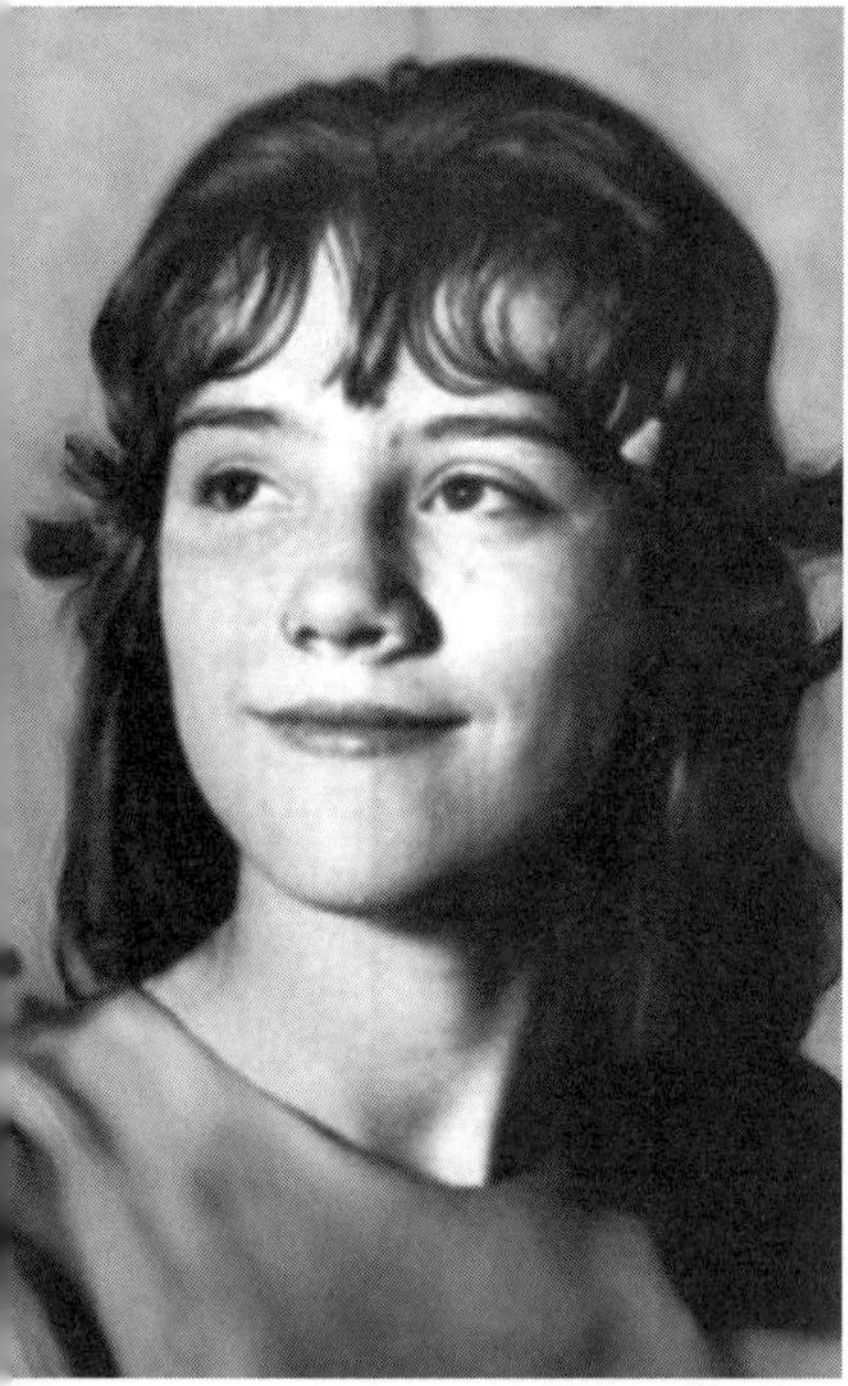

アメリカン・クライム

事実は映画より
数倍残酷！

インディアナ
少女虐待殺害事件

1965年10月、当時16歳の少女シルヴィア・ライケンスが、地下室に閉じこめられ虐待の限りを受けた挙げ句、脳内出血と栄養失調で死亡した。犯人は、下宿先の女主人と、まだ10代の子供たちだった。2007年公開の映画「アメリカン・クライム」は、この痛ましい事件を題材とした衝撃作である。

惨劇の舞台になったのは、米インディアナ州の州都インディアナポリスだ。主犯の女性ガートルード・バニシェフスキー（1929生）は、16歳で結婚した後、6人の子供を出産。34歳のとき夫のDVが原因で別れた後は、女手一つで子供を育てていた。一方、シルヴィアは5人兄姉の真ん中で、父親が移動カーニバルの従業員ということもあり、引っ越しばかりの暮らし。両親は喧嘩が絶えず、子供たちは事あるごとに親戚や祖母に預けられる生活を送っていた。

1965年7月、頼りの祖母が万引きで捕まり、子供を持て余していたライケンス夫婦に、知り合ったばかりのガートルードが申し出る。週20ドルでシルヴィアと妹ジェニー（当時15歳）を預かりますよ、と。夫妻はこの話に二つ返事で飛びついた。

最初の1週間、姉妹はガートルードの長女のポーラ（同18歳）や次女ステファニー（同15歳）と一緒に学校や教会に通うほど仲良くなった。が、翌週には早くも事態が急変する。姉妹の父親からの小切手が遅れたことにガートルードが怒り、彼女らの尻を酷く叩いたのだ。8月に入ると、ガートルードは長男ジョン（同14歳）やポーラ、さらには近所の子供たちにも体罰を強要。子供たちは最初こそ戸惑っていたものの、しだいに異常な悦びを覚え自ら進んで姉妹をいじめ出す。彼らの根底には、若く可愛いシルヴィアへの妬みがあり、以後、彼女が虐待の中心対象となっていく。

アメリカン・クライム

2007／アメリカ／監督：トミー・オヘイヴァー
事件を忠実に映画化した力作。「JUNO／ジュノ」でアカデミー主演女優賞にノミネートされたエレン・ペイジがシルヴィアを、「マルコヴィッチの穴」「カポーティ」でアカデミー助演女優賞にノミネートされたキャサリン・キーナーがガートルードを演じた。

10月、ガートルードはシルヴィアの登校を禁じ、地下室に閉じ込められる。食べ物も満足に与えられず、トイレも禁じられた生活。そして、夕方になると子供たちが集まり〝ジョー〟が始まった。殴る蹴るは当たり前で、時にガートルードは、年頃の子供たちの前で、シルヴィアにストリップもさせたこともあった。泣く泣く彼女が全裸になると、局部にコーラ瓶を挿入しろと命令。シルヴィアの妹ジェニーにも、言うことをきかないと同じ目に遭わせると脅し姉を叩かせた。

映画はこうした虐待の様子を忠実に描いているが、実際はもっと惨い。排泄物を食べさせたり〝洗い清め〟と称し、熱湯が入ったバスタブにシルヴィアを押し込めたうえ、赤くただれた肌に塩をすり込むなどの暴行も行われた。

10月21日、シルヴィアの人生最後の1週間は「オネショ訓練」で始まる。ベッドに縛り付けられ、失禁するとストリップと局部へのコーラ瓶挿入。さらには、ポーラとステファニーを中傷した罰として、腹部に、熱した縫い針で「私は売春婦」と刻みつけられた。シルヴィアが地下室で息絶えるのは、それから5日後の26日夕方のことだ。この事態にパニックに陥った近所の子供の通報で警察が駆けつけると、ガートルードは1枚の手紙を差し出した。その内容は、

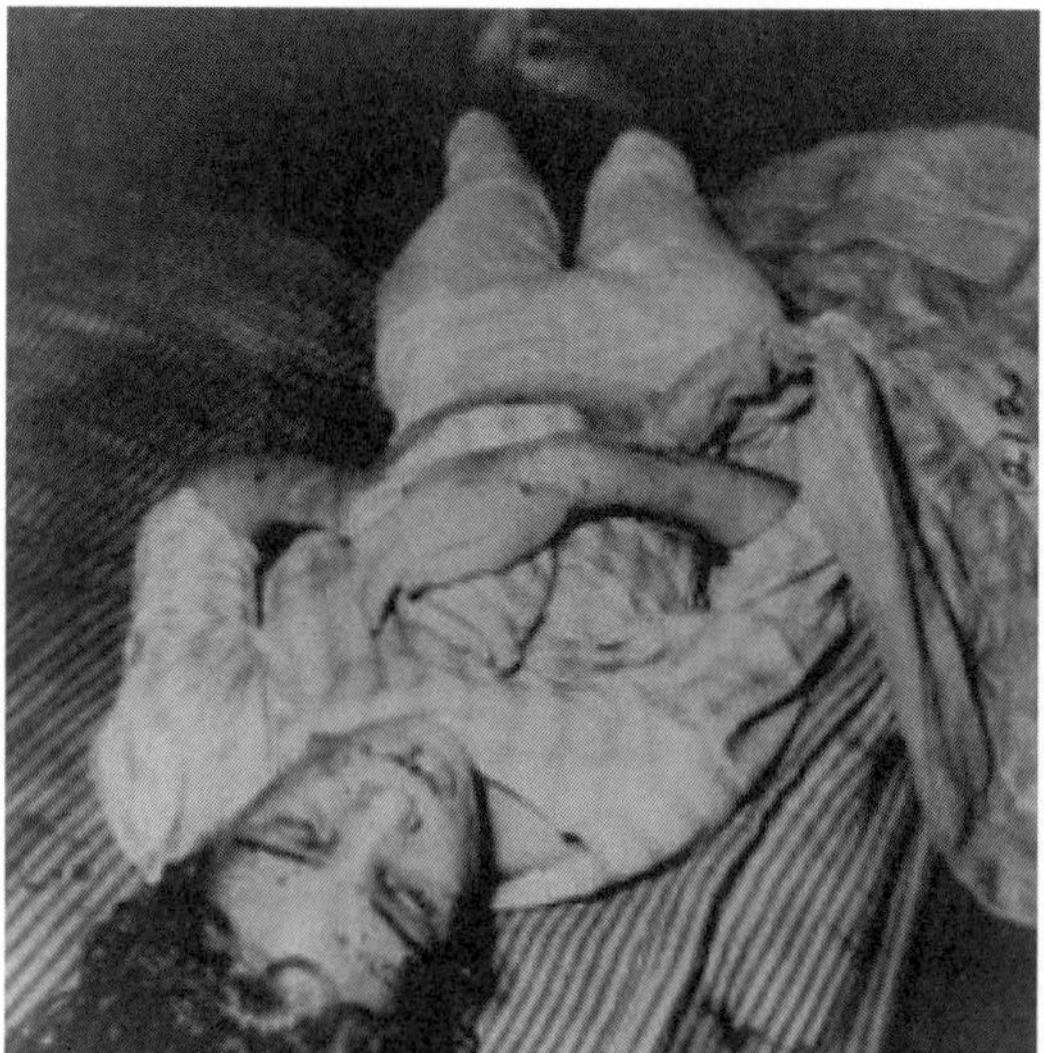

警察が家宅捜索で発見したシルヴィアの遺体

「少年グループから金銭をもらう代わりにセックスすることに合意したが、少年たちの車で連れ回されたうえ、幾度も殴られ、煙草の火で火傷させられた」ガードルードが己の犯行を隠すため。シルヴィアに無理矢理書かせていた文章だった。が、妹ジェニーが警官に「ここから私を連れ出して」と囁き、保護されたことで事が明らかとなる。

裁判でガートルードは精神異常を理由に無罪を主張したが、第1級殺人で有罪となり終身刑が確定。娘のポーラと息子のジョン、他近所の子供2人には故殺罪で2年から21年の不定期刑が言い渡され、ステファニーら5人は不起訴となった。

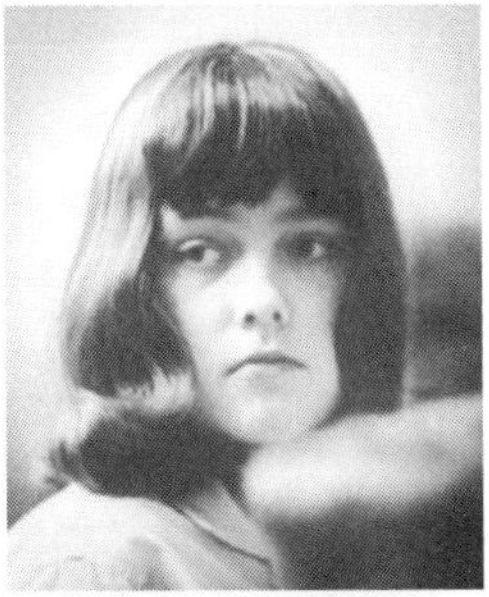

上から、当時14歳だった長男のジョンは、2年で出所後クリスチャンになりジョン・ブレイクと改名した。長女ポーラ。2年で出所後、結婚。現在はアイオワ州の農場で暮らしている。シルヴィアの妹ジェニー。後に教師となり結婚したが、2004年に54歳で病死

終身刑を宣告されたガートルートは19年間の模範的服役態度が認められ1985年に仮釈放。5年後の1990年、肺がんにより60歳でこの世を去った

ハン・ゴンジュ　17歳の涙

男子高校生41人が1年にわたり少女を陵辱

主人公を演じたチョン・ウヒの芝居は高く評価され
韓国最大の映画の祭典、青龍映画賞で主演女優賞に輝いた。
映画「ハン・ゴンジュ　17歳の涙」より

密陽女子中学生集団レイプ事件

FILMS

2014年公開の韓国映画「ハン・ゴンジュ　17歳の涙」は、過去にレイプ事件に遭ったごく普通の女子高生ゴンジュが、新しい環境で人生を再スタートさせるものの、そこでもまた絶望の淵に突き落とされる、性的暴行被害者女性の底知れぬ怒りと悲しみを描いた人間ドラマだ。

題材となった事件がある。高校生41人が1人の少女を暴行し続けた「密陽《ミリャン》女子中学生集団レイプ事件」。その犯行は極めて悪質で、後の警察や加害者の親たちの酷い対応もあいまって、韓国社会の人権意識の低さを象徴する特筆すべき事件と言われている。

発端は2004年1月、当時中学2年の女子生徒が間違い電話をかけたことだった。電話の相手は密陽市に住む男子高校生。すぐに切ろうとしたが、言葉巧みに誘われ、数日後、会うことになった。

男子高校生は、密陽市内の3校からなる不良集団「密陽連合」のリーダーに女子生徒を紹介する。と、リーダーは手下の高校生10人と共に、彼女を旅館に連れ込み集団で犯す。

以降、不良どもは強姦時の写真、実名、住所をネット上に暴露すると脅しては彼女を1ヶ月に2度3度と呼び出し、鉄パイプで殴り、バイブレータでいたぶるなど、性奴隷として弄《もてあそ》び続ける。悪行は1年にも及び、加担する高校生も41人に増加した。

事実を誰にも言えず独りで苦しんでいた彼女は、何度も自殺を図った。さすがに娘の異常な様子に気づいた母親が事情を聞き出したうえ、警察に通報。結果、2004年12月に、犯行に加担した男子高校生全員が身柄を拘束されることになる。

問題は、この後の警察の対応だ。当初から女子生徒の立場、心情を軽んじていた当局は、捜査担当に男性警察官を当て、容疑確認の目的で加害者1人1人と彼女を対面させたうえで「挿入したか否か」などの露骨な質問を浴びせた他、「密陽の恥をさらした」

ハン・ゴンジュ　17歳の涙

2014／韓国／監督：イ・スジン
2004年に発覚した女子中学生暴行事件を題材に、深い心の傷を負った少女の終わりなき苦悩、韓国社会の深い闇を描く。

などの暴言を口にした。さらに彼女は、加害者家族からも「このままで済むと思うな」「体をお大事に」等の脅迫を受け、恐怖のどん底に突き落とされてしまう。さらに、韓国国内の反応も極めて冷たかった。事件がマスコミで大々的に報道されたことで、好奇心丸出しの〝ネチズン〟が被害者女性の個人情報を突き止め、実名や顔写真をネットに晒したのだ。

事件発覚後、ソウルの病院へ入院していた彼女のもとへは、毎日加害者の親が訪れ、慰謝料支払いに

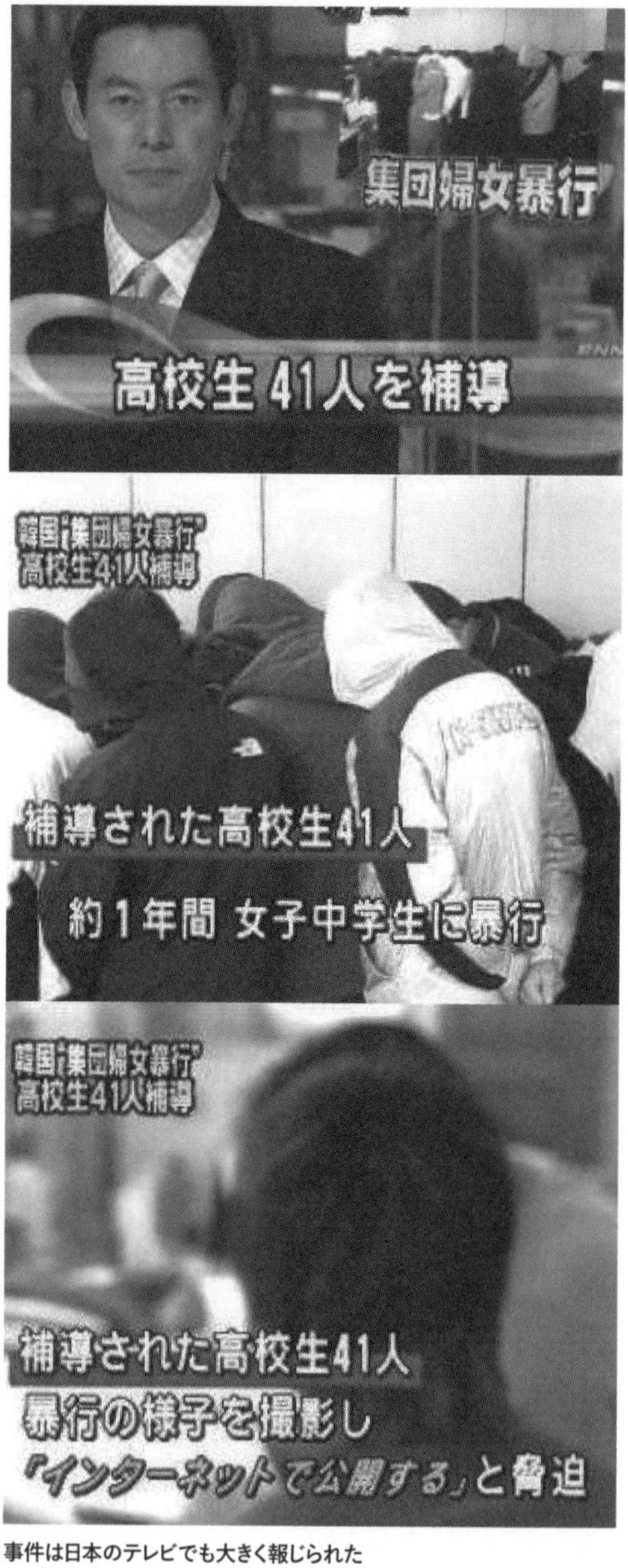

事件は日本のテレビでも大きく報じられた

よる和解を迫っていた。むろん、合意する気持ちは毛頭ない。が、金欲しさに示談に応じるよう彼女を説得する父親と親類。最終的に彼女は折れ、賠償金5千万ウォンの和解書にサインする。これが、どんな結果をもたらすかも知らずに。

その後、彼女は退院して復学を希望したが地元の学校には通えず、転校先も見つからなかった。「問題のあった生徒」として、大半の学校が受け入れを拒否したからだ。

劇中で描かれるとおり、その後どうにかソウル市の公立校に転校できたものの、そこでも恐怖が待っていた。加害者の母親が学校を訪れ、「息子の処罰を減刑するために嘆願書を書いてほしい」とトイレにまで執拗に付きまとってきたのだ。

再び重度の鬱病を再発した彼女は、嘔吐するまで食べ続ける摂食障害を伴い、1ヶ月足らずで学校をやめ、そのまま家出してしまう。ちなみに、映画の主人公は最後、絶望の果て、川に飛び込み命を絶つが、実際の被害女性が現在どんな立場にあるかは定かではない。

一方、加害者は20人が処罰の対象となり、その内5人が少年院に送られた。が、すでに示談が成立していたことから全て前科が残らないような処置に。残り10人も半分が保護処分、半分には何のお咎めもなかった。加害者はその後、全員が事件前と変わらない学校生活を送ったという。性犯罪者がのうのうと復帰できる韓国社会。被害者が受けた苦痛を考えると、あまりに理不尽な結末と言えるだろう。

映画になった戦慄の実話

映画「炎628」より ©Mosfilm Cinema Concern 1985

第3章
悲劇

ボーイズ・ドント・クライ

性同一性障害の女性を襲った悲劇

FILMS

ブランドン・ティーナ本人（下）と、彼女と瓜二つの外見で役に挑んだヒラリー・スワンク（右）。

映画「ボーイズ・ドント・クライ」より

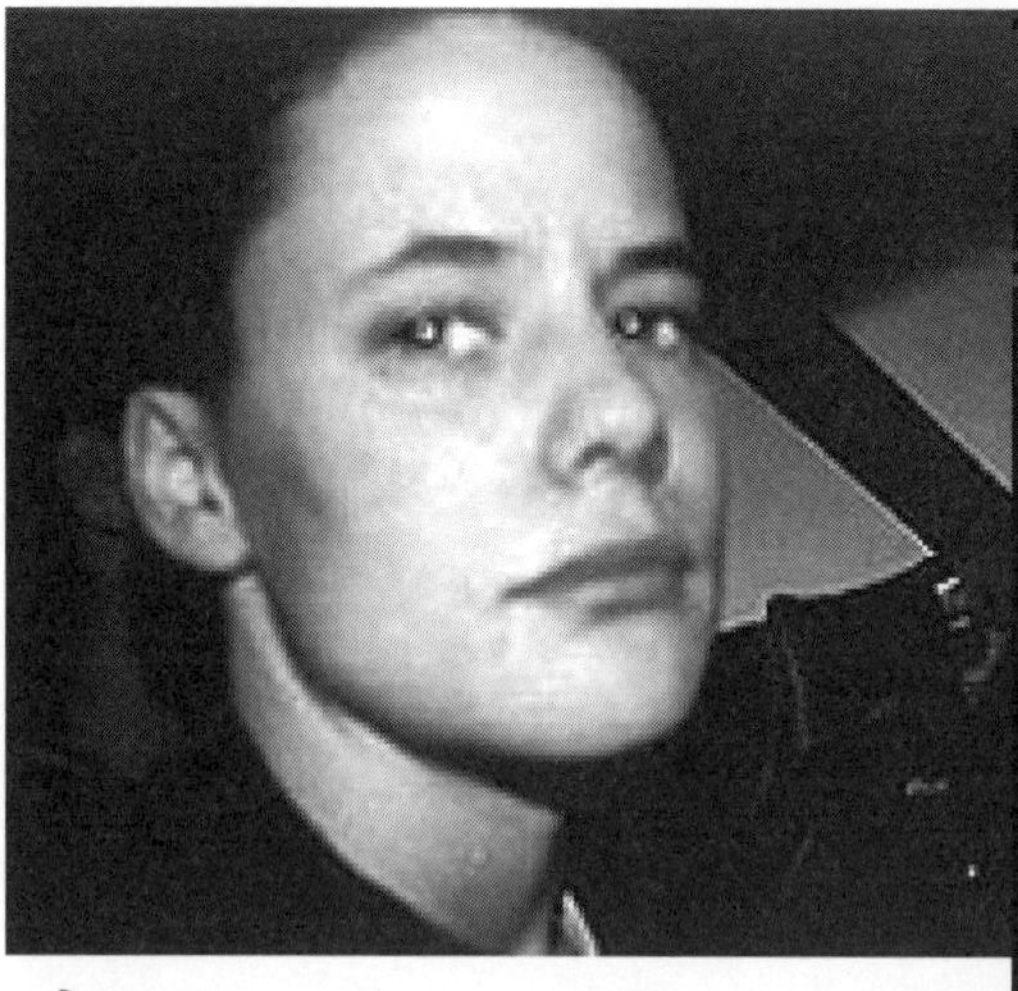

ブランドン・ティーナ惨殺事件

「ボーイズ・ドント・クライ」は、1993の年大晦日、米ネブラスカ州で性同一性障害の女性ブランドン・ティーナを含む3人が惨殺された実際の事件を描いた映画である。悲劇のヒロイン、ブランドンを演じたヒラリー・スワンクがアカデミー主演女優賞に輝いたこの作品、エンドロールで「1人が死刑。もう1人は終身刑が確定した」と、加害者2人のその後が示されるが、実は事件から28年が経った2021年10月現在も、本当に引き金を引いたのはどちらだったのか、わかっていない。

ブランドン・ティーナ（本名はティーナ・ブランドンだが、男性と思われるよう後に姓と名を入れ替え自称していた）は1972年12月、住民の大半が白人で、性的マイノリティを排除する気質が強いネブラスカ州のリンカーン町で生まれた。家族は母1人姉1人。父親はすでに交通事故で他界していた。

女の子っぽい姉とは対照的に、ブランドンは幼い頃からお転婆で、成長するにつれ問題児扱いされるようになる。男が着る服装に身を包み女性とデートを重ねたり、男として陸軍への入隊まで試みたからだ。心配した母親がカウンセリングを受けさせた結果、医師は「性同一性障害」と診断、その場で性転換手術を薦めた。

1993年、21歳になったブランドンは家を出て、隣町のフォールズシティに移り住む。誰も知らない場所で男性として生きるためだ。最初にできた友人がシングルマザーのリサ・ランバート（当時24歳）で、家に泊めてもらっている間に彼女の仲間たちとも仲良くなる。刑務所帰りのジョン・ロレッタ（同22歳）、トム・ニッセン（同22歳）の男性2人と、マドンナ的存在のラナ・ティスベル（同19歳）だ。

ボーイズ・ドント・クライ

1999／アメリカ／監督：キンバリー・ピアース
1993年、米ネブラスカ州で惨殺された性同一性障害の女性ブランドン・ティーナの悲劇的半生を描いた傑作。主役ヒラリー・スワンクの演技が高く評価され、アカデミー主演女優賞をはじめ、1999年度の映画賞を総なめにした。

一緒に酒を飲み、時には喧嘩をし交流を深めるうち、ブランドンはラナと恋に落ちる。が、幸せは長く続かない。小切手の偽造により逮捕されたブランドンの保釈金を払うため、ラナが警察に出向いたところ、ブランドンが女性房に入れられていたからだ。動揺するラナに、ブランドンは「自分は性転換手術を待つ両性具有者だ」と説明し理解を得るが、ジョンとトムは怒りが収まらなかった。気の置けない男友達として親しく付き合っていた分、逆に裏切られた思いを強くしたらしい。

1993年12月24日、クリスマスイヴの夜、ジョンとトムはブランドンを町外れの精肉工場に連れていき強姦、「黙っていれば友情は続く。誰かに言えば永遠に話せなくしてやる」と脅しその場を去る。ラナはブランドンを病院に連れて行き、警察に被害を訴えた。が、対応した保安官はブランドンを変態扱いし屈辱的な質問を重ねたばかりか、ジョンとトムに電話をかけ、ブランドンが警察にいることを話してしまう。言いつ

恋人関係にあったブランドンとラナ(右)。ラナは映画公開後、無断で自分をモデルにしたうえ、不正確な事実が描かれているとして映画会社を訴えた(後に和解)。2001年に結婚、現在は夫、子供たちとカンザス州在住

けを破ったブランドンを、ジョンとトムはどうしても許せず、ついに殺害を決意。1993年12月31日、酒とクスリでハイになった状態で、リサの家にいたブランドンを銃殺、さらにはリサと、ラナの姉のボーイフレンドまで射殺してしまう。

翌日、2人は逮捕され、ほどなく裁判が始まる。争点は、3人をジョンとトムのどちらが直接、殺害したか。劇中では、ジョンがブランドンを撃ち、その後でトムがリサを射殺したように描かれている。一方、実際の公判では、トムが司法取引で死刑にならないことを条件に、3人を撃ったのはジョンだと証言。判決では、現場にジョンのナイフがあったこと、殺害計画をジョンから直接聞いた証人がいたこと、何よりトムの証言が決め手となり、ジョンには死刑、トムに終身刑が言い渡された。

映画公開から8年後の2007年9月、トムはそれまでの供述を翻し、ジョンがブランドンを1回撃っただけと証言する。これを受けジョンは再審を請求したが、最高裁は却下、法的には誰が撃ったのかは刑罰に関係ないと結論づける。ところが2015年になり、ネブラスカ州議会は死刑の廃止を決定。ジョンに適用されるかどうか論議が分かれているが、どうやら終身刑に減刑される見込みだ。

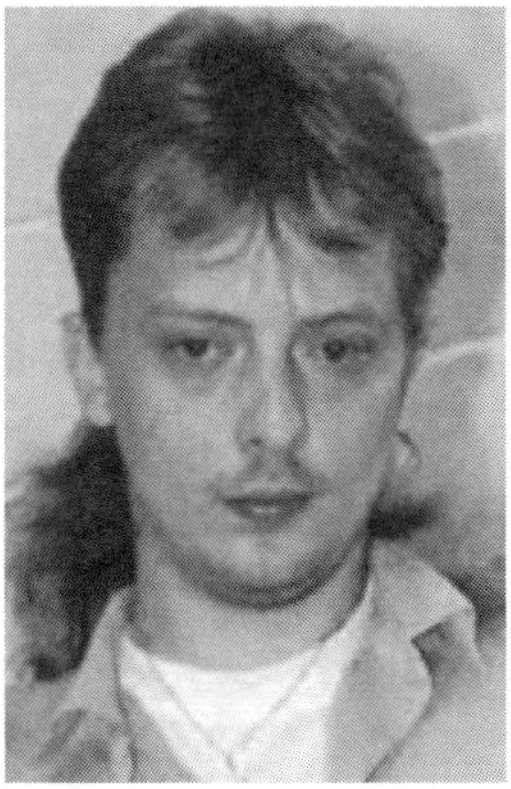

犯人のジョン・ロレッタ（上）とトム・ニッセン

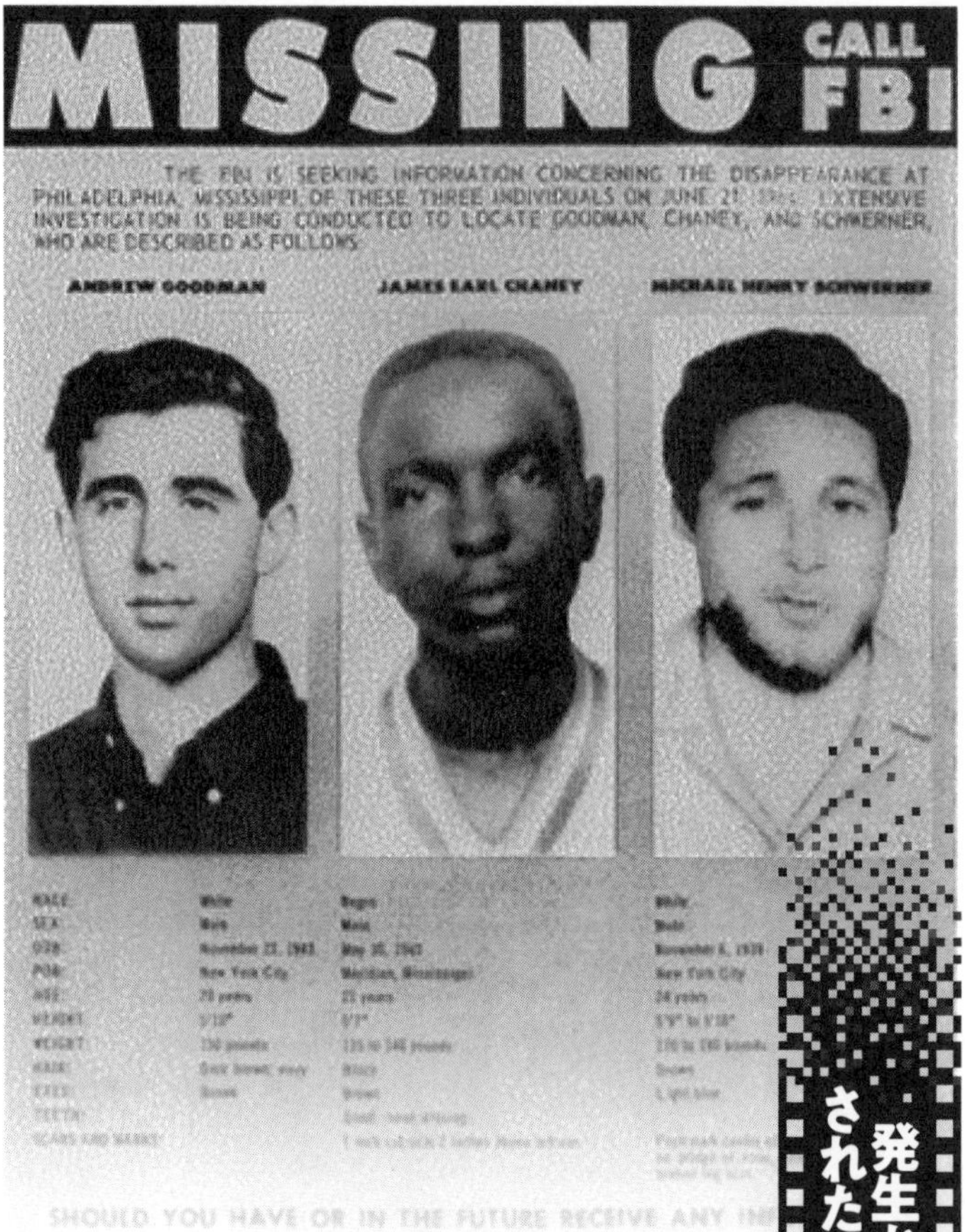

殺害された3人の運動家（全員学生）。
写真は遺体発見前、FBIが作成した行方不明の手配書

ミシシッピー・バーニング

発生から40年に主犯が逮捕された秘密結社KKKの凶行

FILMS

フィラデルフィア公民権運動家リンチ殺害事件

映画「ミシシッピー・バーニング」は、１９６４年、米ミシシッピー州フィラデルフィアで起きた公民権運動家３人の殺害と、事件解決に奔走するＦＢＩ捜査官の活躍を描いた社会派ドラマだ。事件は悪名高きＫＫＫ（白人至上主義の秘密結社）の犯行によるものだったが、彼らに下されたのはわずか数年の懲役刑。何とも納得しがたい事件の結末は、発生から40年後、大きな進展を見せる。

映画は、１９６４年６月21日深夜、ユダヤ人学生２人と黒人学生１人が乗ったワゴン車が、パトカーと２台のトラックに追われ停車を命じられる場面から始まる。３人は、黒人に選挙権を与える草の根運動を展開すべく現地を訪れた公民権活動家で、当時、特に人種差別の激しかった南部ミシシッピーでは忌み嫌われる存在だった。

停車させられる数時間前、彼らはスピード違反などの微罪で警察に逮捕されたものの、まもなく釈放され帰路を急ぐ途中だった。このとき、３人はすでに殺害される運命にあった。警察が地元のＫＫＫのメンバーに３人の情報を流し、彼らの車を追尾させていたのである。ＫＫＫの連中は３人を車から引きずり出し、容赦なく射殺する。映画では、このとき保安官が「このユダヤが、黒人好きめが」と罵るが、実は保安官もＫＫＫのメンバーだった。当時のミシシッピーは町全体が人種差別に覆われていたのだ。こんな組織ぐるみの犯行が表沙汰になるはずもなく、３人は〝行方不明者〟としてメディアに報じられる。

映画ではここからＦＢＩの軍団が現地を訪れ、調査に乗り出す。が、これは事実と全く異なる。実際に捜索活動を行ったのは海軍航空基地で研修中の水兵４００人で、ＦＢＩは再三の捜索願いにも聞く耳を持たなかったどころか、公民権運動自体にも非協力的

ミシシッピー・バーニング

1988／アメリカ／監督：アラン・パーカー
1964年、米ミシシッピーで起きた公民権運動家殺人事件を題材としたサスペンス。名匠アラン・パーカーの社会派ドラマとして評価の高い作品だが、史実と異なる部分も少なくない。

だった。そのため、映画公開時には運動家、及び関係者から「史実の改竄《かいざん》」として大きな非難を浴びている。

大がかりな捜索にもかかわらず、3人の行方は杳として知れなかった。いや、彼らがすでに殺害され、犯行がＫＫＫによるものであることは捜査当局も把握していた。が、いくら追及しても彼らはシラを切り通す。口を割れば必ず殺す。犯行時、ＫＫＫの連中は互いに確認しあっていた。しかし、事件は発生から44日後の8月3日、ようやく解決する。刑の免除を引き換えに、ＫＫＫの1人が自白したのだ。

男の供述どおり、3人の死体は建設中の土手から発見される。そして犯行に加わったＫＫＫ18人の逮捕。裁判は一審・二審を経て、ようやく3年後の１９６７年、連邦裁判所で最終決定が下された。

判決は信じられないものだった。罪名は「殺人」ではなく、被害者3人の人権を侵害した「公民権を覆す陰謀罪」で7人が有罪（2人が10年、5人が3〜5年の懲役刑）、残り11人は全員が白人という陪

事件発生から44日後、建設中の土手の中から発見された3人の遺体

事件を追うFBI捜査官を演じたジーン・ハックマン（左）とウィレム・デフォー。
映画「ミシシッピー・バーニング」より

審員団の〝評決不一致〟により無罪・釈放となったのだ。しかし、この結果は当時のアメリカで賞賛さる。公判前の世論は「ＫＫＫの仕返しを恐れる陪審員たちが有罪を宣告するはずがない」という見方が大半。その中で下した判決はむしろ毅然としたものだったというのだ。ちなみに、ミシシッピー州で、白人が黒人を殺害して有罪が宣告されたのは、これが初めてのケースだった。

２００４年6月20日、フィラデルフィアの体育館で、事件から40年目の追悼式が行われた。この催しは、事件がフィラデルフィアの人々の心に残り続け、いまだに全米から〝恐ろしい人種差別の町〟と思われていることへの罪悪感から開かれたものだった。こうした住民の声に後押しされたのか、同年末、連邦司法省は突然「３人の殺害事件は２００５年初めには決着を付ける」と発表。その言葉どおり、同年1月6日、フィラデルフィアのＫＫＫのリーダーだった牧師エドガー・レイ・キレン（当時80歳）を逮捕する。キレンは１９６７年の判決で無罪になった１人だったが、当局は彼を共謀殺人の主犯として起訴し、判決では懲役60年が下された。その後キレンは刑務所に収監され、２０１８年1月、92歳でこの世を去った。

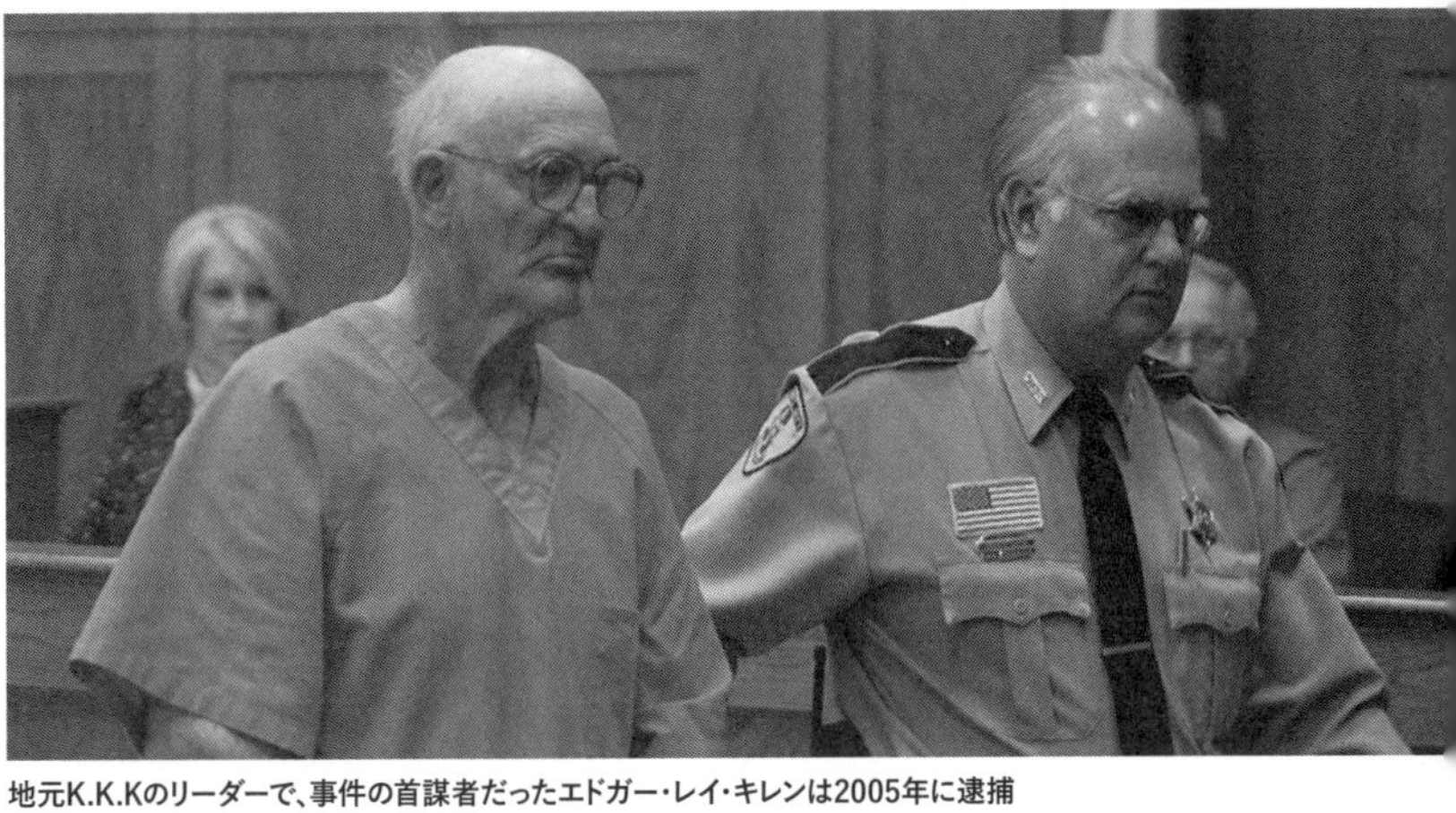

地元K.K.Kのリーダーで、事件の首謀者だったエドガー・レイ・キレンは2005年に逮捕

私は死にたくない

無罪を主張したままガス室で処刑

バーバラ・グレアム本人。ハリウッド女優と比べても見劣りしないほどの美貌も注目を集めた

バーバラ・グレアム事件

FILMS

1950年代を代表するハリウッド女優、スーザン・ヘイワードがアカデミー賞主演女優賞に輝いた映画「私は死にたくない」。彼女が演じたバーバラ・グレアムという女性は、1953年に起きた殺人事件の容疑者として逮捕され、ガス室で処刑された実在の元死刑囚である。バーバラが犯人であるという物証はなく、本人も無罪を主張し続けたままの死刑執行。映画は、事件が冤罪の可能性が高いという視点から、予断と偏見に満ちた司法の在り方と、死刑制度の矛盾を強烈に批判している。

64歳の未亡人が米カリフォルニア州の自宅で頭を鈍器で殴られ死亡したのは1953年3月9日のこと。金品類は奪われていなかったが、荒らされた部屋の状況から、警察は、犯人は複数で強盗目的で押し入ったものと断定、捜査を開始する。

最初に容疑者として逮捕されたのが、窃盗や詐欺の常習犯だったバクスター・ショーターとジョン・トゥルーの男2人。次いで事件から2ヶ月後、ジャック・サント、エメット・パーキンス、そして当時29歳の主婦バーバラ・グレアムの3人が潜伏先のモーテルで警察に拘束される。

劇中で詳細は説明されないが、バーバラの半生は波乱に満ちていた。2歳のとき母親が感化院に入れられたことで、彼女は隣人や親類宅をたらい回しにされ、自身も素行不良により10代前半で母親と同じ感化院に。以後、窃盗や売春、偽小切手の振り出しなど様々な犯罪に手を染める。私生活では、18歳のとき初めて結婚して子供を出産したが、すぐに破綻。その後2回再婚と離婚を繰り返す間に2人目の子供を産み、事件発生時は4人目の夫ヘンリーと結婚、3番目の子供トミーを授かっていた。

私は死にたくない
1958／アメリカ／監督：ロバート・ワイズ
殺人罪でガス室送りとなるまで無罪を主張した実在の女性死刑囚バーバラ・グレアムの手記を様々なレポートや記録などと照合、映画化した社会派ドラマ。全編に流れるモダンジャズが、死刑制度の矛盾と冤罪の恐怖をより際立たせている。

ジャックとエメットは、もともと夫ヘンリーの犯罪者仲間で、バーバラも自然とグループに加わるようになった。が、事件のあった3月9日の夜、彼女は自宅におり、ギャンブル狂の夫と激しく口論していたという。逮捕された際、ジャック、エメットと一緒にモーテルにいたのも通常の付き合いの一環で、まさか殺人の容疑がかかっているとは夢にも思っていなかった。が、夫ヘンリーは口喧嘩した日に家を出て、その後行方がわからない。事件当日の彼女のアリバイを証明してくれる人間は誰もいなかった。

身に覚えのないバーバラは当然、裁判で無罪を主張するが、過去の素行から陪審員に与える印象が良いわけがない。メディアが、彼女の美貌をネタに、〝血まみれバブス〟などと名づけ偏向報道を行ったことも、イメージをより悪くさせた。

さらに、バーバラにとって最悪の事態が起きる。公判の最中、彼女にアリバイのないことを知った1人の女囚が、2万5千ドルを払えば事件の夜、自分のボーイフレンドと一緒にいたことにしてやると持ちかけてきた。藁にもすがるつもりで話に乗ったバーバラは、そのボーイフレンドと拘置所内で面会し、法廷での証言

法廷に立つ被告の3人。犯行はジャック・サント（左）とエメット・パーキンス（中央）によるもので、バーバラは関与していないと言われている

の打ち合わせを行う。

しかし、これは全て検察側のワナだった。女囚は自ら起こした自動車過失致死罪の軽減を条件に雇われたオトリで、ボーイフレンドの正体は捜査官。会話は録音されており、そのテープが法廷で流された。有罪の決め手のない検察が無理矢理作った〝証拠〟だった。

バーバラは、ハメられたことを必死に訴えたが、陪審員は、犯人でなければそんな偽装工作をするわけがないと判断。彼女を有罪と評決する。

裁判所は、バーバラと共犯の2人に強盗及び殺人罪で死刑を下す。控訴も却下され、刑は確定。その後、映画は、処刑執行日の1955年6月3日に30分以上を費やし、彼女が過ごした恐怖の時間を描いていく。サン・クエンティン州立刑務所において、当初午前10時に予定されていた処刑執行は、最後のバーバラの嘆願を受け入れるか否かの最高裁の判断を待ち、2度も延期される。ガス室の前まで行っては戻り、また刑場へと向かう地獄。最終的に彼女は11時45分にガス室に入れられ、映画の描写どおり、悶絶しながら死を迎えることになる。享年31。

「立会人の姿を見たくない」という理由で、刑執行時、バーバラがアイマスクを付けた劇中シーンは史実に基づいている。映画「私は死にたくない」より

映画「子宮に沈める」より
©paranoidkitchen

子宮に沈める

我が子を死に追いやったシングルマザーの大罪

FILMS

大阪2児餓死事件

2013年、「子宮に沈める」という衝撃的なタイトルの映画が公開された。夫や2人の子供のため完璧に家事をこなしていた若い母親が、仕事を口実に家に寄りつかなくなった夫と離婚。友人に誘われるまま夜の仕事に就き、やがて好きな男を家に連れ込み、邪魔になった我が子を餓死させるという内容だ。

本作が題材とした事件がある。2010年7月に発覚した「大阪2児餓死事件」。当時23歳だった母親が、3歳女児と1歳9ヶ月男児をネグレクトの末、死に追いやった悲惨きわまりない事件である。

実際の事件と映画は少々経緯が異なる。まず離婚の原因が、母親の浮気が原因だったこと。さらに育児放棄は離婚直後から始まり、事件現場になった大阪市西区のマンションに引っ越した2010年の年明け頃には、すでに子供たちに食事を満足に与えず、風呂にも入れていなかった。ファッションヘルスで働いていた母親はホストにハマり、時間さえあれば遊びに出かけ外泊ばかり。部屋に戻るのはコンビニで買った食料を子供に渡すときだけだった。

同年6月9日、1週間ぶりに家に戻った母親は、子供たちが衰弱しているのを知る。後の裁判の証言によれば「帰ったときいつものように子供とハイタッチしようとしたが、返してこなかった」そうだ。が、彼女は、帰りを待ちわびていた姉弟に、ジュースとおにぎり4つ、パンケーキ2つを与えると、弟のオムツを取り替えもせず家を出てしまう。

映画では、母親に置き去りにされた子供たちが、弟用の粉ミルクを奪い合うように口にしたり、姉が水を飲んで必死に飢餓感と闘う様子が描かれる。しかし現実はさらに酷い。以前、長女が台所の水を出しっ放しにしたことがあったため、母親は居間のドアをガムテープで開かないように細工。子供たちはトイレにも行けない状態だった。

子宮に沈める

2013/日本/監督:緒方貴臣
2010年に発覚した大阪2児餓死事件を題材に、若くして2児の母親となったシングルマザーが、次第に社会から孤立し追い詰められていく悲劇を淡々と描く。
DVD販売元:アルバトロス

エアコンの効かない部屋で息絶えた姉（右。当時3歳）と弟（同1歳）。実際の写真

育児放棄の果てに我が子2人を死に追いやった23歳の母親。本人が勤めていたファッションヘルスの画像より

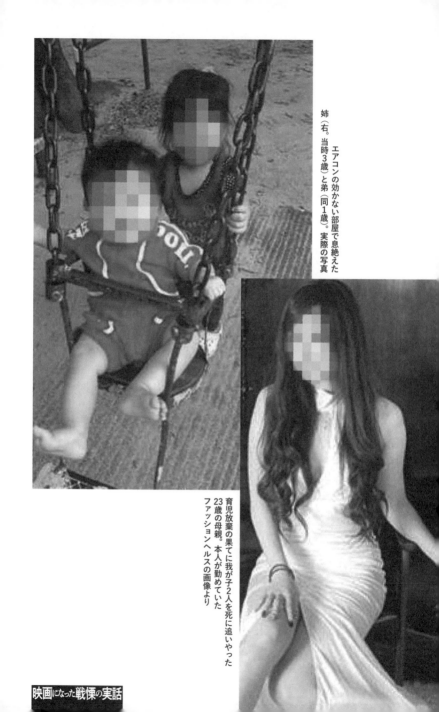

大阪府警の調べによると、2人は調味料で飢えをしのぎ、冷凍庫の霜まで舐めていたらしい。さらには、汗を舐め、尿を飲み、糞を食べ、母親が1月から出していなかった部屋のゴミから食べカスのついた容器を拾い出し舐めていた痕跡もあったという。姉はそれが原因で食中毒を起こして死亡。弟はその毒素が含まれた姉の糞を食べ、姉より10時間以上後に息を引き取ったそうだ。

6月下旬、母親はいったん部屋に戻り、2人が死んでいる姿を見たものの、そのまま放置して外出。7月19日には大勢の友人と神戸・須磨海岸へ出かけ、〈今年初海なう　たーのーしー〉とSNSに書き込んだ。次に母親が戻ったのは7月29日。異臭がするとの住民からの苦情で仕方なく土足で部屋に上がり、2人の遺体が腐敗しているのを確認している。裁判記録によると、この後、母親は知人男性の車で夜景を見に出かけ、ホテルでセックスしたらしい。警察が姉弟のミイラ化した遺体を発見するのは、翌30日のことだ。

逮捕された母親には、死亡すると知りながら2ヶ月近く放置したことに明確な殺意が認められるとして、2012年3月、大阪地裁が懲役30年の実刑判決を下した（最高裁まで争ったが、2013年3月に刑確定）。

子供たちの死後、母親がSNSに投稿した画像。男友達と海水浴に出かけ、ブブゼラを吹きながらW杯南アフリカ大会を観戦している

ダンス・ウィズ・ア・ストレンジャー

イギリスで絞首刑になった最後の女性

ルース・エリスの哀しい犯罪

「ダンス・ウィズ・ア・ストレンジャー」は、1955年、イギリスで死刑が執行された最後の女性ルース・エリスが起こした事件を、ほぼ忠実に描いた映画である。ロンドンの酒場でホステスをしていた彼女は、運命の相手と思い込んだ男性をなぜ殺害することになったのか？

映画は、ルースが当時23歳のカーレーサー、デビッド・ブレイクリーと出会った1953年9月から始まる。このときルース27歳。劇中では描かれないが、すでに一通りの苦労は味わっていた。14歳でウェイトレスとして働き始め、17歳のとき既婚のカナダ人兵士と関係し、息子を出産。第二次世界大戦後はモデルの仕事に就きながらナイトクラブのホステスになり、金のためなら売春も辞さなかった。

1950年11月、24歳で17歳年上の歯科医と結婚。夫は嫉妬深く独占欲の強いアル中

ルース・エリス本人（右）と、彼女を演じたミランダ・リチャードソン。映画「ダンス・ウィズ・ア・ストレンジャー」より

ダンス・ウィズ・ア・ストレンジャー

1985／イギリス／監督：マイク・ニューウェル
殺人罪で有罪判決を受け、1955年、イギリスで最後の絞首刑となった女性、ルース・エリスの半生をリアルに描いた作品。ルースの役のミランダ・リチャードソンの演技が高く評価された。

で、暴力を振るうこともしばしば。娘を授かったものの、夫がルースの浮気を疑い認知を拒み離婚することになる。1951年、ルースはその美貌を買われ、後に活躍する若手女優が多数出演していた「Lady Godiva Rides Again」という映画に端役《はやく》で出演する。ここから明るいキャリアが開けるかに思えたが、女優業ではとても生活できなかった。金のため、ルースはまたもホステス業に舞い戻る。

　デビッドが店に客としてやって来たとき、ルースはマネージャーに昇格していた。社交界で多くの名士と知り合い、ひいきの客も大勢いたが、彼女は自分より3歳下の、このイケメン男に一目惚れしてしまう。ほどなくデビッドは、店の上階で息子と暮らすルースの家に転がり込み、毎日のようにタダ酒を飲み、彼女に暴力を振るうようになる。厄介な恋人を持つルースはオーナーからクビを言い渡され、デビッドとアパートで同棲生活を始める。

ルース・エリス（右）と、彼女が殺した恋人のデビッド・ブレイクリー

家賃を出したのは、一際彼女を気に入っていた金持ちの常連客だった。やがて、ルースは妊娠する。しかし、デビッドは、お腹の子供は常連客との間に出来たのではないかと疑い、彼女の腹部を蹴る。結果、子供は流産。その後、デビッドはルースを避けるようになる。

これで彼女が別れを決意したら悲劇は起こらなかった。が、ルースは相手が背中を見せた途端、激しく執着してしまう。そして事件は起こる。１９５５年4月10日、復活祭のこの日、イギリスでは家族でご馳走を食べるのが慣わしだが、夜になってもデビッドは帰ってこなかった。心当たりのある彼の友人宅を訪ねると、案の定、デビッドの車が停めてある。中から乱痴気騒ぎの様子が漏れ、甲高い女たちの声も聞こえる。

21時頃、デビッドが友人と酒の買い出しに外へ出てきたところに、ルースは背後から呼びかけた。

「デビッド！」

デビッドが振り返るやルースはハンドバッグから取り出した拳銃の引き金を続けざまに2回。そして車の背後に逃げたデビッドを追ってさらに弾がなくなるまで撃ち続けた。集まった野次馬に向かって、ルースは落ち着いて言った。

「警察を呼んでちょうだい」

裁判では、衝動的殺人を主張する弁護士に対し、ルースは自ら殺意を認め、死刑が確定。１９５５年7月13日、絞首刑に処せられた。わずか28年の人生だった。

Daily Mirror

FORWARD WITH THE PEOPLE

NO REPRIEVE

RUTH ELLIS TO HANG TOMORROW

The price of a broken heart —£200

She Had Seven Visitors

PETER MAY TO THE RESCUE OF ENGLAND...

Going abroad this year?

MIDLAND BANK LIMITED

ルースの死刑執行を報じる新聞

女優フランシス
元ハリウッドスターの転落劇

全盛期のフランシス・ファーマー。
誰もが認める才色兼備の若手女優だった

フランシス・ファーマーはこうして廃人になった

FILMS

１９８２年のアメリカ映画「女優フランシス」は、１９３０年代のハリウッド黄金期に実在した女優、フランシス・ファーマーの悲劇的な半生を描いた作品である。演技派として将来を期待された美人女優が周囲から狂人扱いされ、最後は廃人同様にまで転落した理由は何だったのか。

１９１３年、米ワシントン州の裕福な家庭に生まれたフランシスは、地元では神童として知られた存在だった。幼少期にニーチェの全著作を読破し、高校のときに『神は死んだ』なる論文を執筆。哲学雑誌のコンテストで全国優勝に輝き、名門ワシントン大学への入学とモスクワ留学を決めた。

もっとも、周囲からの評判は、決して良いものではなかった。まだ保守的だった時代に平然と神を否定し、仮想敵であるソ連にまで入国する大胆な行動により、警察から危険思想の持ち主としてブラックリストに載せられてしまったのだ。

両親は娘にワシントンから出ないよう忠告していたが、勝ち気なフランシスは聞く耳を持たない。大学卒業と同時に単身ハリウッドへ乗り込み、幼い頃からの夢だった舞台女優となる。

ハリウッドでの活躍は目覚しかった。最初の数年こそB級映画の脇役しか出番がなかったが、１９３６年にハワード・ホークス監督の「大自然の凱歌」のヒロインに抜擢され評判に。続くビング・クロスビーと共演した「愉快なリズム」も大ヒットを飛ばし〝第二のグレタ・ガルボ〟と呼ばれるほどのブレイクを果たす。

しかし、前途洋々に思えたキャリアは、しだいに陰りを見せ始める。演技派の道を進みたいフランシスと、セクシー路線で売りたい映画会社との折り合いがつかず、望む役が回って来なくなったのだ。

女優フランシス

1982／アメリカ／監督：グレーム・クリフォード
1930年代に活躍した女優・フランシス・ファーマーの悲劇的な人生を描く。主演はジェシカ・ラング。実話を基にしているが脚色が多く、凋落の末にロボトミーを受けたというのは事実ではない。

契約が打ち切られたのは1939年。失意のままハリウッドを去り、ニューヨーク州のウェチェスター の劇団で舞台女優としてキャリアを再スタートさせたものの、芸能誌からの評判はさんざんだった。私生活も不遇で、若い俳優、劇作家との2度の結婚は、どちらも相手の浮気が原因で破綻。深い傷を追った彼女は酒に溺れ、やがて重度のアルコール依存症になる。

そして1942年、決定的な事件が起きる。サンタモニカの路上を酩酊状態のまま車で走り逮捕された際、取り調べで警官に殴りかかり、法廷で自分の職業を「売春婦」と答えてしまう。結果、暴行罪と法廷侮辱罪で180日の実刑判決を受けるのだが、家族の名声に傷がつくのを恐れた母は、フランシスが精神疾患だったと主張。減刑処分を勝ち取り、娘をワイオミング州立精神科病院に送り込む。

当時、精神科病院の環境は最悪だった。室内にはネズミが這い回り、患者は拘束着で四肢を固められた。食事は1日1食のみで、夜は治療と称して氷風呂への入浴を強制される。そんな状況下、フランシスは自らの正気を訴え続けたが、医師は母親の言い分を鵜呑みに「妄想分裂病」の診断を下す。

この後、映画では母親が医師にロボトミー手術を依頼し、フランシスは廃人も同然の状態になってしまう。だが、これは脚本家が作り上げたフィクションで、実際に行われたのは強化インスリン療法だ。患者を慢性的な低血糖状態に持ち込む治療で、繰り返すうちに痴呆に似た症状が現れるため、現代では厳重なガイドラインの下でしか処方が許されていない。

フランシスは、この危険な治療を10年にわたって受け続けた。やがて記憶喪失や感情の欠落といった症状が現れると、担当医はこれを完治の証拠とみなし1958年に退院を許可。すっかり従順な性格に変わった娘の姿に、両親は涙を流して喜んだという。

退院後、フランシスは数本のテレビドラマに出演したが、感情表現ができなくなった人間に女優業が務まるはずもない。ほどなくショービジネスの世界からお払い箱になると、シアトルのホテルでクリーニングの仕事に従事。再びアルコール依存に陥り、食道ガンでこの世を去る。享年56。かつての美人女優を看取る者は、誰もいなかった。

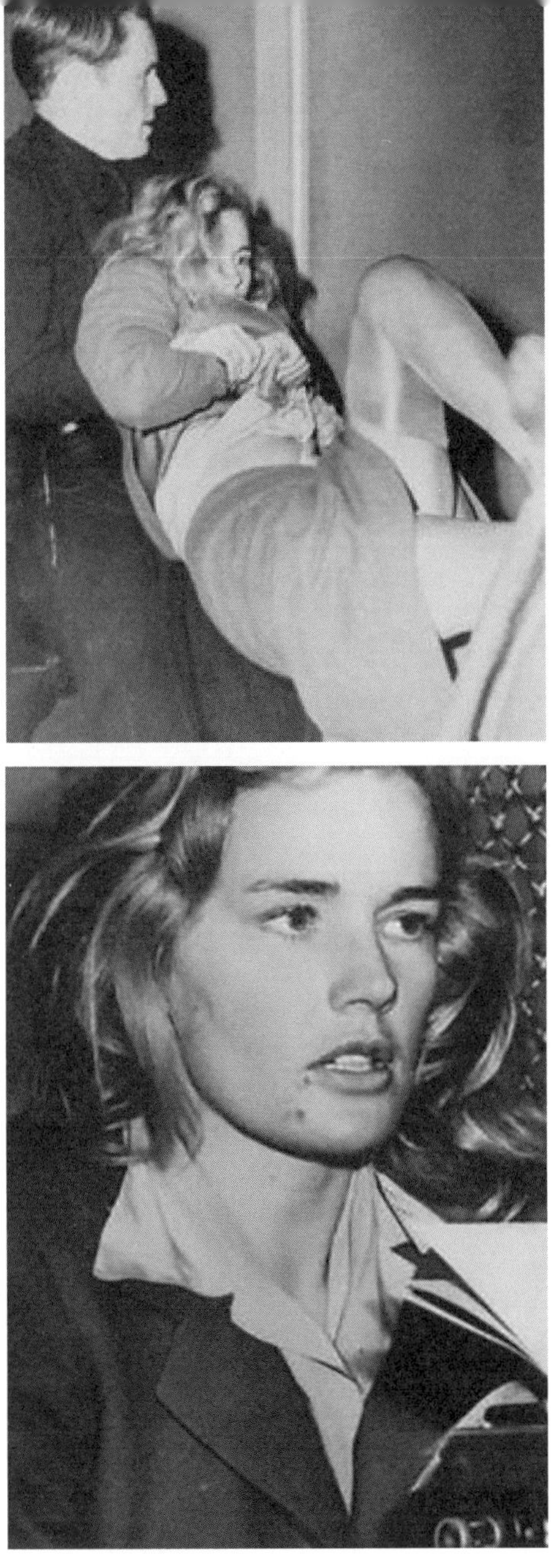

1942年、飲酒運転で捕まり大暴れした際に撮られた写真

死の前年の1889年、記録用に撮影された「エレファント・マン」こと、ジョゼフ・メリックの正面像。体の極度の変形や膨張は、今日では主にプロテウス症候群が原因と推測されている

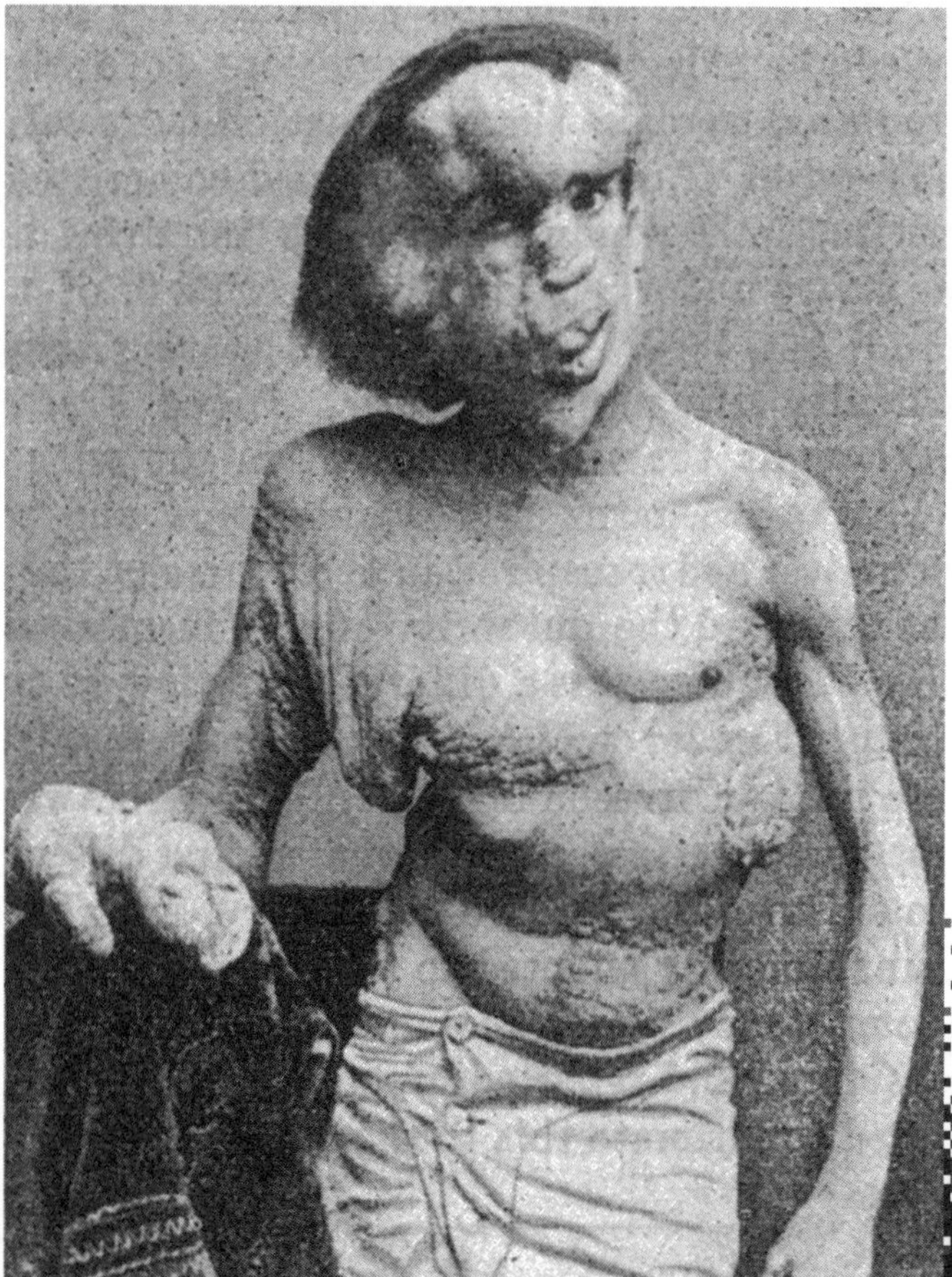

エレファント・マン

19世紀のイギリスで「見世物」に

奇形の青年 ジョゼフ・メリックが生きた27年

1980年公開の映画「エレファント・マン」は、19世紀に実在した奇形病男性患者の生涯を感動的に描き、日本でもその年の興収ナンバー1に輝いた大ヒット作だ。醜い外見ゆえに人間ではなく見世物として扱われた映画のモデル、ジョゼフ・メリックはどんな人生を歩んだのか。

メリックは1862年、英レスターで生まれた。映画では描かれないが、誕生時ごく普通の健康時だった彼に異常が起きるのは1歳の頃だ。まず腕と足の皮膚が少しずつ硬くなり、同時に唇が巨大化。次に頭と腹がボコボコとふくれ始め、やがて全身が古い樹木のように節くれ立った。当時の医学では説明がつかない病気だったため、メリックは「かつて母親が動物園で象に脅かされたのが原因だ」という父の言葉を死ぬまで信じ続けたという。

11歳で優しかった母が死ぬと、人生はさらに過酷さを増す。父の再婚相手がメリックを嫌がり、彼をさんざんイジメ抜いた挙げ句に家から追い出したのだ。行く当てもないメリックは救護院で靴磨きの仕事を始めるが、行く先々で群集から石やレンガを投げつけられ、食費すら稼ぐことができなかった。

食うや食わずの生活は、その後7年にわたって続く。もはや人並みの暮らしなど望むべくもない。そう悟ったメリックは、22歳で救護院を飛び出し、地元の興行師に手紙を書く。自らを「見世物」として雇うように願い出るためだ。

メリックの外見に衝撃を受けた興行師は、彼を「エレファント・マン」と名づけ、〝象と人の間に生まれた男〟なる触れ込みで各地を回った。その反響は凄まじく、巡業用の小屋にはイギリス全土から客が殺到。メリックは一躍時の人となる。

エレファント・マン

1980／イギリス・アメリカ／監督：デヴィッド・リンチ
鬼才デヴィッド・リンチが、19世紀のイギリスで「エレファント・マン」と呼ばれた男の半生を描き、1980年のアカデミー賞8部門にノミネートされた傑作。脚本は、担当医師だったフレデリック・トレヴェスの手記がベースになっている。

映画では、この後、興行師にムチで打たれながら家畜のように暮らすメリックを、医師のトレヴェスが金と引き換えに救出。ロンドンの病院で治療を続けるうち、2人の間に友情が芽生え始める。

が、実際の経緯は微妙に異なる。まず、現実の興行師は優しい性格で、雇った者には必ず清潔な寝床や十分な食料を提供していた。中でもメリックは別格で、労働者の平均月給が50ポンドの時代に、月200ポンドを支払っていたという。

一方、トレヴェス医師がメリックに目を付けたのは、純粋に医学標本としての興味からだった。実際、検査の多くは治療よりもデータ収集がメインで、学者たちの前で何度も裸にされるのを嫌がったメリックは、ほどなく自らの意志で通院を打ち切っている。

しかし、病院を飛び出た彼に、戻れる場所はなかった。19世紀のイギリスは人権意識が高まりつつあった時代で、多くの見せ物小屋が廃業に追い込まれていた。

食いぶちを稼ぐには、まだ人権意識がゆるい国へ行くしかない。考えた末、メリックはベルギーへ渡り現地の

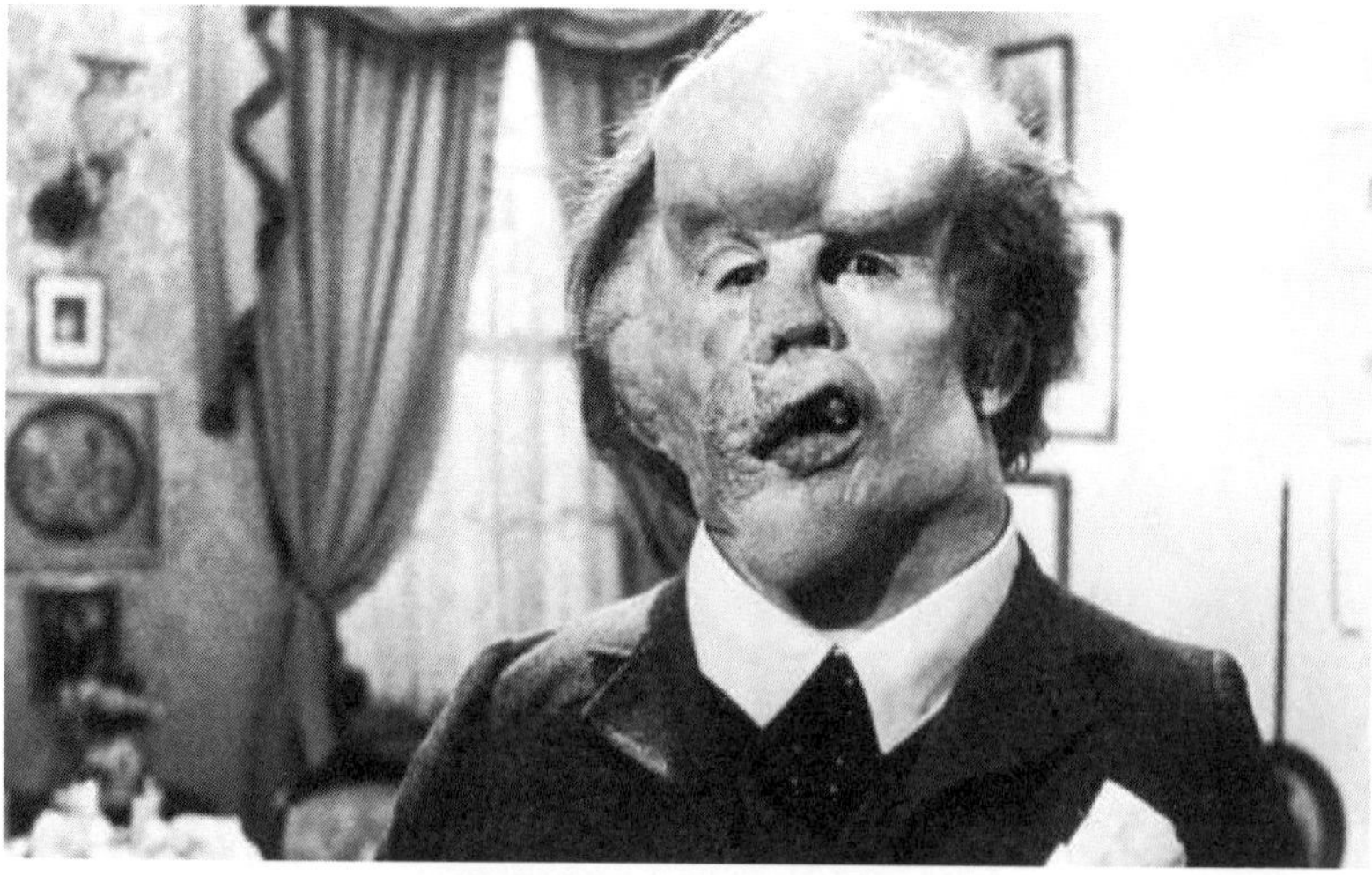

主人公を演じたジョン・ハートは、1980年の英国アカデミー賞主演男優賞を受賞。映画「エレファント・マン」より

興行師と契約する。が、その途中で不運にも強盗に遭遇し、無一文で路上に置き去りにされてしまう。

ベルギー警察は、事件の発生から2週間後に、ようやく街をふらつくメリックを保護。衣服からトレヴェス医師の名刺を見つけ、強制的にロンドンへ送り返した。

ここからの展開は劇中で描かれるとおりだ。治療を始めたトレヴェスは、やがてメリックが常人と変わらぬ知性の持ち主だと気づき、特別室への入院を許可。彼が快適に暮らせるように、最大限の配慮を行った。

そして、1890年4月11日の朝、メリックはベッドの上で遺体となって発見される。検視を担当した医師によれば、普段のメリックは、肥大した頭の重みで呼吸が止まらないように、背中に大量のクッションを当てていたが、その夜に限っては、なぜか普通にベッドに横たわって寝ようとしたらしい。享年27だった。

メリックの親しい友人でもあった医師フレデリック・トレヴェス

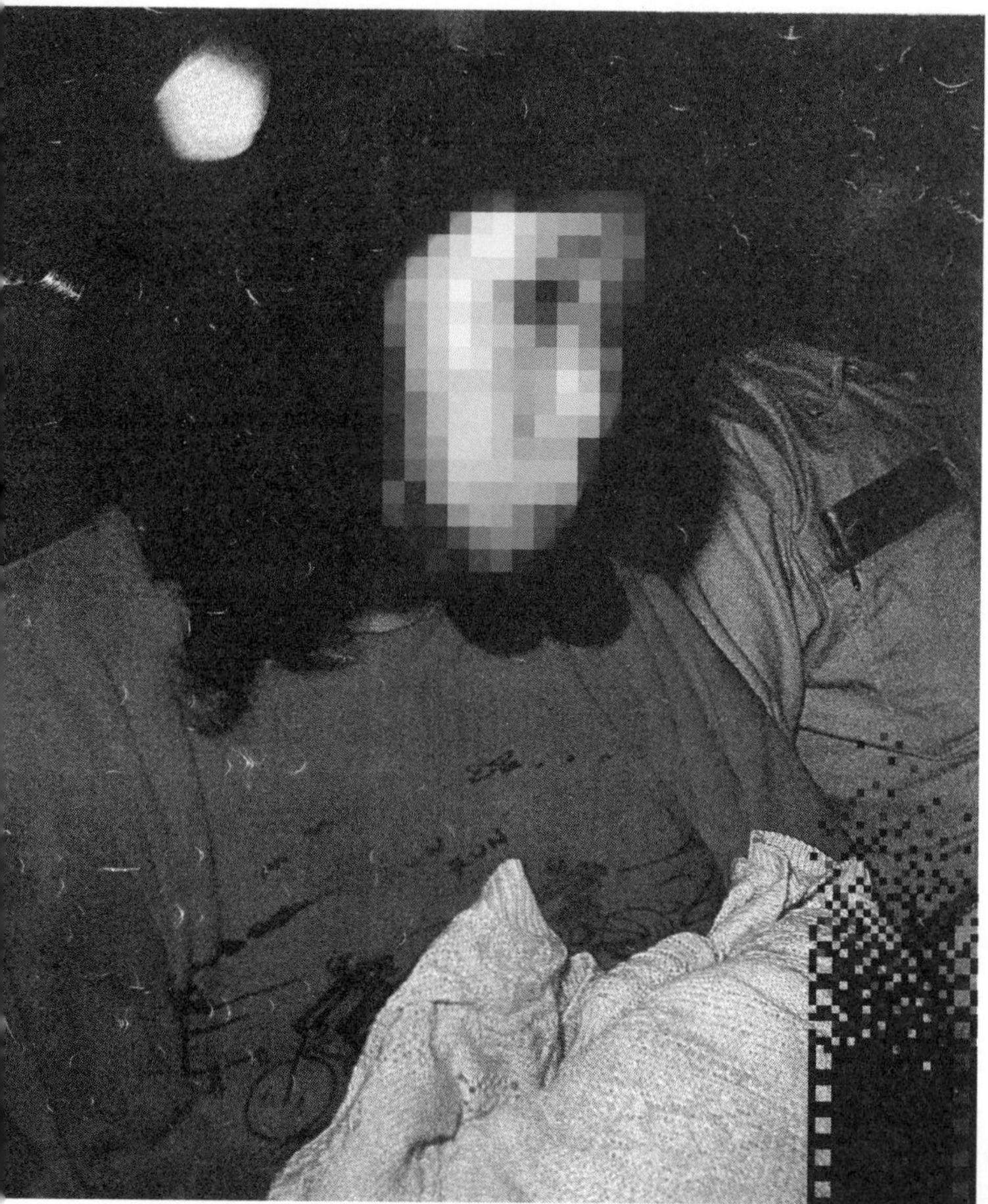

逮捕された母親。当時40歳

誰も知らない

ネグレクトの果ての悲劇

FILMS

巣鴨子供置き去り事件

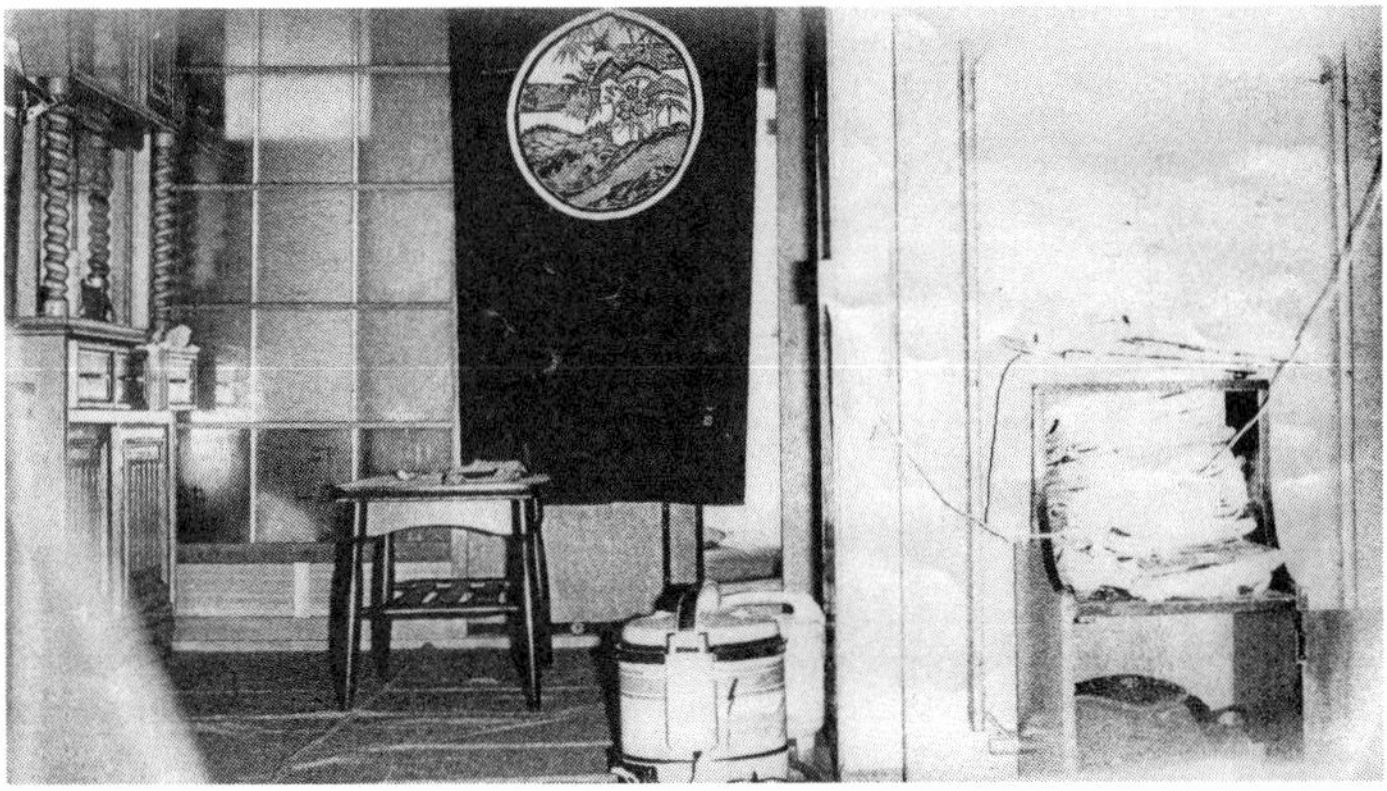

子供たちが暮らしていた実際の部屋

２００４年公開の映画「誰も知らない」は、第71回カンヌ国際映画祭で最高賞であるパルム・ドールを受賞した「万引き家族」（２０１８年公開）の監督、是枝裕和《これえだひろかず》初期の傑作である。映画は、子供を置き去りにしたまま母が失踪、ガスや電話が止められたアパートの一室で幼い弟妹の面倒をみる長男を主人公に、彼らの生活を淡々と描写していくが、作品のモチーフとなった「巣鴨子供置き去り事件」の内容は、映画とは比べものにならないほど悲惨である。

１９８８年7月17日、東京・西巣鴨のマンション経営者が、４ヶ月分の家賃を滞納している２０３号室の借り主の姿が見えないと巣鴨警察署に連絡した。

通報を受け部屋に入った捜査員は、汗と埃と糞尿が交じったような強烈な悪臭に吐き気を催す。見れば部屋中に汚れた衣服や食べ残しの食器が散乱し、電気洗濯機には腐って真っ黒になった衣類が詰まっていた。何より驚いたのは、床に敷いた毛布に6歳と3歳の姉妹がくるまっていたことだった。衰弱するほどやせ細り自力で立つこともできない。２人は捜査員を見るとパンをねだったという。

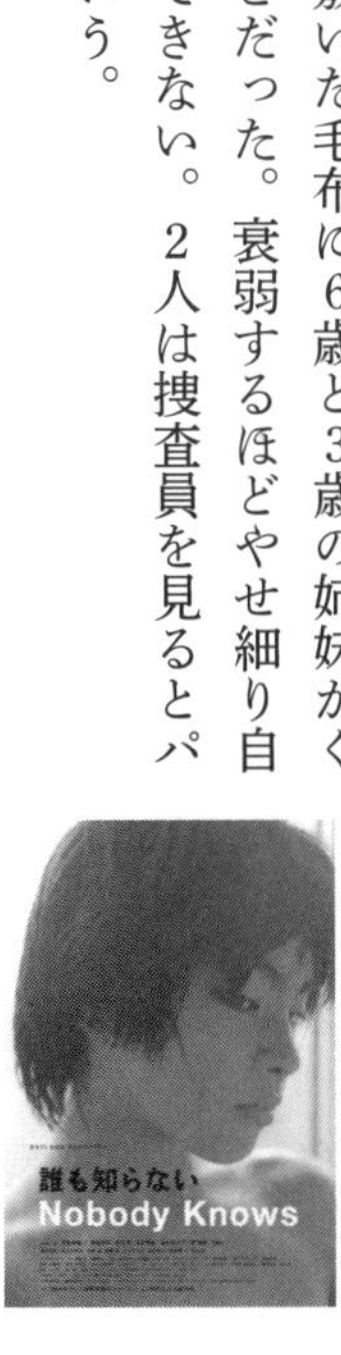

誰も知らない

2004／日本／監督：是枝裕和
1988年に発覚した巣鴨子供置き去り事件を題材に是枝監督が15年の構想を経て映像化した1本。主演の柳楽優弥が第57回カンヌ国際映画祭で史上最年少の14歳で最優秀主演男優賞を受賞、同年キネマ旬報ベスト・テン第1位に選出された。DVD販売元：バンダイビジュアル

警察と一緒に部屋に入ったマンション経営者は、その状況に愕然としながらも首をかしげる。部屋の住人は40代のシングルマザーで、入居の際、彼女から中学に通う14歳の息子との2人暮らしと聞いていたからだ。

と、そこへパジャマ姿の息子が出てきた。捜査員の問いかけに彼は答える。

「この2人は預かっている子で、母親は大阪の洋服会社に勤めていたけど、いまは入院しているんです」

仕方なく、この日は姉妹だけを保護したが、数日後に息子は児童相談所を訪れ、2人が自分の妹であることを明かす。

ここまでなら母親の「保護責任者遺棄」の範囲だが、ほどなく押し入れから乳児の遺体が見つかり、事件は「死体遺棄」に発展（映画には出てこない）。同月23日、警察が母親（当時40歳）を千葉県浦安市の愛人宅で逮捕する。乳児の死体は、彼女が1983年に産んだ次男だった。自供によれば、「仕事から帰ったら死んでいたので引っ越し先のマンションに押し入れにそのまま放置した」のだという。

母親はデパートの派遣社員として働いていたが、自営業者の男性と知り合うと、長男に月3、4万円を現金書留で送りつけるだけで半年以上も自宅に帰っていなかった。

さらに、彼女は驚くべきことを口にする。自分が家を出た時点では、3人の子供以外にもう1人、2歳の3女がいたはずだというのだ。

さっそく警察が長男に問いただしたところ、またまた耳を疑う答えが返ってきた。

――一番下の妹は、4月に友人2人とともに折檻して死なせてしまった。お腹をすかせた妹がカップ麺を黙って食べたことにカッとなり、まず自分が殴り蹴り、次に友人たちが押し入れの上段から10回ほど落とすとグッタリとなった。心臓マッサージをしたが息は戻らず、遺体をボストンバッグに入れて西武池袋線で秩父まで埋めに行った——。

友人が長男に聞いた話によると、母親はテーブルの足のような棒にガムテープをぐるぐる捲きにし、子供たちをよく殴っていたという。長男の3女への暴力も、母親の行為を真似てのことだったのだろうか。

劇中ではここも詳細は描かれてないが、少なくとも、長男は映画のような兄弟思いの優しい少年ではなかったようだ。全ての原因が母親のネグレクトにあるとはいえ、あまりに惨《むご》い結末である。

傷害致死、死体遺棄罪で逮捕された長男は、少年鑑別所に送られた後、養護施設に引き取られた。また、母親は1998年に懲役3年、執行猶予4年を言い渡されたが、これは同棲相手と結婚し、子供を引き取ると誓約したうえでの温情判決だった。その後、2人の妹は誓約どおり母親に引き取られたそうだが、長男の消息は明らかになっていない。

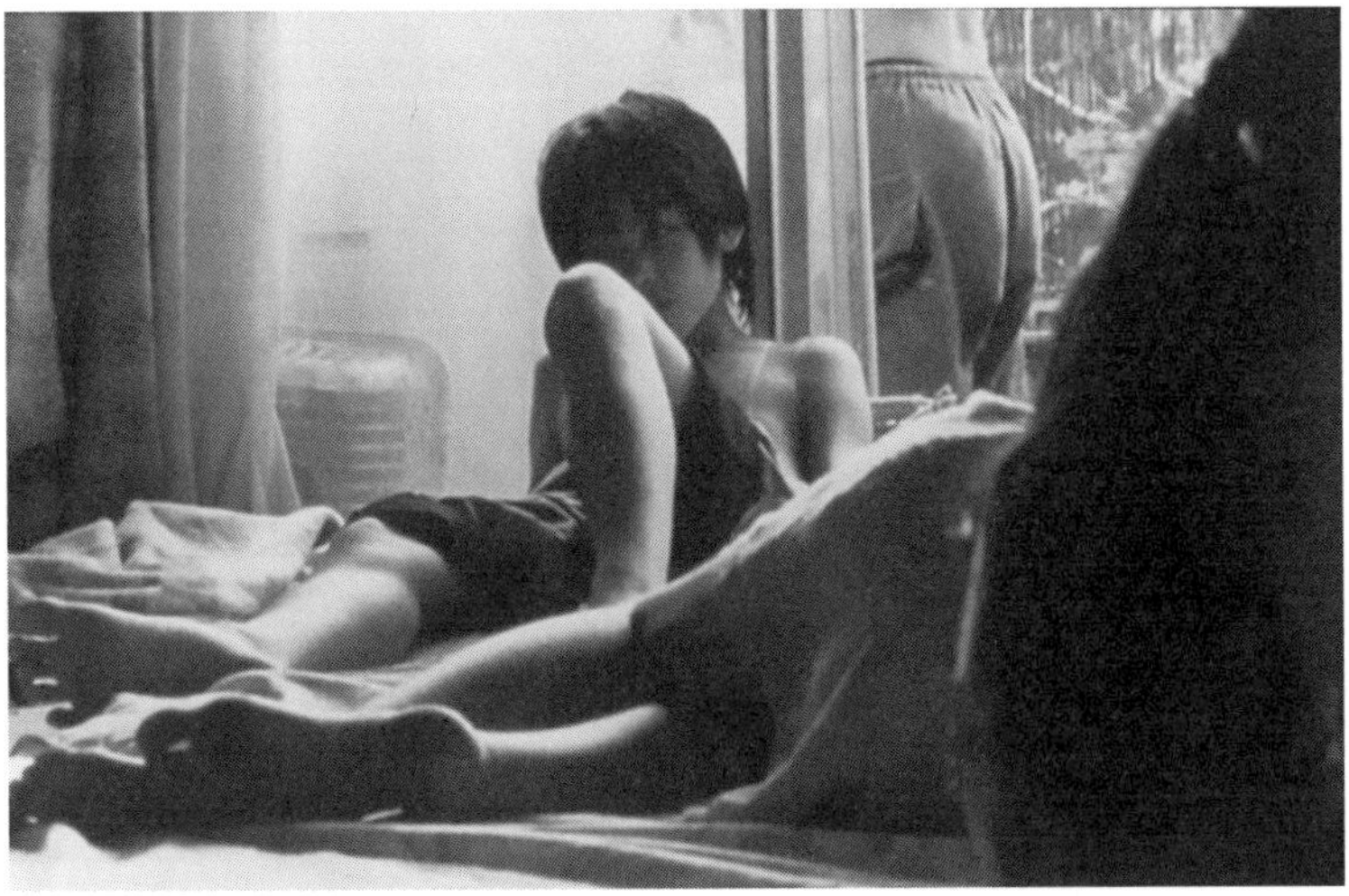

主演を務めた柳楽優弥。映画「誰も知らない」より

美しすぎる母

溺愛と精神崩壊がもたらした惨劇

FILMS

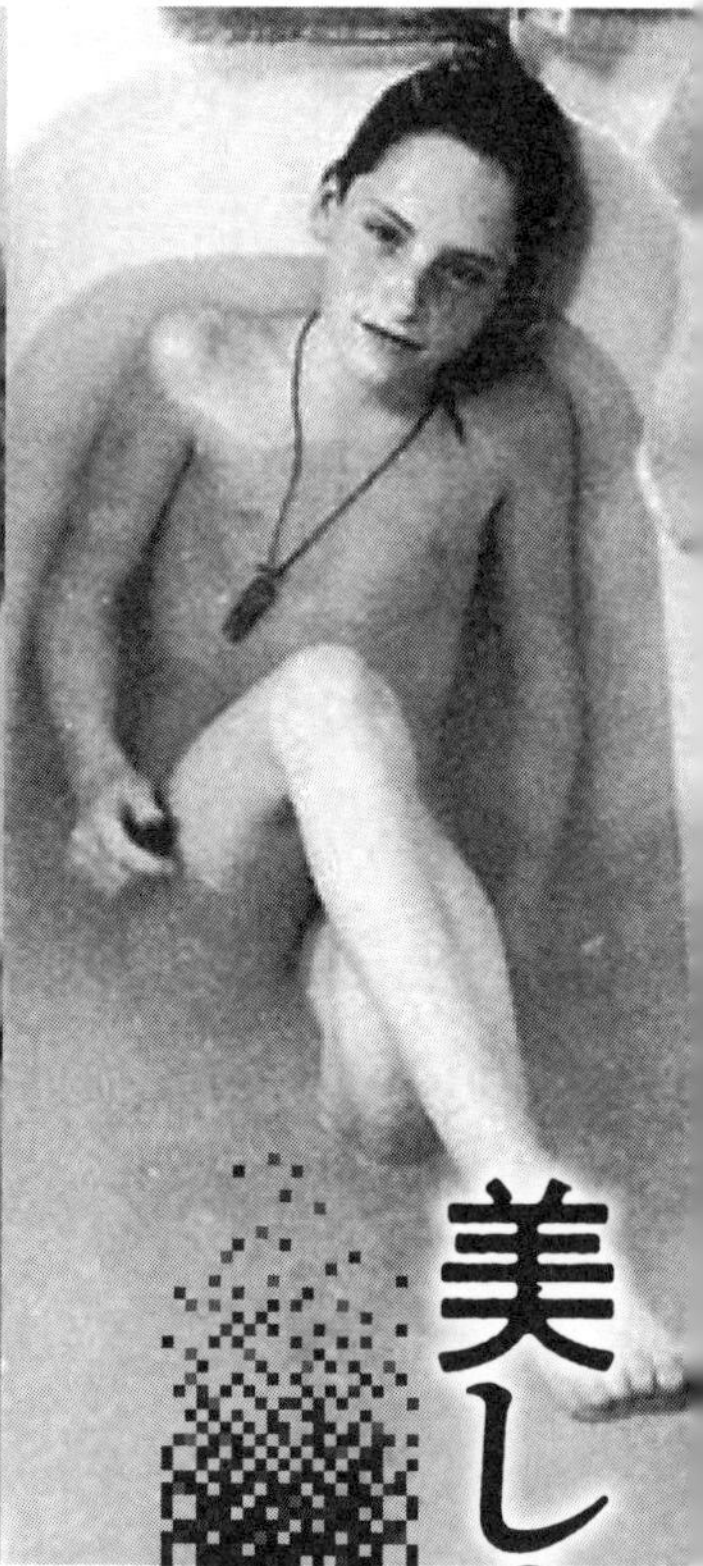

『ヴォーグ』誌などでモデルとして活躍していた
若き日のバーバラ（左）と、彼女の美しすぎる息子アントニー

バーバラ・ベークランド
近親相姦殺人事件

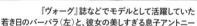

大富豪と結婚した女性が、溺愛する息子の同性愛を自らの体で治そうとし、結果、息子に刺殺され、息子本人も獄中で自殺――。オスカー女優のジュリアン・ムーア主演による2007年の映画「美しすぎる母」は、1972年、イギリスで実際に起きた「バーバラ・ベークランド近親相姦殺人事件」に基づいている。

バーバラは1922年、米ボストンで生まれた。10歳のとき、父が借金を苦に車の排気ガスによる一酸化炭素中毒自殺を図ったものの、これが事故だと判断され、多額の生命保険金がおりる。精神疾患を患っていた母親は、この金を頼りにニューヨークへ移住。娘とともに高級ホテルで暮らすようになる。

何不自由なく育ったバーバラは、その類い稀な美貌で10代後半からモデルとして活躍、有名ファッション誌『ヴォーグ』にも採用され、社交界で引っ張りだことなる。やがて、ハリウッド女優を目指し受けたオーディションで、同じく女優志願だった女性と知り合い、彼女の兄ブルックス・ベークランドと出会う。ブルックスは、プラスチックを発明した科学者を祖父に持つイケメンの資産家だった。

野心家のバーバラは、すぐさま彼と肉体関係を結び、出会って数週間後には「妊娠した」と嘘をつき結婚を迫り、夫婦になった。実はこのとき、すでに彼女は母親同様、精神疾患を発症していた。

夫婦は、ニューヨークの超高級マンションに居を構え、パーティ三昧の日々を送る。画家のサルバドール・ダリや、詩人のディラン・トマスら著名人と交流したり、時には

美しすぎる母

2007/スペイン・フランス・アメリカ/監督:トム・ケイリン
1972年11月17日にロンドンで起こった「バーバラ・ベークランド近親相姦殺人事件」に至るまでの母と息子の関係を描いた作品。2014年のアカデミー賞主演賞コンビ、ジュリアン・ムーア(「アリスのままで」)とエディ・レッドメイン(「博士と彼女のセオリー」)が母子を演じている。

下半身を露出した男性客を並ばせ、妻やパートナーに当てさせる猥褻なゲームなどに興じた。が、この間にもバーバラの精神は蝕み続け、映画で描かれるように、やがて夫が言った冗談を真に受け見知らぬ男と浮気するようになる。そんな〝普通ではない暮らし〟が続いていた1946年8月、息子アントニーが生まれる。バーバラ24歳のときだった。

バーバラは息子を溺愛する。夫ブルックスも過剰な期待を寄せ、夫婦はいかに我が子が天才かを披露するため、来客の前でマルキ・ド・サドの文章を朗読させることもあった。が、彼らは期待するだけで、息子に本当の愛情を抱いていなかった。夫婦にとってアントニーはアクセサリーに過ぎず、そのことは息子が一番よくわかっていた。

アントニーが8歳のとき、夫婦は〝よりハイクラスな環境〟を求め、ヨーロッパを転々とする。この間、息子は寄宿学校に入れ、親としての教育の義務、責任を一切放棄した。両親からの愛情を知らず育ったアントニーが心を病むのは当然だった。しだいに奇行が目立つようになり、後に彼を診断した精神科医はアントニーから驚くべき告白を受ける。

「最初に性的虐待を受けたのは寄宿学校にいた8歳のときで、それから男性と関係を持つようになった」

実際、彼は14歳のころから、親が外出するたび、年上の男娼を連れ込みセックスに耽っていた。この事実を父ブルックスは知っていたが、さして関心を示さず若い女性に夢中になり、やがて離婚。一方、バーバラはアントニーの同性愛を断固認めなかったばかりか、異常な行動に出る。

映画では、アントニーの愛人男性とバーバラが関係を持ち、さらには3人でベッドインしたかのように描かれているが、現実はもっと倒錯していた。なんとバーバラは「私とセックスすれば同性愛は治る」と吹聴、実際に１９６９年頃からアントニーにマリファナと酒を飲ませ、近親相姦を繰り返していた。
夜な夜なベッドにやってくる母に、アントニーの精神は崩壊する。幻聴や幻覚に怯え、そのうちバーバラが失神するまで棒で殴ったり骨折させたりなど暴力を振るい出した。そして、悲劇の日はやってくる。１９７２年11月17日、アントニーはロンドンの自宅で母バーバラをナイフで刺殺する。即死だった。

劇中にアントニーが母親を殺害後、中華レストランに出前を頼むシーンがあるが、これも事実のとおりだ。通報により駆けつけた警察官の目にも、彼の異常は明らかだった。アントニーは7年間、病院で治療を受けた後、１９８０年に釈放。バーバラの母（当時87歳）に引き取られたが、退院した6日後に祖母をナイフで切りつけ再度、逮捕され監獄へ。彼が刑務所内で命を絶つのは、それから1年後の１９８１年3月。皮肉にも、祖父が開発したプラスチック製の袋を顔にぐるぐるに巻いての窒息による自殺だった。享年34。

成人したアントニー（左）。一見ごく普通の青年だが、心は荒《すさ》みきっていた

オーストラリアに向かう船上での少年少女たち。
よもや送られた地に過酷な運命が待っていようとは
想像もしていなかったに違いない

オレンジと太陽

オーストラリアに送られ聖職者の性奴隷に！

大英帝国“児童移民制度”の世にも忌まわしき実態

FILMS

「オレンジと太陽」。暖かい南国のパラダイスを思わせるこの映画は、タイトルのイメージとは裏腹、17世紀に端を発し1970年代まで続いた忌まわしいイギリスの「児童移民」を主題にした作品である。

本作の原作者でもあるイギリスの社会福祉士、マーガレット・ハンフリーズの調査により明るみに出るまで、長きにわたって人知れず眠っていたその実態はまさに戦慄すべき内容である。

児童移民とは、イギリスが子供たちをカナダやオーストラリア、ニュージーランドなどへ強制的に移送した制度で、対象となった子供は13万人にのぼるとされる。

映画が描くオーストラリアへの児童移民は、1950年代から1960年代にかけて、社会福祉のコスト削減を目論むイギリス政府と、白豪主義により白人種の入植を必要としていたオーストラリア政府の間で頻繁に行われ、貧困や虐待などで施設に一時的に預けられたり、未婚女性の子供たちが大半を占めた。生活再建のめどを立てた親たちが我が子を取り戻そうとしても、当局の担当者は「すでに養子縁組をされ幸せに暮らしている」と取り合わず、子供たちに対しては、実の親が存命でも、「親は死んで、もういないから、太陽がさんさんと輝き、いつでもオレンジをもいで食べられる素晴らしい新天地へ行こう」と納得させ、親子の縁を断ち切った。

それでも、移送された子供たちが幸福な暮らしを送っていたのならまだ納得もできよう。が、旅先で子供たちを待っていたのは、過酷を極める生活だった。彼らは教会や慈善団体が運営する施設に収容されると、旅立ちの前に与えられた豪華な洋服は剥ぎ取られ、粗末な服に着替えさせられた。男児は肉体労働、女児は家事奉公を強いられ、賃金

オレンジと太陽

2011／イギリス・オーストラリア／監督：ジム・ローチ
イギリスが秘かに1970年まで行っていた、強制児童移民という恐るべき真実を明らかにした社会派ドラマ。原作はマーガレット・ハンフリーズ著作の『からのゆりかご 大英帝国の迷い子たち』。

を与えられるどころか生活費を請求される例もあった。学校へ通うことも許されず文字も読めないまま成長した彼らは、施設を出た後も限られた仕事に就くしか生きる術がなかったという。

こうした子供たちの中で最も過酷な環境に身を置いたとされるのが、「クリスチャン・ブラザーズ」というカトリック教会によって運営されていたビンドゥーンの施設に送り込まれた少年たちだ。劇中では逆境の中で実業家として成功した男性レンを中心に、多くのビンドゥーン出身者の話が盛り込まれているが、彼らの証言どおり、そこでは神父たちによってありとあらゆる暴力が繰り広げられる。

まず、修道院の建設そのものに、収容された10歳前後の少年たちが従事していた。西オーストラリアの灼熱の太陽の下で、来る日も来る日も罵声を浴び、大きな石を素手で運び積み上げ、自分の体ほども大きなツルハシを手に大人並みの労働を強いられた。満足な食事も与えられず、少年たちはガリガリに痩せ、手のひらはすぐに血まみれになった。

さらに神父たちは、食事が遅い、祈禱の言葉を間違えたなど、些細な理由を付けては子供たちを鞭で打つ、杖で殴るなど激しい暴力をふるった。結果、耳が聞こえなくなったり、吃音になるなど障害を抱えた者も少なくない。耐えきれなくなった少年たちは逃亡を企てることもあった

ビンドゥーンの修道院の建設作業に携わった少年たち

が、延々と続く荒野の中ではすぐに連れ戻され、また激しい折檻を受けた。
そして、何よりも少年たちに大きな傷を与えたのは、功労者として銅像が建てられている大司教をはじめとした神父たちの性的虐待である。複数の男たちに犯された少年、労働後の疲れ切った体を毎日弄《もてあそ》ばれた少年、木に縛られてレイプされた少年。彼らは何年も続いた奴隷のような生活の中で、自尊心を破壊されていった。

1986年、マーガレットの調査で大英帝国の黒い歴史とも言われる児童移民が社会問題化すると「過ぎ去ったことを蒸し返すな」「教会を誹謗するのか」といった非難が彼女に寄せられた。社会の対応に危機感を抱いたマーガレットは、自らの著作の映画化を承諾。その撮影が始まった2009年11月に豪政府が、2010年2月にイギリス政府が相次いで児童移民への関与を認め、正式に謝罪する。が、悪夢のような体験がトラウマとなり、いまだPTSD症状に悩まされている〝被害者〟は少なくない。

元児童移民の1人レンを演じたデビッド・ウェナム。彼が手にしているのは、実際に強制的にオーストラリアへ送られてきた子供たちの写真

主人公の少年が恐怖で老人のような顔に変わっていく。
映画「炎628」より

炎628

納屋に閉じ込めた住民を皆殺し！

FILMS

白ロシアで起きた悲劇 ハティニ村虐殺事件

戦争映画は数あれど、戦時における人間の狂気をリアルに描き、観る者を絶望の淵に追い込む作品として評価が高いのが１９８５年のソ連映画「炎６２８」だ。舞台は１９４３年、ドイツ占領下の白ロシア（現ベラルーシ）の小さな村。主人公はパルチザン（反乱軍）に加わった10代前半の少年で、彼の視点から、村に侵略してきたナチスの悪夢のような蛮行が描かれる。映画の題材になった史実がある。１９４３年３月、ドイツ軍によって住民１４９人が皆殺しにされた「ハティニ村虐殺事件」である。

ナチスによるホロコーストといえば、アウシュビッツに代表される強制収容所でのユダヤ人大量虐殺がイメージされる。が、収容所のガス室が本格的に稼働する以前、ドイツ軍はソ連に侵攻した１９４１年６月からの３年間でユダヤ人住民を組織的に大量殺戮している。その主力を担ったのが「アインザッツグルッペン」なる移動虐殺部隊。ソ連軍と戦うドイツ国防軍の前線の後方で「敵性分子」（特にユダヤ人）を殲滅《せんめつ》するために編成された殺人集団だ。

１９４１年11月、ハイリンヒ・ヒムラー（ナチス親衛隊＝ＳＳの最高指導者）は、このアインザッツグルッペンを補助する組織として、ソ連各地で親独的な住民からなる治安維持部隊の設立を命じる。

部隊は「シューマ」（補助警察部隊）と呼ばれ、大隊が基本単位として編成されていた。この大隊の一つ、第１１８大隊がハティニ村虐殺事件の実行犯である。映画ではドイツ人中心のメンバーになっているが、実際はウクライナ人、ソビエト兵捕虜などで構成され、ソ連政府に憎悪を抱き、ユダヤ人、共産党員、パルチザンを殺害するためには手段を厭わぬ連中だった。

炎628

1985／ソ連／監督：エレム・クリモフ
第二次大戦中、ベラルーシ（旧白ロシア）のハティニ村で起きた虐殺事件を題材とした戦争映画の傑作。原題「COME AND SEE」。2014年12月、情報誌『Time Outロンドン版』とクエンティン・タランティーノ監督が共同で選んだ「第二次世界大戦映画ベスト50」の第1位に輝いた。BD販売元：IVC,Ltd

ハティニ村は細かい地図にも載らない小さな村だった。なぜ、こんな場所が虐殺の舞台となったのか。劇中では描かれない明確な理由がある。１９４３年3月22日、１１８大隊の輸送隊がハティニ村から6キロの地点で攻撃を受け、ベルリン五輪（１９３３年）の砲丸投げで金メダルを獲得した大尉が死亡。その報復にハティニ村が襲われたのだ。

同日、大隊は村に侵入すると、女性、子供、老人、年齢性別関係なく納屋の中に追い込み、ワラで小屋を覆いガソリンで放火する。非情にも閉じられた納屋の戸を必死に叩き、炎と煙の中で泣き叫ぶ子供の声が何とも痛ましい映画のクライマックスシーンだ。

しかし、事実は違う。小屋は焼け落ちる過程で脆くなり、狂乱状態の人々の圧力で外に這い出る出口を生じさせた。炎から逃れようと人々が外に飛び出す。大隊はそれを待っていたかのように冷静に射撃したのだ。死亡者１４９人。このうち75人が子供だった。

惨劇の中で、7歳と12歳の子供、56歳の男性の３人が生き残った。7歳児は母親が身を挺してかばい、12

年齢、性別関係なく村民を捕まえ、閉じ込めた納屋をドイツ軍が火炎放射器で焼きつくす映画のクライマックスシーン。映画「炎628」より　©Mosfi Im Cinema Concern 1985

歳の子供は爆弾で足を失い死んだように気絶していたので助かった。また、56歳の男性は生き残ったものの息子を失い、その後現地に建てられた記念碑のモデルとなっている。

映画では最後、パルチザンに取り囲まれ命乞いをするドイツ兵たちの姿が描かれる。が、史実では、このとき拘束された者はいない。

後に虐殺の実行犯として逮捕されたのは、118隊の司令部要員だったグレゴリー・バスラら数名のみ。虐殺を命令した者、もっと高い地位で指揮を執っていた者は裁かれず特定すらされていない。

「炎628」のタイトルは、第二次世界大戦中に、ナチスドイツが占領下のソ連で焼きつくした村の数から名付けられている。が、実際にはベラルーシだけで、5千295の村々がドイツ軍や警察に破壊され、200万人以上が虐殺されたという報告もある。この数字は、当時のベラルーシの総人口の4分の1に該当する。

虐殺があった現場には、数少ない生存者の1人である56歳男性の、死んだ息子を抱いた記念碑が残されている

名優ソル・ギョング（左）が部隊のリーダーを演じた。映画「シルミド」より

シルミド

金日成暗殺部隊が起こした実尾島事件の悲劇的末路

韓国軍事政権下の最大タブー

FILMS

1971年8月23日、韓国の仁川《インチョン》からソウルに向かうバスが、謎の武将集団に乗っ取られた。彼らは軍と警察を相手に銃撃戦を展開。結果、民間人を含む57人が死亡する。が、韓国政府は当初、この事件を軍のある部隊の暴動と発表。詳細を明らかにしないまま、歴史の闇に葬った。2003年に公開された映画「シルミド」は、韓国軍事政権下で最大のタブーとされてきた〝実尾島《シルミド》事件〟にスポットを当て、これに関わった秘密部隊の悲劇的な運命を描いた力作である。

事は1968年1月21日。北朝鮮が派遣した朝鮮人民軍の工作員31人が38度線を越え、ソウル市内に進入、大統領官邸の襲撃を試みて失敗した事件（青瓦台《せいかだい》襲撃未遂事件）に端を発する。銃撃戦でただ1人生き残った工作員の証言から、襲撃の目的が当時の韓国大統領、朴正熙《パクチョンヒ》の暗殺にあったことが判明する。韓国政府はただちに報復措置に出る意向を固めるが、朝鮮半島での有事を懸念するアメリカの意向からこれを断念。代わりに、北朝鮮の金日成《キムウィルソン》主席の暗殺を任務とした秘密部隊を結成する。映画では、隊員が死刑囚や懲役囚などの犯罪者で構成されていたことになっているが、実際は高額の特別報酬を提示しての募集に応じた靴磨き、トラック運転手、サーカスの団員など、様々な職業の一般人だった。

1968年4月に創設されたことから「684部隊」のコードネームで呼ばれた31人の隊員は正式な軍籍を与えられることなく、仁川近くの実尾島に送り込まれ、劇中で描かれていたような拷問にも近い特殊訓練を受ける。全ては、北へ侵入・金日成殺害という国家的任務を遂行するためだった。しかし、1年が過ぎ2年が過ぎても、Xデイは訪れない。彼らの預かり知らぬ所で南北融和政策が進められていたのである。そして1971

シルミド

2003／韓国／監督：カン・ウソク
1968年～1971年、韓国政府が極秘に進めた金日成暗殺計画と、それに関わった韓国の北派工作員部隊（684部隊）の実話を描き。韓国で動員1千万人以上を記録する大ヒットとなった。

年、韓国政府は正式に暗殺計画の中止を決定。部隊は存在しなかったことにされてる。が、機密保持のため隊員が島を出ることは許されず、目的のない訓練だけが続行された。

映画ではこの後、中央情報部が政治方針の転換を理由に部隊の抹殺を指令し、指導兵が訓練兵全員の射殺を決行する夜に、その情報を漏れ聞いた訓練兵が殺される前に相手を殺すべく躍起《やっき》となる姿が描かれるが、ここは完全な脚色。抹殺命令が出た事実は一切ない。

指導兵たちは、彼らを将校に昇級させたり、身の安全を約束して解散させる案やベトナムに派兵させる案を上層部に提案していた。が、どれも受け入れられず、対応に苦慮。片や、訓練兵たちが日に日に悪化していく待遇への不満をエスカレートさせていく。ちなみに

実際の684部隊の隊員たち。金日成暗殺のため、日々過酷な訓練を課せられた

1971年8月23日、突如発生したバスジャック事件にソウル市内は騒然となった

当初、31人で編成されていた部隊は1971年8月の時点で24人に減っていた。6人が脱走を図り処刑、1人が過酷な訓練で死亡しており、劇中にあるような隊員同士の殺し合いは完全な創作である。
同月23日、彼らの不満は頂点に達し、ついに暴動へと発展。次々に指導兵たちを殺害し、島から脱出を図る（映画のように指導兵たちが全員殺害されたわけではない）。そのまま島を抜け出した隊員24人は仁川に上陸した後、バスを乗っ取って大統領へ直訴するため、青瓦台へ。途中で軍・警察と交戦しながらソウル市内で2台目のバスに乗り換えるが、この後、本格的な銃撃戦が始まる。そして隊員の大半は撃たれて死亡し、残りは手榴弾で自爆。生き残った4人も軍法会議で死刑判決を受け、翌年には刑が執行された。

事件は表沙汰に出ると軍の威信にも関わることから30年以上秘匿され続けていたが、2003年、民主化後の政権で明らかになった資料をもとに映画「シルミド」が公開されたことから事件の全容解明を求める声が高まり、韓国当局が本格的な調査に着手した。金日成を暗殺するために育てた部隊が逆にソウルを襲撃し、結果的に全員が死亡した歴史的悲劇。2005年、韓国政府は684部隊の遺族に、正式な死亡通知を交付している。

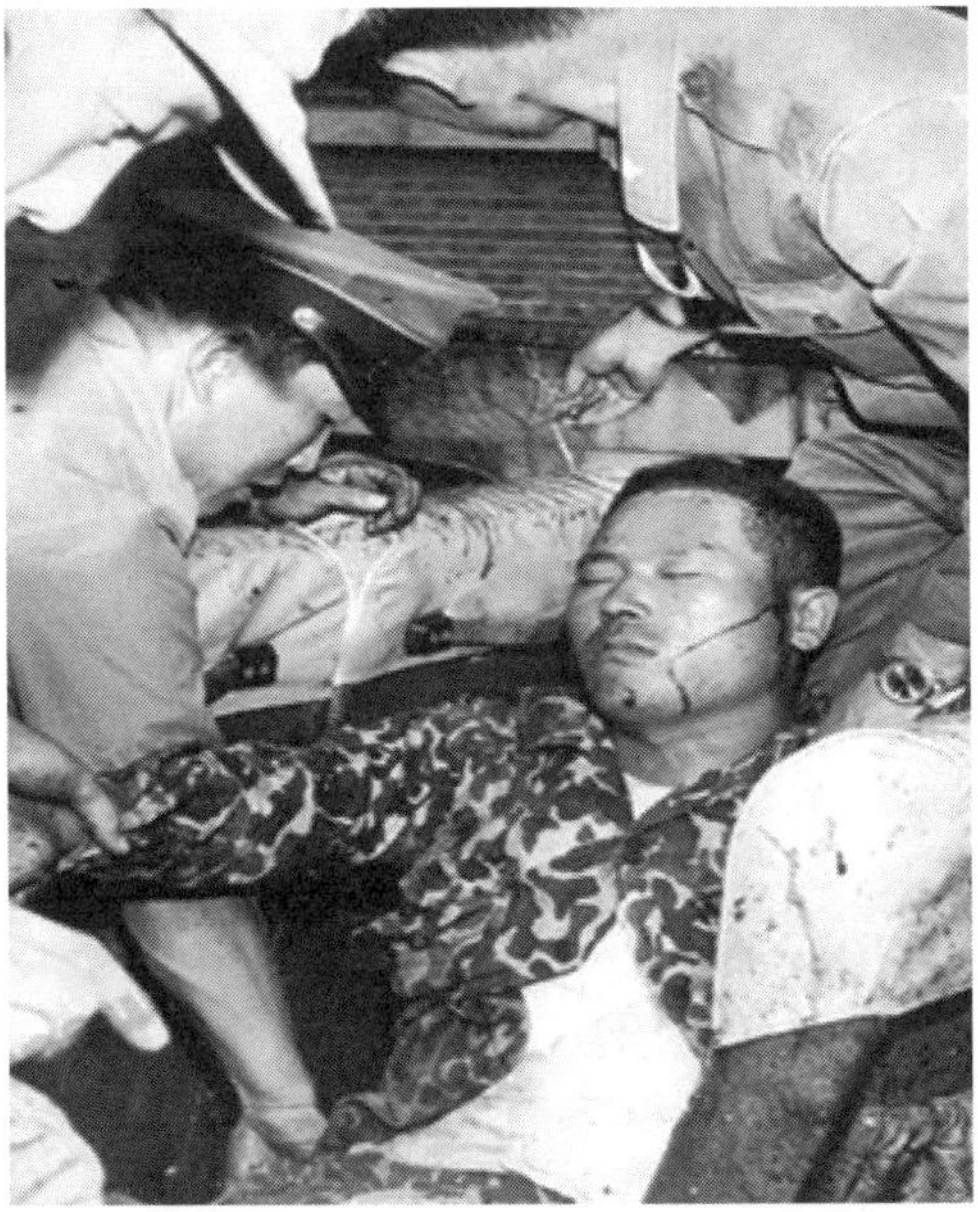

反乱兵の大半は銃殺され、残りは手榴弾で自爆。生き残った者も死刑に

映画になった戦慄の実話

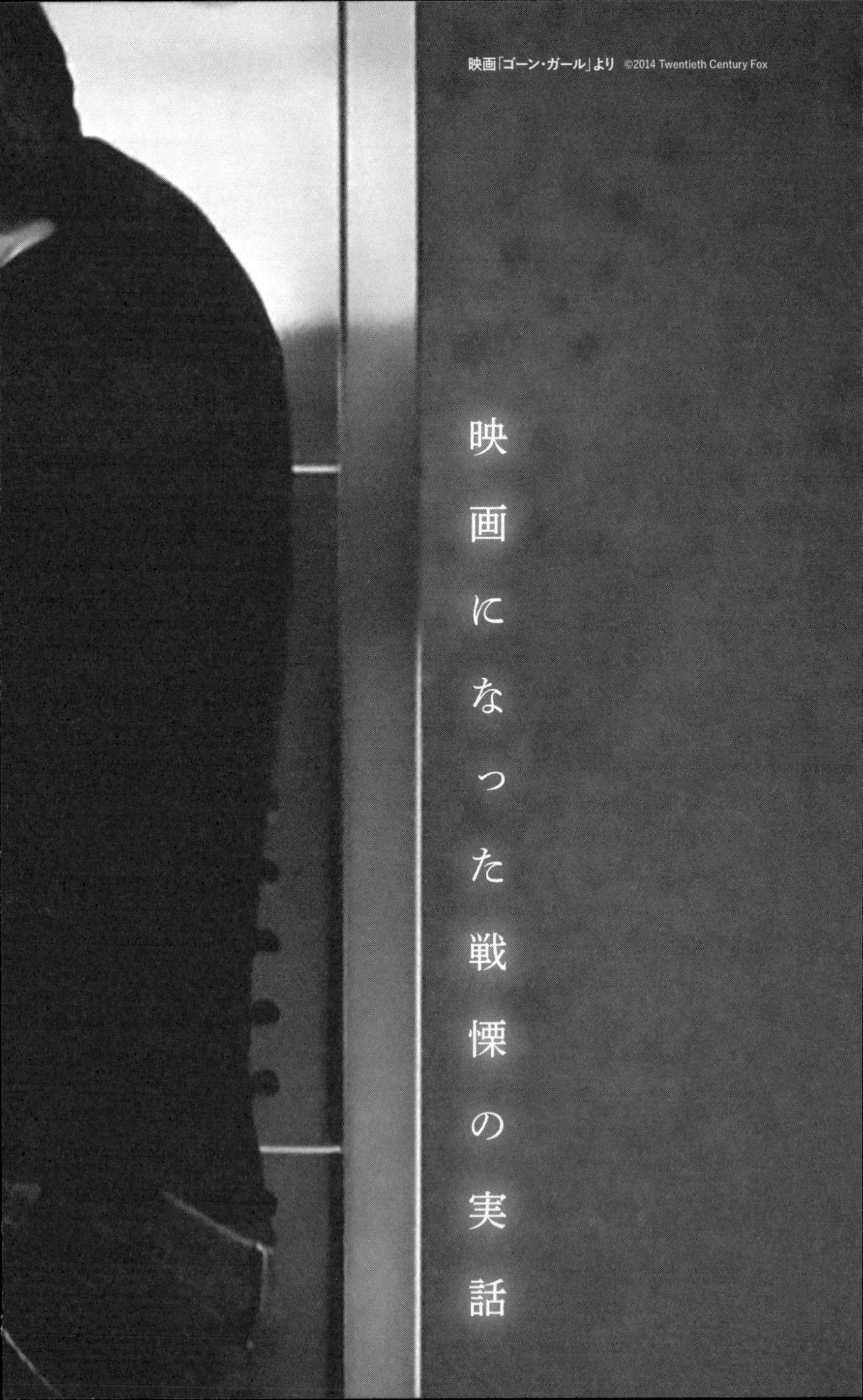

映画「ゴーン・ガール」より ©2014 Twentieth Century Fox

第4章 闇

左が主人公の刑事を演じたソン・ガンホ。
映画「殺人の追憶」より

殺人の追憶

強姦殺人で服役中の受刑囚と、犯行現場のDNAが一致

FILMS

発生から33年後に犯人が特定された華城連続殺人事件

２０１９年公開の「パラサイト 半地下の家族」でアジア人映画監督として初めてアカデミー作品賞、監督賞に輝いたポン・ジュノ。彼が２００３年に発表した「殺人の追憶」は１９８６〜１９９１年に韓国ソウル郊外の小さな村で10人の女性が殺された「華城《ファソン》連続殺人事件」をモチーフとした傑作ミステリーだ。犯人は特定されず、事件は長らく未解決のままだったが、２０１９年になって事態は急展開を見せる。史上稀にみる凶悪犯の正体が、１９９４年に起きた強姦殺人で無期懲役を受けている男性受刑囚と判明したのだ。

１９８６年９月、ソウルの南50キロ、京畿道華城郡（現在は華城市）の田舎町で71歳の女性がレイプ後に絞殺された。翌10月には25歳女性の絞殺体が農水路の中で発見。以降、１９９１年４月まで半径７キロの狭い範囲で10代から70代までの計10人の女性が餌食にされる。警察は同一犯とみて１３０人体制の捜査本部を設置。犯人逮捕にやっきになる。

映画でも描かれるとおり、当時は科学的捜査など考えられない時代だった。現場保存もままならず、採取された精子のＤＮＡを鑑定するにも日本の科学警察研究所（映画ではアメリカのＦＢＩ）に送らねばならない有様。劇中のエピソードにもあるように、強姦現場に犯人の陰毛が１本落ちてないのは無毛症の人間に違いないと、８００人余りの容疑者の陰毛を抜いて回ったこともあったそうだ。劇中、精神障害のある男性を暴力で自供に追い込み犯人に仕立てようとする場面も事実に即している。その38歳の統合失調症の容疑者は映画のとおり電車に飛び込み自殺し、他にも16歳の学生が尋問中に死亡。一方、犯人を捕まえられない捜査員たちも何ヶ月も家に帰れず、中には過労で倒れ半身不随になった者も

殺人の追憶

2003／韓国／監督：ポン・ジュノ
1986年〜1991年、軍事政権下の韓国ソウル近郊の農村で10人の女性が惨殺された華城連続殺人事件を題材にした傑作サスペンス。犯人逮捕に燃える地元の刑事（ソン・ガンホ）、ソウルから派遣された若手刑事（キム・サンギョン）の対立、焦燥、挫折を主軸に、事件の底知れぬ恐怖が描かれる。公開時、韓国で560万人を超える動員を記録。

いた。
捜査には延べ２００万人が投入され、警察は約２万１千人を取り調べ、約２万人分の指紋を採取した。が、結局、犯人特定には至らず２００６年４月に最後の事件の公訴時効が成立。真相は闇に葬られる。

それから13年後の２０１９年９月、韓国警察は突如、一連の事件が、１９９４年に義理の妹をレイプし殺害、死体を遺棄した罪で無期懲役を受け釜山刑務所に収監中の56歳の男性イ・チュンジェによって行われたことを発表した。犯行現場で採取されたＤＮＡを最新技術で鑑定した結果、イ受刑囚のそれと一致したのだ。発表によれば、イは華城郡の集落で生まれ、20代後半の１９９０年代初めまで暮らしていた。その後、前述の事件を起こし服役中だったため、捜査の網から漏れていたようだ。もっとも、すでに時効が成立しているためイが連続殺人で起訴されることはない。世間からは当時の杜撰な捜査に非難が集まり、警察は記者会見で長期にわたり事件を解決できなかったことについて被害者と遺族、韓国国民に

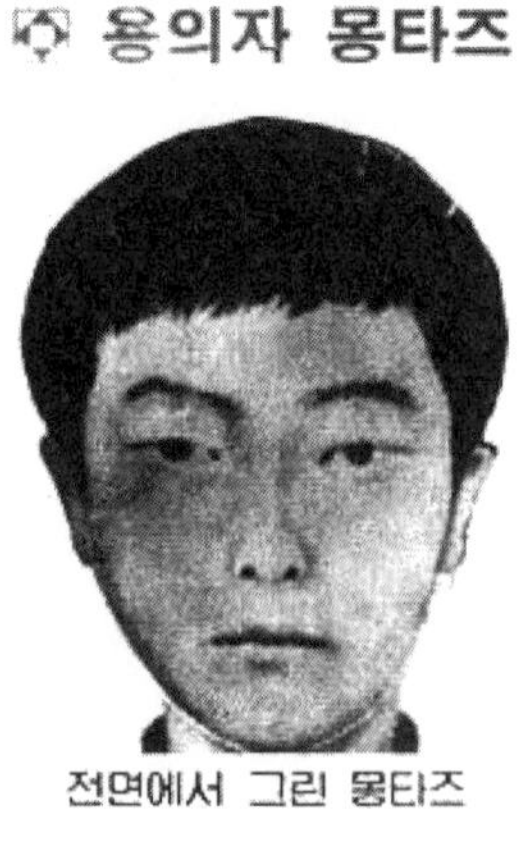

警察は似顔絵付きのチラシを50万部以上作成して情報提供を呼びかけた

田んぼ脇の農水路で見つかった2人目の被害者は、お見合い帰りの25歳女性だった。この遺体発見シーンは、映画の冒頭でも描かれている

謝罪した。

ちなみに、監督のポン・ジュノは、自身が作品の題材とした殺人事件の犯人が断定されたことについて次のようにコメントしている。

「犯人の顔写真が公開されたときは、妙な気持ちでした。『殺人の追憶』を準備しているときから犯人の顔を見てみたいと思っていたんですが、きっと〝永遠に見ることはできない〟だろうとも思っていました。まさか、こんな日がくるとは……。同じ刑務所に収監されていた人の話を聞いたところ、犯人は『殺人の追憶』を刑務所内のテレビで放映された際に観たそうですが、特に関心を示さず、ただ『面白くない』と感想を述べたとのことです」

真犯人に特定されたイ・チュンジェ。
上が連続殺人を働いていた20代前半。
左は2019年、警察が公表した際の1枚（当時56歳）

犯人とされた3人。上が逮捕時（1993年）。下が釈放時（2011年）。
左からジェシー、ダミアン、ジェイソン（人物の並びは上下同じ）

デビルズ・ノット

米国裁判史上最大の汚点

FILMS

ウエスト・メンフィス3事件

　2013年に公開された映画「デビルズ・ノット」は、アメリカ裁判史上最大の汚点とも称される冤罪事件の顛末を史実に沿って再現したドラマである。主人公は〝ウエスト・メンフィス3〟と呼ばれた元死刑囚と無期囚の3人で、彼らは18年もの間、殺人の濡れ衣を着せられ刑務所に収監されていた。

　事の始まりは1993年夏。アーカンソー州ウエスト・メンフィスの森で8歳の男児3人の死体が見つかった。全裸でレイプの痕跡が残り、1人は性器の皮膚が切り取られたうえ、至る所に噛み痕が付いていた。残忍極まる事件に、付近住民たちは恐れながらも、こんな異常な犯罪を働くのは〝アイツら〟しかいないと考える。

　警察は初動捜査はおろか、ロクに調べもせずに〝アイツら〟を逮捕する。ヘビメタ好きで黒いTシャツばかり着ているダミアン（当時18歳）、友人のジェーソン（同16歳）、ジェシー（同17歳）。彼らが悪魔教の儀式を行い男児たちを生贄にしたに違いない、と。魔女狩りが行われた中世ではなく、20世紀のアメリカの話である。証拠もなく捕まえたところで、公判が維持できるわけがない。ところが、「黒いTシャツを好むのは悪魔教崇拝のシンボルだ」と主張するインチキ宗教学者の証言が採用されたり、警官が現場で採取した証拠を紛失したり、警察に言いくるめられた親子が犯行を目撃したと偽証するなど、裁判では不可解なことが次々と起きる。結果、IQ72のジェシーを誘導尋問して引き出した〝自白〟を決め手に、陪審員は有罪判決を下す。首謀者とみなされたダミアンは死刑、他2人は終身刑だった。

　映画では時間の経過がわかりにくいが、裁判が終わるのは逮捕されてから6年後。弁

デビルズ・ノット

2013／アメリカ／監督：アトム・エゴヤン
オカルトとヘビメタが好きなティーンエージャー3人が、警察や住民の偏見によっていかに猟奇殺人の犯人に仕立てられていったかを事実に基づき、克明に描いたサスペンス。同名のノンフィクションが原作。

護側の必死の訴えで再審も行われ、新たな証拠＝遺体の噛み痕が3人の歯形と合わないことが明らかになったにもかかわらず、判決は覆らない。警察も住民も、3人をどうしても刑務所に送りたかったのだ。

日本人にとってアメリカは〝自由の国〟との印象が強いが、それはニューヨークやロサンゼルスなど大都市の一部でしかない。人口の大多数は中部エリアに住む驚くほど保守的な人々である。事件の舞台となったメンフィスはその典型だった。そんな場所で、いつも黒いTシャツを身に付け、理屈っぽく天才肌のダミアンは住民から問題児扱いされ、偏見の目で見られていたのである。

映画は判決までを描き、その後の出来事はテロップで説明しているが、実際はここからが本当のドラマだ。裁判の様子や関係者インタビューが地元ケーブルテレビで放映されると全米は騒然。地元に支援

劇中で主役の3少年を演じたキャスト（左からジェシー、ダミアン、ジェイソン）。映画「デビルズ・ノット」より ©2013 DEVILS KNOT LLC. ALL RIGHTS RESERVED.

犠牲となった3人の男児

者が集まり、俳優のジョニー・デップら有名人が冤罪を訴え始めた。支援者たちの力を得た弁護士たちは証拠の再検証に着手。そして2007年になって決定的な事実をつかむ。被害男児たちの手足を縛っていた靴ヒモに絡まっていた髪の毛を発見し、それが被害男児クリスの継父のDNAと一致することを突き止めたのだ。これでいよいよ真犯人逮捕かと思いきや、当局はまともな再捜査も行わず、3人に「有罪答弁」なる司法取引を持ちかける。釈放する代わりに警察の冤罪責任を追及しないことを約束しろというのである。極めて一方的な提案だが、ダミアンはいつ処刑されるかわからない立場。3人は無罪を主張しながらも、嫌々ながら申し出を受け入れる。

2011年8月19日、彼らは10年間の執行猶予付きで釈放となった。事件当時、ティーンエージャーだった3人は30代半ばの中年になっていた。現在、ダミアンは拘留中に知り合い結婚した映画プロデューサーの女性とニューヨークに住み、自身の体験をもとにした著作物の執筆、講演などで活動中。ジェイソンは2013年に結婚しカナダ在住、「プロクライム・ジャスティス」という財団を立ち上げ、無実の罪で苦しむ人々の支援活動を行っている。ジェシーについては2017年、無免許運転などで逮捕され、875ドルの罰金刑に問われたことが伝えられている。

真犯人と目された被害者クリスの継父ジョン・マック・マイヤーズ。再三、警察の取り調べを受けたものの逮捕には至らず。現在でも、彼の犯行を疑う声は多い

オープン・ウォーター

サメに襲われたか？自殺か？

映画「オープン・ウォーター」より

ロナガン夫婦遭難事故の謎

FILMS

2003年に公開された「オープン・ウォーター」は、船員の勘違いでサメの泳ぐ海に取り残された夫婦の恐怖を描くパニック映画だ。まるでドキュメンタリーのような臨場感は、事実をもとにしているからこそ生まれたもの。題材となったのは、オーストラリア・ケアンズの沖で行方不明になったロナガン夫婦の遭難事故である。

1998年1月25日、スキューバ・ダイビングを共通の趣味に持つ米ルイジアナ州在住の夫婦、トーマス・ロナガン（当時33歳）と妻アイリーン（同29歳）が、世界有数のダイビングスポット、オーストラリアのグレートバリアリーフで休暇を楽しんでいた。

ケアンズから他の24人の客とダイビング船に乗り、約40マイル（約64キロ）沖のポイントへ。15時、夫婦は3回目のダイブを行い、12メートル下の海底に着く。それが、一緒に潜った他の客が見た、彼らの最後の姿だった。

ロナガン夫婦以外の24人は、時間（1回のダイブで通常40分）になると浮上し、船に戻ってきた。当然、スタッフは人数を確認したはずなのだが、なぜか2人がいないのに船を出しケアンズに戻ってしまう。

スタッフはそのことに2日間も気づかず、ようやく28日になって捜索が始まった。が、

オープン・ウォーター

2003／アメリカ／監督：クリス・ケンティス
1998年、オーストラリアで実際に起きた事故に基づき、オープン・ウォーター（開放水域）に取り残されたダイバー夫婦が、肉体的、精神的に極限状況で体験する恐怖をリアルに描く。特殊効果やCGは一切使用せず、俳優たちは本物のサメのうごめく海の中で演技した。

17機の航空機と、ヘリコプター、ボートを繰り出し、警察と海軍が徹底的に探しても、2人の手がかりは何も得られない。

2月5日、現場から約62マイル（約100キロ）離れた海岸でトーマスのBCD（ジャケット型の浮力調整具）が見つかり、続いてアイリーンのウエットスーツが海浜に打ち上げられているのが発見される。スーツには、サメに食いちぎられたと思しき破れがあった。

さらに、トーマスのスレート（海中で使うノート）も見つかったのだが。そこには《1月26日午前8時。私たちが死ぬ前に助けて！》という、悲痛な文字が綴られていた。

捜索が打ち切られ、ほどなく遺族は当日の責任者である船長を訴えた。ダイビングスタッフが人数確認を怠ったことに事故の大きな原因があると主張したのだ。

が、相手側の反応は意外なものだった。今回の件は2人が自殺したか、もしくは新しい生活を始めるために事故を偽装したと法廷で反論したのだ。根拠となったのは、夫婦の日記である。トーマスの1997年8月3日付けのページにはこう記されている。

遭難した実際のロナガン夫妻

『私の人生は今ピークに達した。ここから葬儀まではすべて下り坂だ』

そしてアイリーンの日記にも、

『トム（トーマス）は迅速に死を望んでいる』

さらに、事故以後、オーストラリア国内で2人を見かけたという目撃談まであると弁護士は主張した。

しかし、日記に関しては都合の良いところをピックアップしたに過ぎず、目撃談も信憑性は極めて低い。検死官も2人はサメに襲われたのが妥当と結論づけ、陪審員は事故が船長の過失によるものと認定した。が、下された判決は罰金刑のみ。船長は拘束されることなく放免となった。

オーストラリアにとってダイビング産業は大きな資金源だ。事故が人災とあっては甚大なダメージを被ってしまうため、裁判長もこれを回避したものと思われる。

責任者ジャック・ネアン船長に下った判決は罰金刑のみ

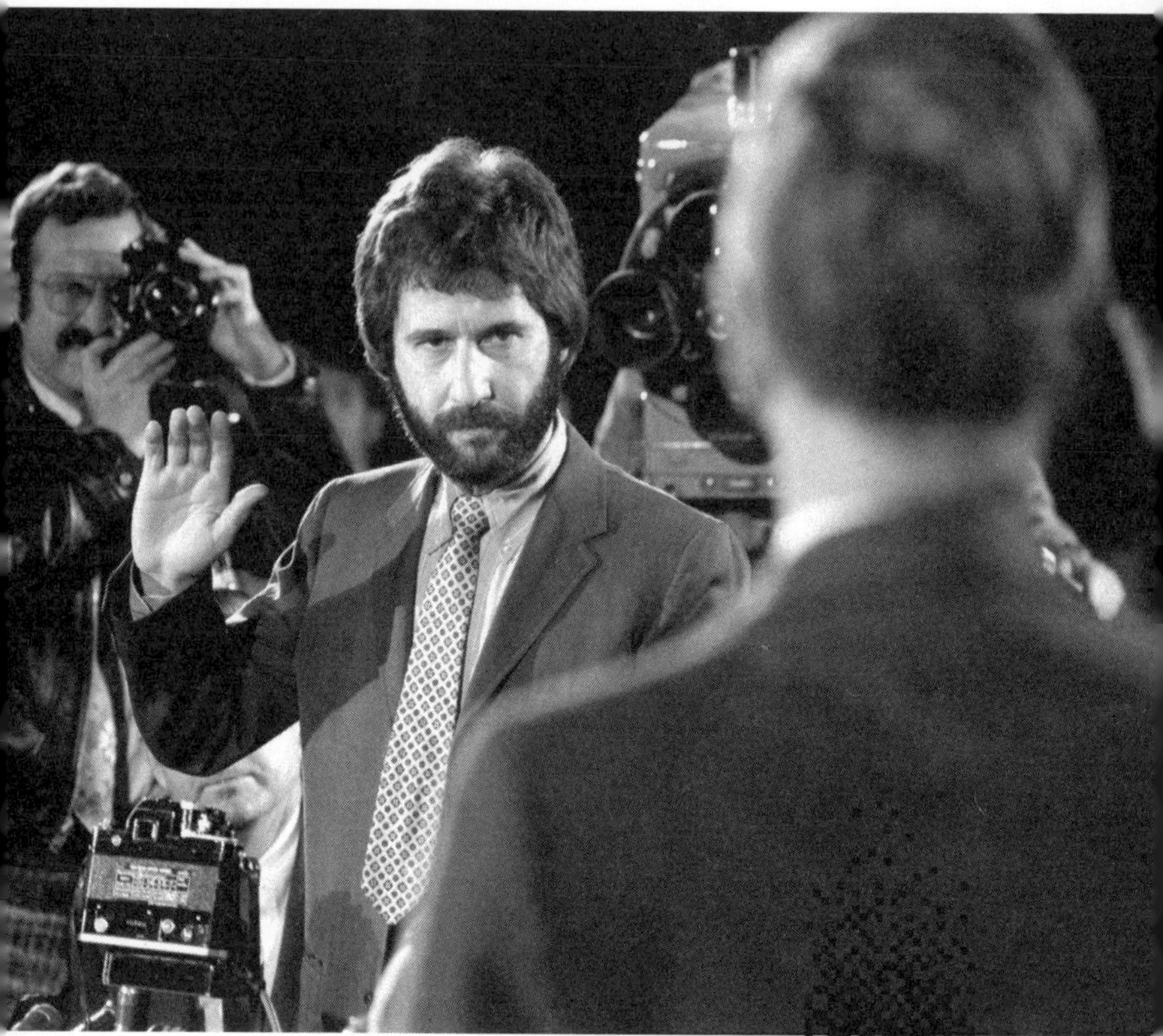

1971年10月、調査委員会で宣誓する
フランク・セルピコ本人

セルピコ

ニューヨーク市警の
腐敗を告発した男

警官
フランク・セルピコを
狙った疑惑の銃弾

FILMS

社会派監督シドニー・ルメットと名優アル・パチーノがコンビを組んだ映画「セルピコ」は、実在の警察官フランク・セルピコが、腐敗しきったニューヨーク市警に孤独な戦いを挑んだドキュメンタリータッチの傑作である。

組織の実態を告発しようとした彼は窮地に追い込まれ、ついには捜査中に銃で撃たれて瀕死の重傷を負うこととなる。セルピコ銃撃は、同僚によるワナだったという説が極めて有力だ。

フランク・セルピコは1936年、ニューヨークに生まれた。警察学校を卒業し、1959年、21歳でニューヨーク市警へ。2年間、犯罪情報課で指紋のプロファイリングなどの任務に就いた後、念願の私服捜査官となる。

1960年代初頭、ニューヨーク市警は汚職にまみれており、賭博や麻薬売買など非合法ビジネスを見逃す代わりに、大半の刑事が業者から賄賂を受け取っていた。というより、むしろ警察側が積極的に強請《ゆすり》、たかりを働き、私利私欲をこやしていた（その額、年間500万ドルとも言われる）。しかし、セルピコは他の連中と違い、断じて賄賂を受け取らなかった。どころか、上司に事の次第を報告し、調査まで依頼していた。が、上司はただ「忘れてしまえ」と彼の忠告をハナにもかけなかったという。

〝賄賂を受け取らない珍しい刑事〟は組織や仲間から疎まれ、しだいに孤立していく。配属先も次々に替えられた。が、それでも彼は自分の信念を曲げることはなかった。

1967年、セルピコは「広範囲にわたる警察の組織的な腐敗を証明する証拠」と題した告発書類を上部に提出する。綿密な調査報告を警察上層部も無視できず、内部の監

セルピコ

1973／アメリカ・イタリア／監督：シドニー・ルメット
1960年代後半、ニューヨーク市警に蔓延していた汚職や腐敗に立ち向かった実在の警察官フランク・セルピコの実話に基づいた1本。主役のアル・パチーノは、セルピコを演じるため本人と長期間、寝食を共にして役作りに挑んだ。セルピコのヒッピー風の外見もそのまま真似ている。

視体制を敷くことに。もっとも、賄賂が日常化した現場の人間が面白く思うはずはなかった。この後、セルピコは数年間にわたり、有形無形の脅迫を受け続けることになる。

1970年4月、セルピコの告発を受け、『ニューヨーク・タイムズ』紙が市警の腐った実態を一面で報道する。と、それまで見て見ぬふりをしていたニューヨーク市長も重い腰を上げ、調査委員会を開設する。事件は、そんな矢先に起きた。

1971年2月、当時ブルックリン北署に勤務していたセルピコは、麻薬取引の情報を得て4人の警察官とともに現場のアパートへ向かった。中から出てきた少年2人を路上で調べたところ、ヘロインが出てきた。取引をしていたのは間違いない。

同僚2人とアパート内部に入るセルピコ。問題の部屋のドアをノックし、符帳を口にする。ドアが開く。瞬間、犯人側が刑事と気づき、ドアを閉めようとする。咄嗟に足を入れるセルピコ。ここで彼は同僚2人がその場にいないことに気づく。援護を要請すべく容疑者から目を離した瞬間、銃声が響いた。弾丸はセルピコの目の下、頬を貫通し、あごの最上部に留まった。

映画の冒頭、血まみれのセルピコが車に病院に運ばれるシーンは、まさにこの後の出来事だ。搬送したのは、なぜか救急車より先に現場で到着したパトカー。銃撃の翌日、市警察本部長をはじめ幹部が次々にセルピコを見舞ったのも、彼をわざと寝かさず、快復から遠ざけるためだったと言われている。

1960年代後半、実際のニューヨーク市警の警察官

劇中、セルピコが血まみれで病院に運ばれる冒頭シーン。映画「セルピコ」より

しかし、セルピコは九死に一生を得る。そして１９７１年10月、調査委員会に出席し、警察組織全体の腐敗と不法な報酬について公然と証言を行う。当然、銃撃事件も問題視された。すなわち、セルピコは、２人の同僚の画策によってアパートにおびき寄せられ、処刑されそうになったのではないか――。真相は明らかにならないままだった。

１９７２年６月、セルピコは勇気ある告白者として、ニューヨーク市警の名誉勲章を受けた１ヶ月後、警察を辞職。傷を快復させるためスイスに渡り、傷痍年金で生活（この間、結婚したが、妻は29歳で病死している）。１９８０年、ＦＢＩから警察の組織的腐敗の調査に協力してくれるよう依頼を受け、帰国。その後しばらく警察学校の講師などを務めていたが、現在はニューヨーク州の山奥で隠遁《いんとん》暮らしを送っているという。

セルピコの近影。２０２１年10月現在、85歳で健在。２０１７年、本人のドキュメンタリー映画が公開された

疑惑の夫を演じたベン・アフレック。
映画「ゴーン・ガール」より
©2014 Twentieth Century Fox

ゴーン・ガール

映画の元ネタになった妻殺し

FILMS

スコット・ピーターソン事件

妻役ロザムンド・パイクの背筋も凍る演技が話題に。
映画「ゴーン・ガール」より
©2014 Twentieth Century Fox

ベン・アフレックとロザムンド・パイク演じる幸福そうな夫婦。結婚5周年目の記念日、妻が突然姿を消す。夫に浮気相手がいたことなどから警察やメディアは夫による妻殺害を疑うが、事の真相は全て妻が仕掛けた恐るべき復讐劇だった――。

鬼才デヴィッド・フィンチャー監督作「ゴーン・ガール」は、誰もが予想だにしない結末を迎えるサイコスリラーだ。こんな映画が実話のわけがないと思いきや、モデルとなった現実の事件があった。映画の原作である同名小説が題材に扱った殺人事件（作者のギリアン・フリンは映画の脚本も担当）。映画と違い、失踪した妻は無残な姿で発見され、それは夫による犯行が濃厚だった。

2002年12月24日、米カリフォルニア州モデスト。化学肥料のセールスマン、スコット・ピーターソン（当時30歳）から地元の警察に電話が入る。夕方、釣りから自宅に戻ったところ、妊娠8ヶ月の妻レイシー（同27歳）の姿がどこにも見当たらないというのだ。

スコットは、サンディエゴの裕福な実業家を父に持つ美男子。一方、レイシーは高校時代にはチアリーダーを務めた性格の明るい料理好きの女性で、2人は近所でも評判の〝理想の夫婦〟だった。

ゴーン・ガール

2014／アメリカ／監督：デヴィッド・フィンチャー
「セブン」「ファイト・クラブ」「ゾディアック」「ソーシャル・ネットワーク」などで知られるフィンチャー監督が手がけたサイコスリラー。幸福だと思われていた夫婦の破綻と、夫に復讐を果たす妻の狂気が描かれる。

通報を受けた警察や、地元のボランティアが報奨金を付けてまで懸命に捜索したものの、レイシーの行方は杳として知れない。世間は、しだいに夫スコットに同情の声を寄せるようになる。

失踪から4ヶ月後、事態は大きく動く。2003年4月13日、サンフランシスコ湾東側に首のない女性の遺体とへその緒が付いた胎児の遺体が発見されたのだ。そして、それはDNA鑑定の結果、スコットの妻レイシーと子供のものと判明する。

驚きはさらに続く。遺体発見からまもなく、警察が妻殺害容疑で夫のスコットを、実家のあるサンディエゴで逮捕したのだ。1万5千ドルもの大金や複数の携帯電話を所持していたことから、逃走を企てていたと見られる。

実は警察は、妊娠中の妻が姿を消してもあまり悲しむ様子のない彼に、早い時点で疑いの目を向けていた。捜査段階で175人の容疑者をリストアップしていると発表していたが、実際はスコット1人が疑惑の対象だった。そんななか、警察はスコットの電話を秘かに盗聴し、彼にアンバー・フレイなる愛人女性がいて、妻失踪後も頻繁に彼女と連絡を取り合っ

モデルになった事件の主役、スコット(左)とレイシーのピーターソン夫妻。誰もがうらやむ“理想のカップル”だった

ていることを把握。さらにスコットがアンバーと出会う以前にも不倫経験があり、その相手に対して、レイシー生存中から「妻は亡くなっている」と話していた事実も摑んでいた。

美男美女の夫婦にいったい何があったのか。事件が明るみになりスコットの裁判が始まると、映画同様、メディアの報道は過熱。連日ワイドショーが事件を扱い、全米の注目を集めることになる。検察はスコットがレイシー失踪の2日前にボートを購入していることから、2002年12月23日、自宅で妻を殺害し、遺体を海に遺棄したと主張。動機は、スコットが自分の仕事や父親としての責任に不安を抱いていたため、子供の養育費や離婚に掛かる費用のことを考え離婚以外の方法を選んだと述べた。

法廷には、スコットの不倫相手であるアンバーも証人として呼ばれ、「スコットは羊の皮を被った狼のような人間」と証言。スコットの心証を限りなく黒く染めていく。一方、被告スコット側は、不倫は認めたものの、事件には一切関与していないとして無罪を主張。犯行は変質者によるものと反論したが、根拠に乏しく、確たる証拠の提示にも至らなかった。

片や検察もレイシーの殺害方法や殺害時間を明らかにできず、判決は陪審員に委ねられることになる。判決は、レイシー・ピーターソンに対する第一級殺人罪及び、胎児に対する第二級殺人で有罪、死刑。スコットは無罪を主張したまま、2021年10月現在もサン・クエンティン刑務所に収監されている。

公判中の被告、スコット・ピーターソン（左）

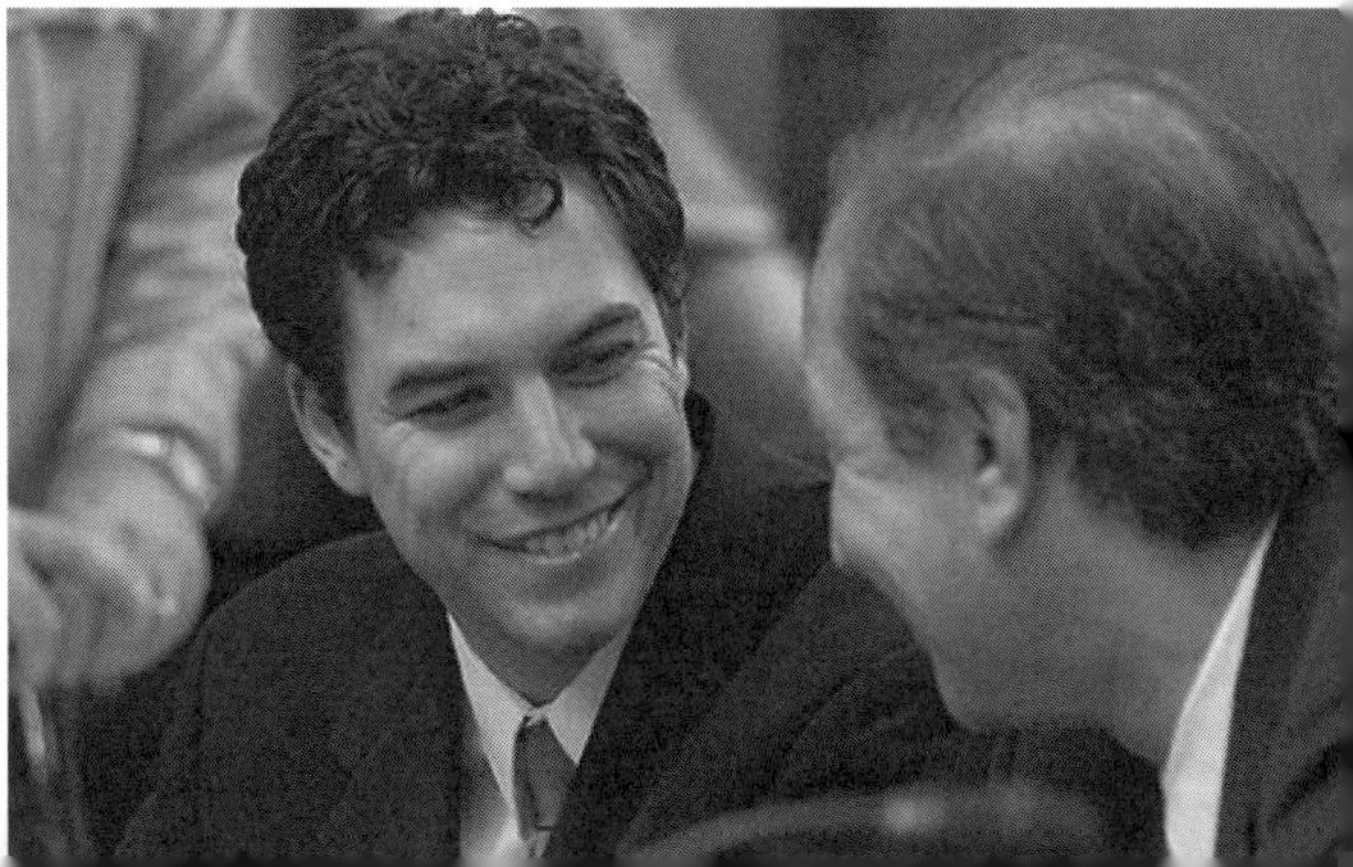

1974年12月11日、テレビのワイドショー番組「3時のあなた」に生出演した荒木虎美(中央)。死亡した妻と子供2人の写真が背景に飾られている

疑惑

メディアを巻き込んだ日本初の劇場型犯罪

別府3億円保険金殺人事件

FILMS

１９８２年公開の映画「疑惑」は、松本清張の同名小説を原作に、桃井かおり演じる女主人公が、夫に保険金殺人を仕掛けるサスペンスドラマだ。

小説、及び映画のモデルになった事件がある。不動産業の荒木虎美《とらみ》（事件発覚当時47歳）が保険金を詐取するため、妻子を車ごと海に沈め殺害した「別府３億円保険金殺人事件」である。

１９７４年11月17日夜10時ごろ、大分県別府市の国際観光港の海に、一家４人の乗った車が転落した。主人である荒木は海面を泳いでいるところを救助されたが、妻（当時41歳）と長女（同12歳）、二女（同10歳）が溺死した。

当初は事故と見られていたが、まもなく死亡した３人に計３億１千万円もの保険金が掛けられていたことが発覚。一気に疑惑が浮上する。

荒木の過去は汚れていた。家屋に保険金を掛けた２週間後に放火し保険金詐欺で懲役８年、他にも恐喝、傷害などで何度も服役を経験。出所後の１９７３年７月、知り合いに「子供がいる母子家庭の母親」を紹介してもらい、翌年、その家の主人に収まっていた。

結婚から３ヶ月後の事件当日、荒木は家族をドライブに誘う。他に15歳になる長男がいたが、彼はことのほか荒木を嫌い、この誘いを断り難を逃れる。

荒木は「自分と妻が交互に車を運転していたが、妻が運転し自分が助手席で目を瞑っていた時、妻が悲鳴を上げた。目を覚ますとすでに海中で、自分は必死に割れたフロントガラスから抜け出した」と証言。だが、保険金を請求する荒木に保険会社は支払いを拒否。事件はマスコミに大々的に取り上げられるようになる。

荒木は群がる報道陣に「死ぬかもしれない危険を冒してまで保険金殺人を働くわけが

疑惑

1982／日本／監督：野村芳太郎
別府３億円保険金殺人事件をヒントに書かれた松本清張の同名小説の映画化。前歴のある元ホステスを桃井かおりが、彼女の弁護人を岩下志麻がクールに演じている。

ない」と自信たっぷりに主張した。
犯人逮捕の前にマスコミがセンセーショナルに先行報道した例が過去になかったことから、後に〝日本初の劇場型犯罪〟と呼ばれるこの事件は、さらにドラマチックな展開を見せる。
1974年12月、荒木はワイドショー番組「3時のあなた」に生出演。身の潔白を笑顔で主張して放送が終了した直後、テレビ局裏で逮捕されたのだ。
果たして、車のハンドルを握っていたのは荒木か妻か。世間の注目が集まるなか始まった裁判では、以下のことが明らかになった。
◉妻の膝に付いていた傷と助手席のダッシュボードの傷跡が一致
◉車に装備されている水抜き孔のゴム栓が全て外されていた（車が早く沈んだ原因）
◉ダッシュボードに金ヅチが入っていた（フロントガラスを割るため使用）
◉事件当夜、現場付近の信号で停まっていた車の運転席に座っていた荒木を鮮魚店の男性が目撃していた

実際に車を走らせ、海中に沈めた検証実験の様子

荒木は最後まで無罪を主張したが、最高裁判決の前に死亡

裁判には命拾いをした長男も出廷。ドライブに誘ったのが荒木であることを証言し、「この男を死刑にしてほしい」と発言する一幕もあった。

いずれも荒木のクロを訴える重要な証拠だが、あくまで状況証拠。殺人を犯した物証はない。果たして、1980年3月28日、大分地裁は、「故意に車を海中に転落させ、善良な母子3人を殺害した。計画的かつ冷酷残忍な犯行だ」として荒木に死刑を言い渡す。

荒木は控訴するも、1984年9月の福岡高裁は控訴棄却。さらに最高裁にも上告したが、1987年頃から体調を崩し、八王子の医療刑務所に移監され、1989年1月13日、癌性腹膜炎で死亡した。享年61。

フォックスキャッチャー

レスリングチームのオーナーとコーチの間に何が？

大富豪ジョン・デュポンが元金メダリストを射殺した理由

左からマーク・シュルツ（演：チャニング・テイタム）、ジョン・デュポン（演：スティーヴ・カレル）、デイブ・シュルツ（演：マーク・ラファロ）。下が本人。映画「フォックスキャッチャー」より

FILMS

1996年1月26日、ロサンゼルス五輪のレスリング競技の金メダリスト、デイブ・シュルツ（当時36歳）が、3発の銃弾を撃ち込まれ射殺される事件が起きた。凶行に及んだのは、私財でアマチュアレスラーを育成していた米デュポン社の御曹司、ジョン・デュポン（同57歳）である。「フォックスキャッチャー」は、デュポンが作ったレスリングチーム名で、事件を題材とした2014年に公開された映画のタイトルにも使われているが、作中のストーリーは史実と異なる部分が多い。

ジョン・デュポンはアメリカでロックフェラー、メロンに並ぶ三大財閥として知られるデュポン財閥の御曹司である。1980年代に五種競技に興味を抱いたことから、億単位の私費を投じて広大な私有地内にトレーニングセンターを建設。父親が持っていた競走馬にちなんで〝フォックスキャッチャー〟と名付けた私的レスリングチームを作り、選手育成・強化のため、1984年のロス五輪のレスリング競技で金メダルを獲得したデイブ・シュルツ&マーク・シュルツ兄弟をコーチとして迎え入れる。映画は、その中心にいたデュポンの心の闇、兄弟の確執を主軸に、事件発生までの過程が描かれている。

まず、大きな誤解を与えるのが、時間軸である。劇中で選手たちは、さも1988年のソウル五輪を目指してトレーニングに励んでいるように映り、事件もその最中に起きたように描かれる。が、そもそもデュポンがフォックスキャッチャーを作ったのはソウル五輪以降。シュルツ兄弟がチームに参加するのも、当然ながらその後のことだ。しかも、映画のように兄弟が同時期にチームに加わっていた事実はない。実際は、最初にマークが招かれたものの、全てを金で操ろうとするデュポンに嫌気がさしてチームを出て行った数

フォックスキャッチャー

2014／アメリカ／監督：ベネット・ミラー
1996年に起きたデュポン財団御曹司によるレスリング五輪金メダリスト射殺事件を題材に、第67回カンヌ国際映画祭で監督賞に輝いた人間ドラマ。デュポン役のスティーヴ・カレルがアカデミー賞、ゴールデングローブ賞などで主演男優賞にノミネートされた。

年後、兄のデイブがコーチとして招聘《しょうへい》されている。また、劇中ではデュポンの孤独を描くため、選手育成に励む彼を全く一人前の男として認めないどころか、バカにしたような態度を見せる母親が登場する。が、これも創作。彼女はデュポンがフォックスキャッチャーを作った時期、すでにこの世にいなかった。

このように、劇中で描かれるデュポンは誰からも愛されることのない、身体的にもひ弱な独り者としてキャラ付けられている。ところが、実際のデュポンは40代からレスリングのシニア世界大会に参戦したアスリートで、私生活でも45歳のときに29歳の女性と結婚。映画のように、単にエキセントリックな人物ではなかった。

そして、本作最大のデフォルメは、殺害されたデイブの弟マークとデュポンの関係だ。モデルとなった実際のマークは、当初、映画製作に協力していたものの、まるでデュポンと肉体関係があったかのようなストーリーに激怒。自分はゲイではないし、デュポンと関係を持ったことなど一切ないとコメントを出している。

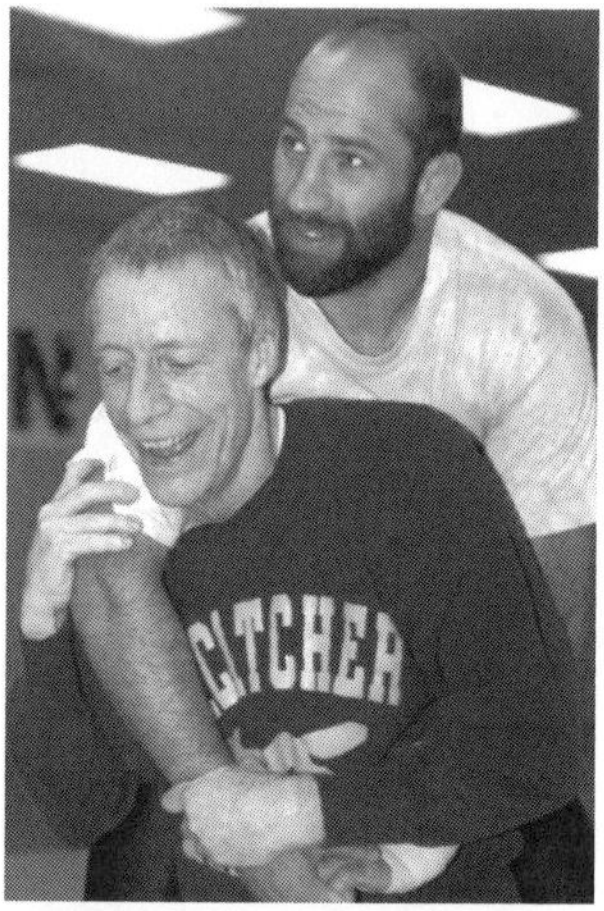

上の2人が実際のデュポン(左)と殺害されたデイヴ。下が劇中のカット

ただ、一方でマークは、デュポンがゲイで、育成選手と関係を持っていたとも証言。事実は定かではない。ちなみに、マークはデュポンのもとを去った後、大学で柔術の講師として就職。兄が殺害されてから4ヶ月後、プロ格闘家としてデビューしたが、途中で頓挫し、試合の後遺症と医療ミスが重なり生死を彷徨う。何とか一命は取り留めたものの、その後、妻と離婚、財産を全て取られホームレス寸前に陥るなど、悲惨な人生をたどっている。

ところで、なぜデュポンはデイブを殺害したのか。2人は周囲も認める親密な友人関係で、互いに信頼し合っていた。関係者は事件後、一様にデュポンの犯行を信じられなかったそうだ。が、デュポンは長年アルコール中毒を患い、この時期、強迫観念症的な統合失調症に苦しんでいたという。後の裁判に証人として出廷した精神科医は、デュポンは、デイブが自分を殺そうとしている国際的な陰謀団の一味との妄想を抱いていた可能性があると証言したらしい。真相は謎のままだ。

逮捕直後のデュポン。デイブを殺害後、自宅に2日籠城したうえ投降した。裁判で13〜30年の収監の判決を受け精神障害者向けの医療刑務所に送られ、2010年12月、慢性閉塞性肺疾患と肺気腫により72歳でこの世を去った

逮捕された李珍宇(日本名/金子鎮宇・中央)

絞死刑

差別と貧困の中で生きた
18歳の犯人、李珍宇の『罪と罰』

FILMS

小松川女子高生殺人事件

大島渚監督の映画「絞死刑」は、強姦致死罪で死刑判決を受けた青年〝R〟を主人公に、死刑制度の是非や在日朝鮮人問題を描きだした作品である。

映画の題材となったのは、1958年、東京・江戸川区で女子学生が殺害された小松川女子高生殺人事件。犯人は当時18歳の在日朝鮮人の高校生、李珍宇《イチヌ》だった。

事件は、同年8月20日、読売新聞に入った1本の電話から始まる。

「特ダネを提供する。俺が家出した女を殺したんだ」

若い声の男が言うには、江戸川区のY子さんを絞殺し、都立小松川高校に死体を遺棄したのだという。電話を受けた記者はすぐに小松川警察署に通報。捜査員が付近を捜すものの遺体は見つからず、電話はイタズラと処理される。

翌日、小松川署に「学校の屋上に死体を捨てた」と具体的な位置を示す電話が入り、そのとおりの場所でY子さんの死体が発見される。彼女は中学を卒業後、事務員をしながら都立小松川高校の夜間部に通う当時16歳の高校生で、17日に自宅を出たまま行方不明になっていた。

警察が捜査に乗り出すや、犯人は自ら動いた。被害者宅に女生徒が身につけていた櫛や手鏡を郵送し、再度、読売新聞に電話をかけ、犯行の様子などを延々30分にわたってしゃべり続けたのである。

連絡を受けた警察はすぐさま逆探知を行い、電話が江戸川区内の公衆電話ボックスからかかっていることを突き止めるが、現場に捜査員が向かったときはすでに犯人が去った後。ただし通話は録音されており、8月29日にラジオで「犯人の声」として公開される。

寄せられた多くの情報をもとに警察が捜査を行ったところ、工員で同校の夜間部に通

絞死刑

1968／日本／監督：大島渚
1958年に起きた小松川女子高校生殺人事件を題材に、死刑制度や在日朝鮮人問題などを追求した社会派ドラマ。絞首刑に処される少年と執行官の刑執行を巡るやりとりがユーモラスかつナンセンスに描かれている。

う李が容疑者として浮上。9月1日、逮捕された李は素直に犯行を自供する。

曰く、8月17日にプールで泳ごうと小松川高校に行き、屋上で読書をするY子さんを見て欲情。ナイフで脅そうとしたが、大声を出されたため絞殺。屍姦の後、遺体を屋上の穴に隠匿した。また、同年4月20日、江戸川区内で23歳の工場賄い婦が強姦・殺害された事件も自分の犯行であることを認めた。

1940年に東京・亀戸の朝鮮人部落に生まれた李は、劣悪な環境で育つ。粗末なバラックに酒好きで窃盗の前科がある父親と難聴で口が不自由な母。兄弟は6人。同居する叔父は前科6犯のスリだった。近所付き合いはほとんどなく、日本人社会から阻害された朝鮮人部落の中でも孤立した、まさに最底辺だった。

小・中学とも教科書は買えず、遠足にも行けない。が、IQは135もあり、成績は学年で一番。生徒会長も務める優秀な生徒で、ゲーテの『ファ

被害者の死体が遺棄されていた都立小松川高校の屋上

劇中の処刑シーン。映画「絞死刑」より
©大島渚プロダクション

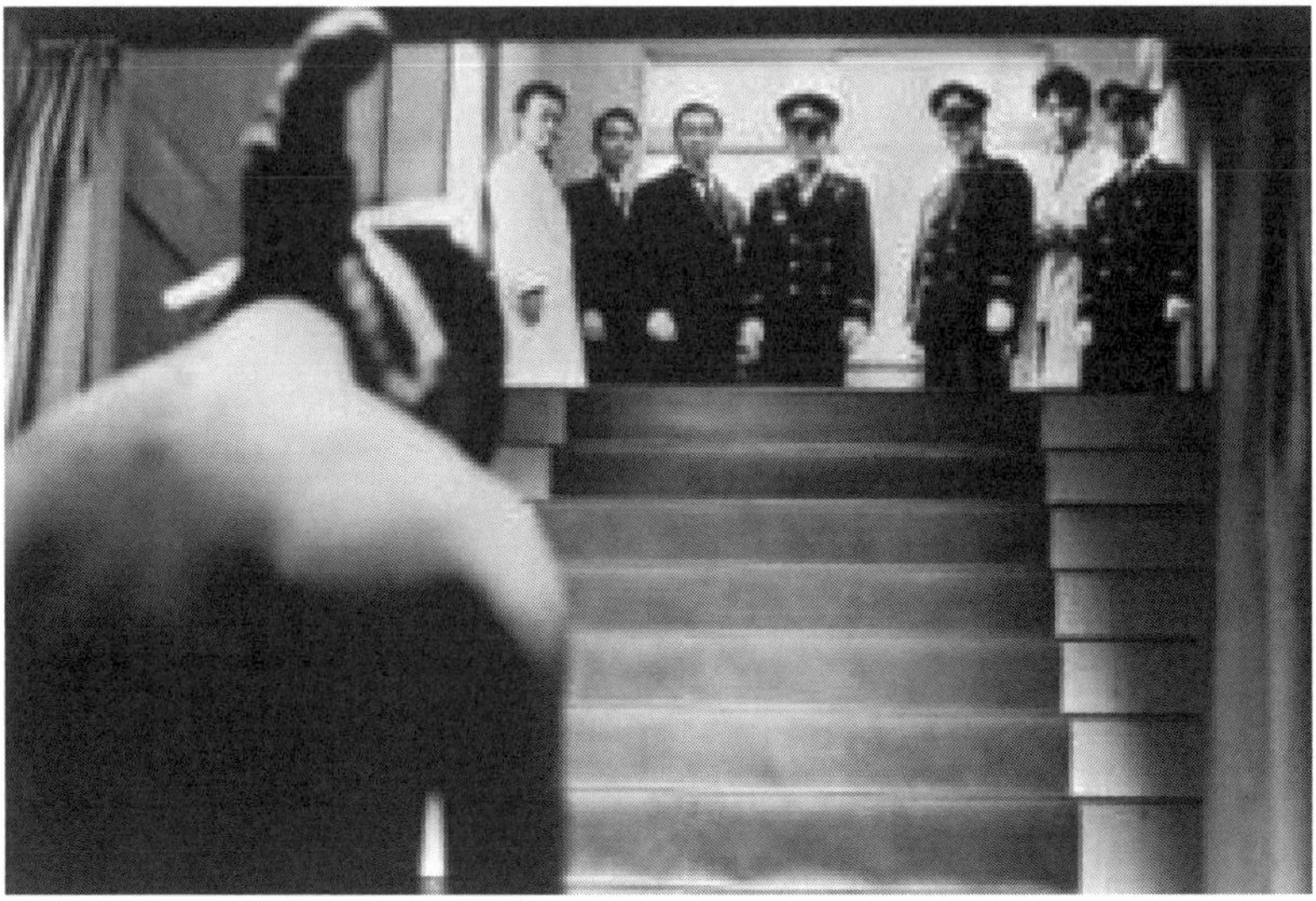

ースト』やドストエフスキーの『罪と罰』を愛読する一方、常習的に窃盗を働き保護観察処分も受けていた。
中学卒業後、就職差別でどこにも採用されず、同胞が経営する鉄工場に入社。しかし、工場は倒産し、町工場を転々としながら定時制高校に通っていた。李が事件を起こすのは、高校に入学したその年のことである。
李は犯行当時18歳の少年だったが、2件の殺人と強姦致死に問われ、1959年2月、東京地裁は死刑を宣告した。この判決に対し、事件の背景に貧困や朝鮮人差別の問題があったと大岡昇平ら文化人が助命請願運動を起こすが、二審は控訴棄却。最高裁も上告を棄却し、刑が確定する。1962年11月26日、李は戦後20人目の少年死刑囚として処刑台の露に消えた。享年22。

ブラック・ダリア

女優志願の美女は、なぜ胴体を真っ二つにされたのか？

FILMS

被害者エリザベス・ショートと、彼女の切断遺体。第一発見者はマネキン人形と勘違いしたという

ブラック・ダリア事件の迷宮

右に掲載した真っ二つに切断された胴体は、殺人事件に精通したアメリカの警察を驚愕せしめ、後に〝世界で最も有名な死体〟と称された写真である。無惨な死体の身元はハリウッド女優を目指していたエリザベス・ショート。世にもおぞましいこの事件は、一大スキャンダルとして全米で報道され、多くの人物が容疑の対象となったが、結局犯人は捕まらないまま迷宮入りとなる。誰がエリザベスを殺したのか？　謎の事件に惹かれるように後に多くの関連ノンフィクションが発行され、小説『ブラック・ダリア』を原作とする同名の映画も作られた。アメリカの犯罪史にその名を刻む一大猟奇事件の顛末。

終戦から2年後の1947年1月15日、ロサンゼルス郊外の空き地で、腰からきれいに切断された女性の惨殺死体が見つかった。まるで誰かに見せつけるかのように整然と配置されたその死体には、なぜか一滴の血液も付着していなかった。警察は、被害者が生きたまま腹を裂かれ、完全に血抜きされたうえで捨てられたものと見て捜査を開始する。

遺体の身元は、指紋から、女優になることを夢見て軍人専門のクラブのホステスとして働いていたエリザベス・ショートと判明する。当時22歳で、人も羨むほどの美貌。事件はマスコミの格好の餌食となり、彼女が黒い服を好んで着ていたことから、地元紙『ロサンゼルス・エグザミナー』は、1946年公開の映画「ブルー・ダリア」になぞらえ、エリザベスを「ブラック・ダリア」と命名、世間の関心を煽った。

死体発見から1週間後、エグザミナー紙に、新聞の切り抜き文字で『ダリアの所持品』と書かれた不審な郵便物が届く。開封すると、エリザベスの出生証明書、社会保健証、彼女が複数の軍人と撮った写真数枚、名刺、アドレス帳が入っていた。犯人から送

ブラック・ダリア

2006／アメリカ／監督：ブライアン・デ・パルマ
1947年にロサンゼルスで実際に起きた猟奇殺人「ブラック・ダリア事件」を題材としたジェイムズ・エルロイの同名小説が原作。事件そのものより、犯人を追う2人の捜査官と、彼らに関わる2人の女性の運命を描いている。

られたことは誰の目にも明らかだが、それら全てがガソリンに浸され、指紋は残っていなかった。

　ロス市警は１００人の捜査員を動員し、犯人逮捕にやっきになった。自称犯人として出頭した人物を含む、捜査対象者は５００人にものぼったという。が、結果的に警察はその全員をシロと判断せざるをえなかった。なぜなら、彼らの誰１人として〝エリザベスの秘密〟を答えられなかったからだ。

　実は、彼女は生まれつき性器の生育が不完全で、性交ができない体だった。警察はこの事実をひた隠し、秘密の暴露が得られた相手こそが真犯人だと睨んでいた。エリザベスの美貌に惹かれ言い寄ったものの、セックスを拒否されて殺害。ロス市警はあくまで、彼女と親しかった男性による怨恨の線を追い続けていた。

　その中でも、特に怪しいとされた人物は３人。事件の６

新聞社に届いた、犯人からと思われる小包

ロス市警は100人体制で捜査を続けたが、犯人を特定できず

日前、エリザベスと一緒にいるところを目撃されたセールスマンのロバート・マンリー。彼女が働いていたクラブのオーナーで、新聞社に届いた郵便物の中に自身のアドレス帳が入っていたマーク・ヘンセン。そして、現在もこの男こそが真犯人との声が多い、ジャック・アンダーソン・ウィルソンだ。ウィルソンは、エリザベスの同僚だったホステスが2年前に殺された事件でも疑われた人物で、エリザベス殺害に関しても新聞社の取材に対し、自分の知り合いが彼女を殺したとして事件の詳細を記者に話していた。あくまで伝聞ではあったが、犯行はウィルソンによるものに違いないと睨んだ新聞社は警察に連絡。事情を聞くため、本人が宿泊していたホテルに捜査員が向かった矢先、建物から出火し、その中からウィルソンの焼死体が発見される。

偶然の事故か、殺されたのか。他殺だとしたら、犯人は他にいるのか。ブラック・ダリア事件は、今も謎に包まれたままである。

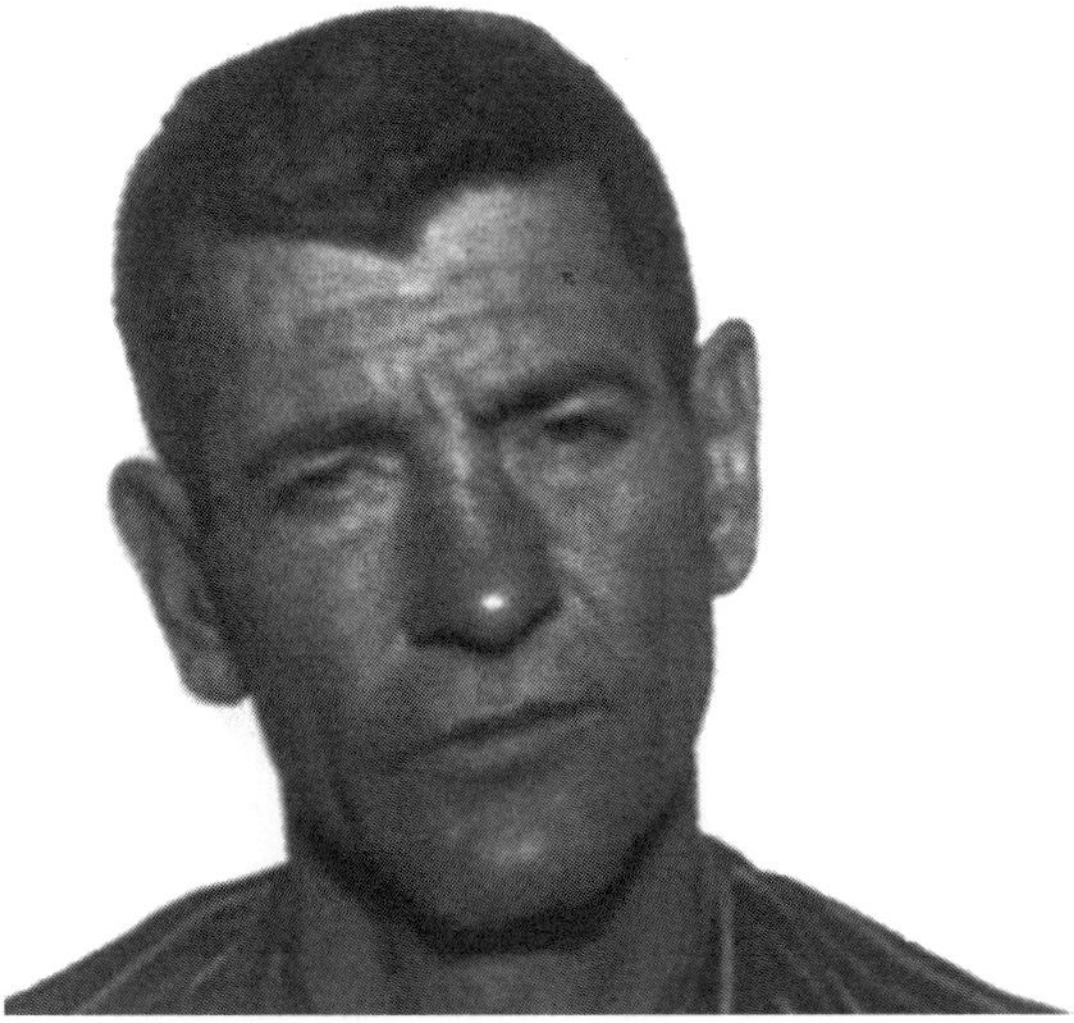

真犯人と目されたジャック・アンダーソン・ウィルソン

ゾディアック

1960年代末のサンフランシスコを震撼させた正体不明の連続殺人鬼

そして ゾディアックは 闇に消えた

湖畔でカップルが襲われた際の目撃証言で作成された犯人の出で立ち。上着の真ん中にゾディアックのシンボル、十字のマークが記されている

1960年代末の米サンフランシスコを舞台に少なくとも5人を殺害。新聞社宛に警察をあざ笑うかのような犯行声明や謎の暗号文を送りつけた男がいる。ゾディアック。世間を恐怖のどん底に陥れた事件の犯人は、いまなお逮捕されておらず、事件は未解決のままだ。映画「ゾディアック」は、この凶悪事件を題材に、正体不明の殺人鬼を追い続けた新聞記者や捜査官らの苦悩を描いた作品である。

最初はカップルばかりが餌食になった。1968年12月20日、サンフランシス郊外で、デート中だった17歳と16歳の男女が車中で射殺。翌1969年7月4日深夜、最初の現場から3キロ離れた娯楽施設の駐車場で19歳と22歳の男女が銃弾を受け、男性は奇跡的に一命を取り留めたものの、女性は病院へ搬送中に息絶える。

2つの事件は、まもなくサンフランシスコの3つの新聞社に届いた手紙で一つにつながる。そこには犯人しか知り得ない両事件の詳細と、意味不明の暗号文が記され、円と重ねられた不気味な十字のマークで結ばれていた。

1週間後に再び届いた手紙で、差出人は初めて名前を名乗る。ゾディアック。手紙の最後にはまた例のシンボルマークが書かれていた。

ゲーム感覚で殺人を重ねるゾディアックの三度目の凶行は、1969年9月27日。湖畔でデート中だった学生カップルの前に突然、全身が黒服姿で中世にあった四角い頭巾を被った男が現れ、2人をナイフでメッタ刺しにした。女子学生は病院で死亡。男子学生は一命を取り留めたが、彼の車には油性ペンで、これまでの犯行の日付と例のシンボルマークが書かれていた。ゾディアックの手紙と全く同じ筆跡だった。

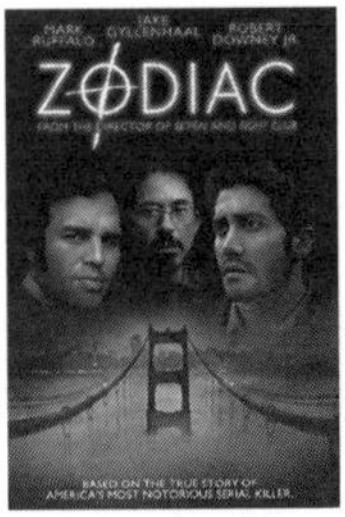

ゾディアック

2007／アメリカ／監督：デヴィッド・フィンチャー
ゾディアック事件に関わり、人生を狂わされた4人の男たちの姿を描いたサスペンス。ちなみに、クリント・イーストウッド主演の映画「ダーティハリー」の犯人サソリも、ゾディアックをモデルとしている。

1ヶ月後の10月、ゾディアックは突如、標的を変え、29歳の男性タクシー運転手を銃殺。翌日、新聞社にゾディアックから犯行声明と、己の犯行を証明する運転手の血染めのシャツの切れ端が届く。手紙には、次に小学生の乗ったスクールバスを狙うとも書かれていた。ここで、サンフランシスコの恐怖はピークに達する。

しかし以降、ゾディアックは動かず、警察の無能を嘲笑する手紙と暗号文を新聞社宛に送り続ける。その数は20通以上にも達し、全てが紙面に掲載されたが、1974年以降、音信が途絶えてしまう。

警察は、事件の容疑者として1千人以上を尋問した。その中で最も怪しいと睨まれたのが、IQ13

5人目の犠牲者、タクシー運転手が殺害された現場

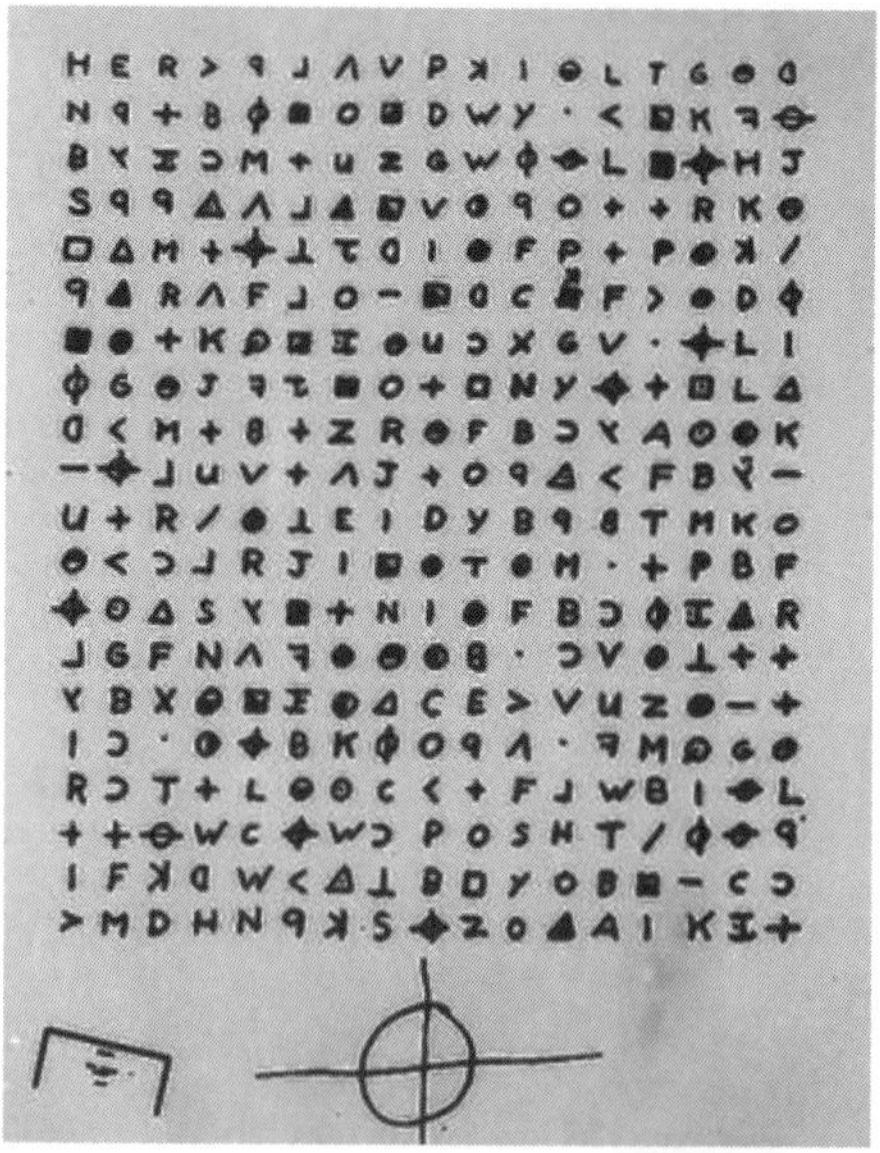

ゾディアックが新聞社に送ってきた暗号文。軍の機関やCIAでも解明できなかったが、1人の教師が解読に成功。「私は人殺しが好きだ。森で狩りをするよりずっといい。なぜなら人間こそ最も危険な動物だからだ」等と書かれていることが判明した。ゾディアックからの手紙の最後には、いつも不気味な十字のマークが記されていた

タクシー運転手殺害の際の目撃証言による犯人の似顔絵

6を誇るアーサー・リー・アレンなる男性だ。湖畔でカップルが刺殺された事件現場に残っていた足跡から、犯人が軍用靴を使用し、体重が90キロ以上あることが明らかになっていたが、アレンは海軍勤務の経験があり、足のサイズも体重も一致した。住まいも最初の事件現場から車で8分、第2の現場から5分。何より彼が事件当時、周囲に「近いうちに自分はゾディアックと呼ばれるだろう」と漏らしていたことから真犯人に違いないと目された。状況証拠は真っ黒だった。警察は20年以上もアレンを尋問し、犯行に使われたと思しきアレン所有のトレーラーも隅々まで捜索。多くの武器、パイプ爆弾、ゾディアックシンボルの指輪などが押収された。が、決定的な証拠はゼロ。アレンは怪しまれたまま、1992年、この世を去っている。

最重要容疑者として疑われ続けたアーサー・リー・アレン。状況証拠は真っ黒だったが、一貫して犯行を否認した

映画「コンプライアンス／服従の心理」より

映画になった戦慄の実話

第5章

アンビリバボー

アルカトラズからの脱出

伝説となったプリズンブレイク

FILMS

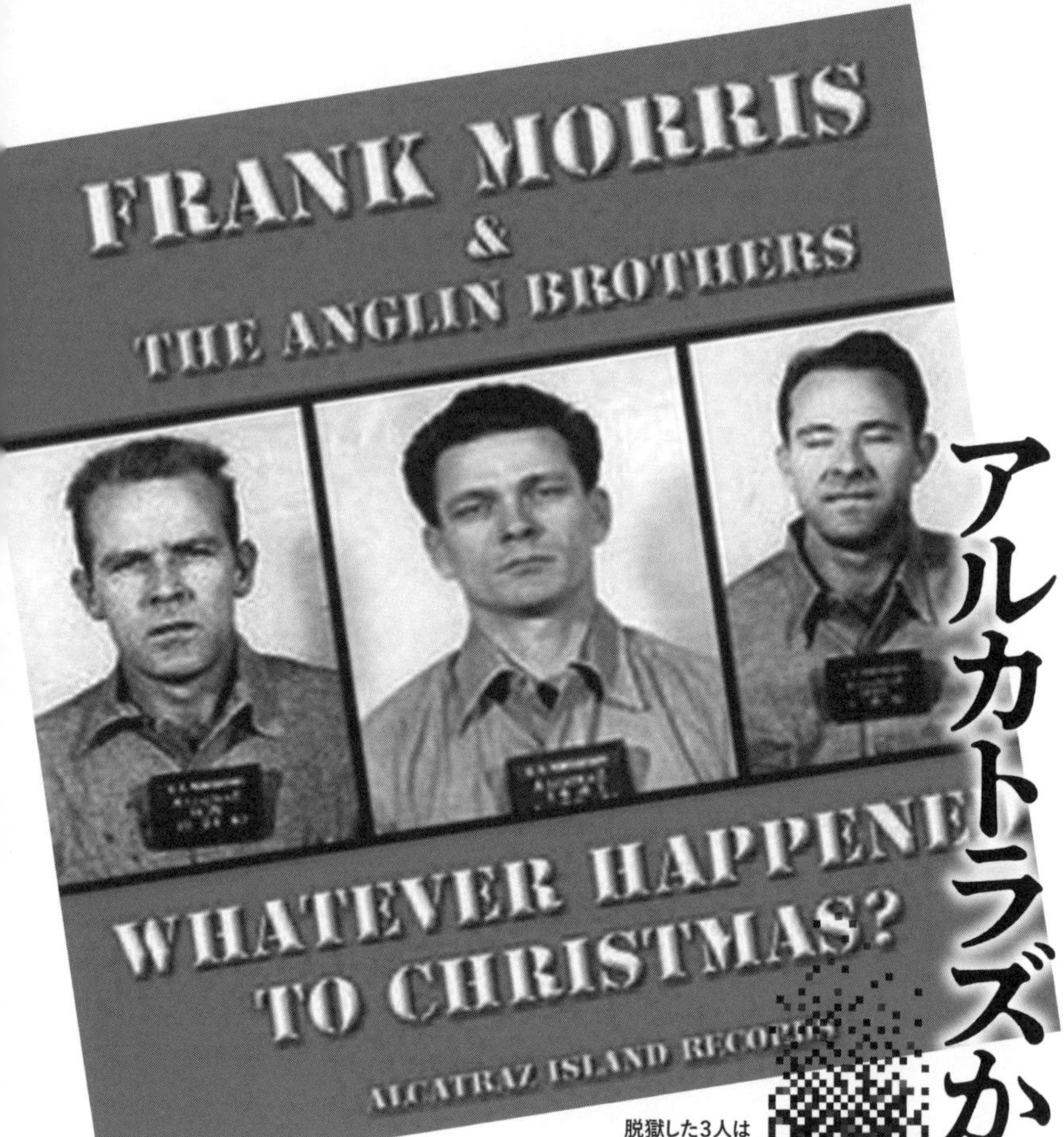

脱獄した3人は
現在も指名手配中である。
クリント・イーストウッドが演じたフランク・モリスと、
その左右に共犯のアングリン兄弟

強盗犯3人は こうして「ザ・ロック」から 脱獄した

映画「アルカトラズからの脱出」は、1962年6月、全米の凶悪犯ばかりを集めたアルカトラズ連邦刑務所から強盗犯3人が脱獄した事件をほぼ史実どおりに描いた一級のサスペンスだ。四方を海に囲まれ、鉄壁の牢獄＝「ザ・ロック」と呼ばれた檻から、彼らはいかにして脱出したのか。

サンフランシスコ湾に浮かぶアルカトラズ島に連邦刑務所が建設されたのは1934年7月。閉鎖までの28年間で脱獄事件は14回発生。計36人が脱出を試みたが、この内23人は身柄を確保され、6人は射殺、2人が溺死、5人が今も行方不明である。なぜ、これほど多くの脱獄が起きたのか。アルカトラズ島は、大都市サンフランシスコの陸地まで2キロ足らずの距離にある。牢獄さえ破れば泳ぎきれるのではないかと、常時200人近くいた囚人の3人に1人は自由への道を模索していたらしい。

しかし、刑務所のセキュリティは堅固だった。独房の格子は刃物で切断不可能な高強度の鋼。壁はコンクリートで固められ、房の施錠も当時最新式の開閉システムが導入されていた。仮に建物の外に出られて、陸を目指して海に飛び込んだとする。泳ぎに長けた者なら30分で制覇できる距離だ。が、サンフランシスコ湾の水温は平均12度。海水に30分も浸っていれば、重度の低体温症になるのは確実。加え、湾の潮の流れは速く、知らず知らず体が太平洋に流されてしまう。

生きては決して島を出られない。アルカトラズ刑務所は囚人の夢をことごとく打ち砕いていた。

アルカトラズからの脱出

1979／アメリカ／監督：ドン・シーゲル
「ザ・ロック」と別称される難攻不落のアルカトラズ連邦刑務所から脱出に成功した男3人の実話に基づいたサスペンス。あえて脱獄に関する以外のシーンを排し、計画から実行までのプロセスのみを徹底的に描いている。

脱獄を試みた受刑者の中で行方がわからない5人の内の3人が、クリント・イーストウッドが演じたフランク・モリスと、彼のムショ仲間だったアングリン兄弟である。モリスは銀行強盗により14年の懲役刑に処され、以前はアトランタの刑務所などに収監されていたが、その度に脱走を企て、矯正不可能として1960年1月にアルカトラズに移送されていた。頭脳明晰な彼は、難攻不落のアルカトラズでも、すぐに脱走への知恵を絞り始める。が、牢の格子の切断はまず不可能で、看守を襲撃するのも危険性が高い。何か良い手はないかと考えていたある日、隣の房の囚人アレン・ウエストから耳よりな話を聞く。

「独房の換気口から外に出れば、建物の屋上まで上れる」

ウエストは刑務所で設備の補修を担当しており、屋根へ続く通気口があるのを知っていたのだ（ウエストは脱獄には関わっていない）。さっそく、モリスとアングリン兄弟は、盗んだスプーンやノミなどで、換気口の周囲のコンクリートを削り始める。換気口のサイズは縦15センチ、横23センチ。もっと大きな穴を空けないと、体が通り抜けられない。コンクリートの厚さは15ミリ。穴空けが完成するまで2年近くを要した。それでも彼らにとって幸いだったのは、当時、使用されていたコンクリートの強度が現在の5分の1程度しかなかった点だ。建物自体も四半世紀が過ぎ老巧化が進み、さらには、刑務所側が経費節減で設備の配管工事に海水を使ったた

運用していた当時のアルカトラズ刑務所の外観と内部

め、塩水がコンクリート内部に入りこみ、劣化が激しくなっていた。

　1962年3月、穴掘りが終了。決行の最終準備として、下水管伝いに独房棟の上まで這い上がり、屋上へ抜け出る鉄格子を毎夜少しずつ切断していく。消灯後の作業とはいえ、房にいないことを看守に気づかれたら一巻の終わり。そこで彼らは粘土と絵の具、散髪時の髪の毛などで自分に似せた頭部を作り、素直に寝ている姿を装った。モリスたちは、夜中の点検では看守が頭しか数えないことを知っていたのだ。

　6月11日23時、3人は事前にレンイコートを改造して作った筏と救命胴衣を手に、脱出口から屋上に登り、刑務所の外へ。そのまま海岸まで走り陸地に向け泳ぎだした。果たして、モリスたちは無事に陸まで辿り着いたのか？　FBIはその後17年にわたって捜査を続け、事件を迷宮入りとした。彼らが生きて自由を得た証拠も、溺死した証拠もない。伝説の脱獄劇の顛末は、今も謎に包まれたままだ。なお、アルカトラズ刑務所は、維持経費がかかりすぎるため、3人が脱獄して9ヶ月後の1963年3月に閉鎖され、現在は観光スポットになっている。

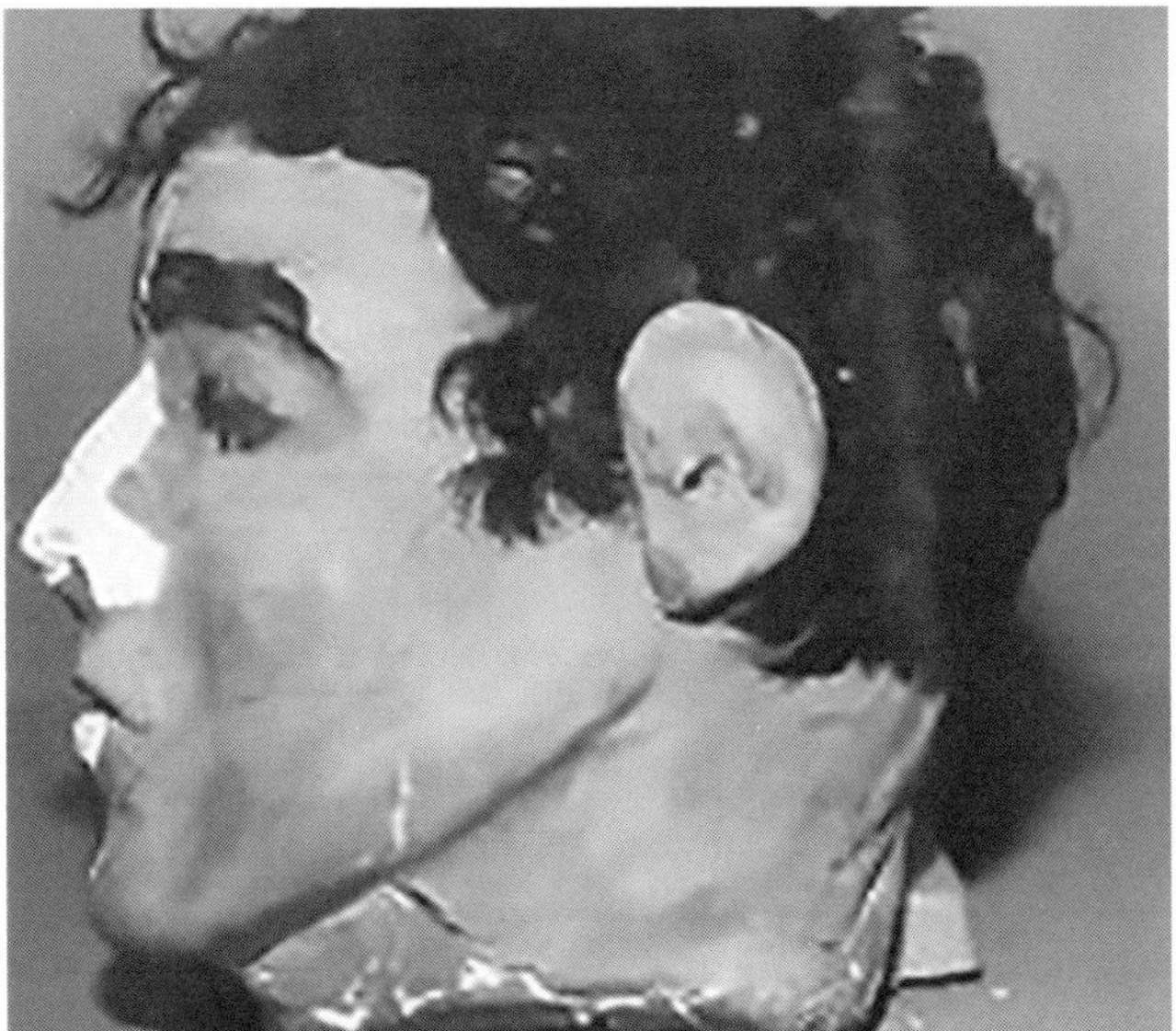

看守の目を誤魔化すために使われた、実際のダミーの人形

狼たちの午後

下見もなしに犯行に及んだ若者2人の運命

FILMS

チェイス・マンハッタン銀行強盗事件

籠城中の犯人ジョン・ウォトヴィッツ（下）と、外見が似ているという理由で主演に起用されたアル・パチーノ。映画「狼たちの午後」より

名優アル・パチーノがマヌケな銀行強盗犯を演じた1975年のアメリカ映画「狼たちの午後」。仲間と2人で銀行に押し入ったものの金庫は空で仕方なく籠城《ろうじょう》。最終的に人質とともに高飛びを図るが、あえなく逮捕され、相棒は警察に撃ち殺される——。まさしく映画のような衝撃的な展開で、作品は見事にアカデミー賞脚本賞に輝いたが、驚くべきは、これが映画公開3年前の1972年に実際に起きた「チェイス・マンハッタン銀行強盗事件」を忠実に再現した点である。

ゲイの恋人に性転換手術費をプレゼントするためという犯行動機も、事件がTV中継されたのも、恋人が投降を呼びかけに出てきたのも全て事実。なにより、監督がアル・パチーノを起用したのは、犯人に似ていたのが理由だった。

アル・パチーノが演じたソニーのモデルとなったジョン・ウォトヴィッツは事件当時31歳。元銀行の出納係で、ベトナム帰還兵でもあった。チェイス・マンハッタン銀行に勤めるタイピストと結婚して2人の子を得るも1969年に離婚。その後、ゲイのアロンと知り合い、1971年には互いの親も列席し、形式上の結婚式を挙げている。一方、相棒のサル（劇中の役名もサル）は、窃盗などの罪を犯し更生施設で過ごしてきた孤独な青年で、囚人仲間から連夜強姦された経験を持っていた。

顔見知りの2人が銀行強盗を思いついたのは犯行日の午前中に「ゴッドファーザー」を観たからという、ごく単純な理由だった（主演アル・パチーノも、サル役のジョン・カザールも「ゴッドファーザー」に出演している）。下見もなしの犯行は当然のように失敗に終わり、思いもかけない籠城事件に発展する。ちなみに、映画では銀行の金庫は

狼たちの午後

1975／アメリカ／監督：シドニー・ルメット
1972年8月22日、ニューヨークのブルックリンで発生した銀行強盗事件を題材に作られた犯罪映画。1975年度のアカデミー賞で作品賞を含む6部門にノミネートされ、脚本賞を受賞した。

空っぽだったが、実際は21万3千ドルを奪取している。

ジョンとサルは警察と交渉、チャーター機での国外逃亡を企て、人質と共にリムジンバスで空港に向かう。犯行が成功するかに思えたそのとき、バスの運転手が2人に言う。

「何か食料はつめこんでおかなくて大丈夫なのか?」

ふと緊張が緩んだ瞬間、38口径の弾丸がサルの胸を貫く。運転手は、扮装したFBI捜査官だった。映画のクライマックスシーンである。結果、サルは即死。ジョンはその場で取り押さえられ、翌年、懲役20年の刑に処せられている。


警察との交渉が逐一、TV報道されたこともあり、事件後、すぐさま映画化の話が持ち上がった。服役していたジョンは、7千500ドル+興行収入の1%の契約で映画化を承諾、そのうちの2千500ドルを性転換手術費用としてアロンにプレゼントしたという。

完成した映画を観たジョンは「事実は30%程度だ」と『ニューヨーク・タイムズ』紙に手紙を送っている。彼が特に指摘したのは次の4点だ。

◉元妻は映画で描かれるようなデブでもバカでもない。

◉離婚前にアロンと付き合っていた描写は事実ではない。

事件当日の様子。映画さながらの攻防戦が繰り広げられた

相棒のサル（右）。実際は18歳だったが、映画ではジョン・カザールの演技に惚れ込んだ監督が設定を34歳に変更した。映画「狼たちの午後」より

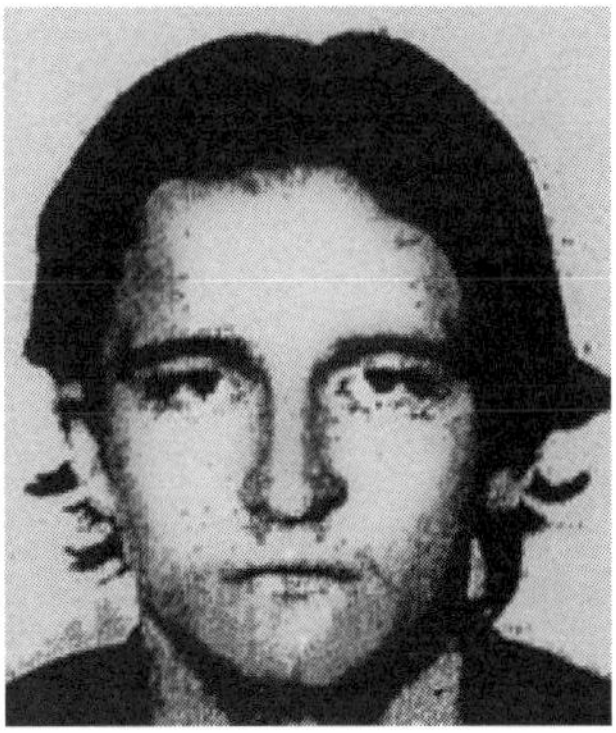

●銀行に籠城中、実母や元妻が説得に来た事実はない。
●FBI捜査官とアイコンタクトを交わし、まるで相棒サルを売ったかのように描かれているが、そんな覚えは一切ない。

その後、ジョンは7年で保釈されるものの、保釈違反で再逮捕、1987年4月に再保釈となった。出所後は、母親と暮らし、2006年にガンでこの世を去った。恋人のアロンは、ジョンが出所した年の9月に、エイズによる肺炎で死亡している。

銀行にジョンの説得に出向いた、形式上の妻アロン。ジョンは“彼女”に会いたがったがアロンは拒絶したそうだ

仲むつまじい頃のドロシー・ストラットン（左）と夫のポール

スター80

20歳の美人プレイメイトが夫に銃殺された理由

FILMS

ドロシー・ストラットン殺害事件

1980年8月、その年の〝プレイメイト・オブ・ザ・イヤー〟に選ばれたカナダ人モデル、ドロシー・ストラットンが夫に殺害される事件が起きた。1983年に公開された「スター80」は、関係者へのインタビューを交えながら、2人の出会いから事件の日までをほぼ忠実に再現した作品である。

1977年、カナダ・バンクーバー。17歳のドロシーは、シングルマザーの母親を助けるため、高校に通いながらファーストフード店でバイトをする孝行娘だった。ある日、ポール・スナイダー（当時26歳）という男が来店、ドロシーに目をつける。ポールは女性を金づるとしか考えていない男で、当時、男性誌『プレイボーイ』が創刊25周年を記念しモデルを公募していたため、彼女をプレイメイトにして一儲けしようと企む。

「君がプレイメイトになるのは僕の夢だ。一緒に頑張ろう」

甘い言葉で口説くポールにドロシーは惹かれ、言われるままヌードを撮影。これが見事、プレイメイトの最終選考に残る。ドロシーの母親にはポールの魂胆がわかっていたが、有頂天の彼女は聞く耳を持たず単身ロサンゼルスへ。招かれたのはプレイボーイ誌を創刊した伝説的有名人、ヒュー・ヘフナーの〝プレイボーイ・マンション〟だった。

ヘフナーに気に入られたドロシーはマンションの一室に仮住まい。夜ごと行われるパーティ、有名スターたちとの出会い。日々華やかになっていくドロシーに対し、ポールは自分が置いてきぼりを食らったような感情に襲われ、ロスに乗り込んでプロポーズする。これにドロシーはイエスと答えているから、少なくともこのとき、彼女はポールを愛していたようだ。

スター80

1983／アメリカ／監督：ボブ・フォッシー
カナダ人モデル、ドロシー・ストラットンが夫に殺害された事件を再現した人間ドラマ。映画のラスト、ドロシーと夫が血まみれで倒れるシーンの撮影場所は実際の事件現場で撮影された。

1979年8月発売のプレイボーイ誌でグラビアを飾ったのをきっかけに、ドロシーは毎月のように誌面に登場。ついに1980年度の〝プレイメイト・オブ・ザ・イヤー〟に選ばれる。賞金は2万5千ドル（当時のレートで約700万）だった。

これで鼻を高くしたのがポールだ。映画でも描かれてるとおり、ドロシーの仕事関係者に高飛車に振る舞い、高級車だスーツだと、彼女の稼ぎを湯水のように使っては浮気三昧。ドロシーはしだいにポールを疎んじ始める。

そんなとき、ドロシーがハリウッド映画「ニューヨークの恋人たち」で、オードリー・ヘップバーンと共演する美女役の候補に挙がった。監督は「ラストショー」「ペーパームーン」などの作品で有名なピーター・ボグダノビッチ。ドロシーはオーディションで見事に監督の心を射止め、ほどなく撮影のためニューヨークへ。ポールの心は揺れた。目論みどおり大金が自分の懐にも転がり込んでくるのに、妻が傍にいないと耐えられないのだ。ここでポールは初めて本気でドロシーを愛してることに気づく。

が、ドロシーは知的で優しいボグダノビッチ監督に惹かれ、監督の自宅で一緒に暮らすようになって

『PLAYBOY』紙の表紙を飾るドロシー

いた。そんな妻の変化に気づいたポールが探偵を雇ってドロシーの身辺を調査すると、彼女ばかりか妹までが監督の家で同居していることが判明。問いただすポールにドロシーは別れを切り出した。

1980年8月14日、2人だけで話したいというポールの申し出に、ドロシーは自宅へ。最初は冷静に話していたポールだが、妻の心が変わらないのを悟るとショットガンを構えた。そして美しいドロシーの顔に銃弾を放った後、自らの頭を撃ち抜いた。

WHAT SORT OF MAN READS PLAYBOY?*
A man like Paul Snider, for whom life was just one big blast–until his ambitions were shattered by Dorothy Stratten. Whether Paul was one of the 71% of *Playboy* readers who claim to be college-educated is certainly academic now. Obviously, he had a serious problem relating to a woman who wasn't truly one of the flawless mannequins portrayed by the magazine that leads its field in seniority. But that's image for you. Perhaps if Paul had known the score, dealing with a real woman might not have been such a mind-blowing experience.

凄惨な事件現場の写真は雑誌にも掲載された。
手前の遺体がドロシー、壁にもたれかかっているのがポール

伝説の女装スパイ、時佩璞。写真は諜報活動に従事する以前、京劇で女役を演じた際に撮影されたもの

エム・バタフライ

フランス人外交官の夫は最後まで妻を女と信じていた

仰天の時《じ》佩《はい》璞《はく》スパイ事件

FILMS

1964年、文化大革命さなかの中国・北京で前代未聞の事件が起きた。フランスの外交官ベルナール・ブルシコが〝女装〟した中国人スパイに惚れ込み、国家機密を横流ししていたことが発覚したのだ。外交官を骨抜きにしたのは、時佩璞《じはいはく》（女性名は時佩孚《じはいふ》、シー・ペイ・プー）。この2人、実際に結婚してパリで夫婦生活を送っていたというから驚きだ。1993年公開の映画「エム・バタフライ」は、この珍事件をもとに作られた作品である。

フランス生まれのブルシコは平凡な会計士だったが、学生時代に中国語を学んだ経歴を買われ、1964年、北京に新設されたフランス大使館に19歳で就任。一方、1938年に中国雲南省で生まれた時佩璞は、フランス語が堪能なインテリとして知られ、オペラの劇作家、京劇の舞台役者として北京では有名な存在だった。スパイになったのは1960年頃。音楽教師として各国大使館へ出入りできる立場に中国当局が目を付け、外交機密の入手を命じたのだ。

2人が初めて出会ったのは大使館のオープニングセレモニーだった。ブルシコの素朴さを見ぬいた時佩璞は、大胆にも男性の姿のまま彼に近づき囁いた。

「私は本当は女性なのだけど両親の希望で男として育てられているの」

時佩璞の幼い顔立ちを見たブルシコは、その言葉を疑わなかったばかりか一瞬で恋に落ちてしまう。首尾よく獲物を落とした時佩璞は翌日から女装姿でブルシコに接触し、数度のデートであっさり外交機密を入手。さらにターゲットの気持ちをつなぐべく、自宅にブルシコを呼び、ベッドルームに誘い込んだ。

部屋の照明を落とし、平らな胸元をブランケットでカバー。自分の股間には絶対に触

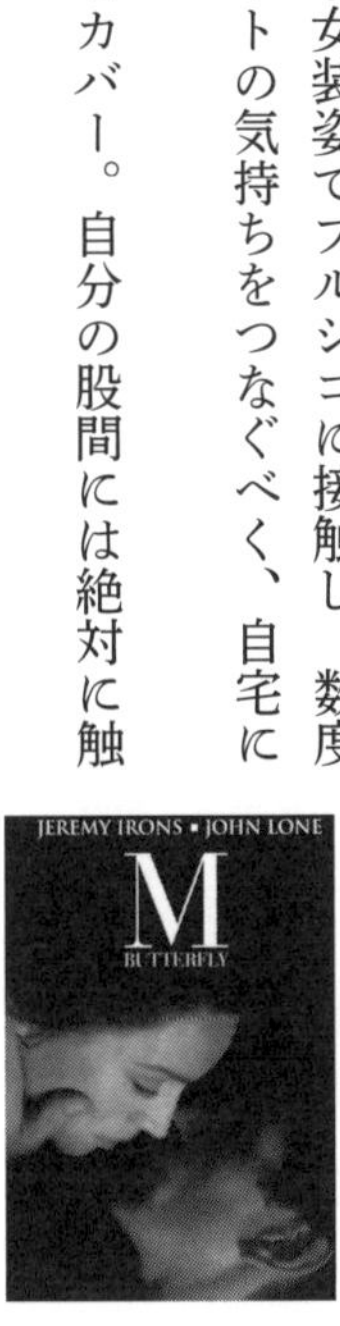

エム・バタフライ

1993／アメリカ／監督：デイヴィッド・クローネンバーグ
トニー賞を受賞した舞台劇「M.バタフライ」の映画化。文化大革命で揺れる1964年当時の北京を舞台に、女装の中国人スパイとフランス人外交官の異色の愛が描かれる。

わらぬよう言い含めたうえで自らの手でブルシコのペニスを自分の肛門へ導き、最後には、あらかじめ用意した豚の血をシーツにまき、処女だったとアピールしたという。それまで女性経験のなかったブルシコは、何も疑わずに時佩璞とのセックスにのめり込む。結果、事が発覚するまでの20年間弱で中国当局は500以上の機密文書を手に入れることになる。

1979年、文化大革命の悪化によりブルシコに帰国命令が出たことを機に、時佩璞はフランスに移住し、パリで挙式。平和な結婚生活を送る振りをしながら、外交機密を中国へ送り続けた。

作戦が終わったのは1983年、フランス諜報部が2人の動きに不審感を抱いたのがきっかけだ。尋問にかけられたブルシコは、妻へ機密を漏らした事実を自白。スパイ容疑で法廷に送られる。

裁判の過程で、初めて愛する妻が男だったこ

映画「ラストエンペラー」で世界的スターになったジョン・ローンが女装スパイを熱演。映画「エム・バタフライ」より

公判時の時佩璞（右）とブルシコ。法廷で2人が視線を合わせることは一度もなかった

とを知らされたブルシコは、当初、全て警察が仕組んだウソだと思った。が、裁判官の前で「陰茎を股間の間に隠す方法」を実演する妻の姿を見てしまっては、もはや返す言葉もない。事件はすぐさまフランス中に知れわたり、ブルシコはマスコミから「世紀の大バカ者」と呼ばれた。

3年後の1986年、2人に下った判決は懲役6年。だが、フランスと中国の関係が改善し始めた時期だったこともあり、同年夏には恩赦が出て両者とも無罪放免となった。

時佩璞は2009年6月、70歳で病死。このとき64歳でフランスの介護施設で暮らしていたブルシコは、知らせを聞いても一切驚きの表情を見せなかったという。

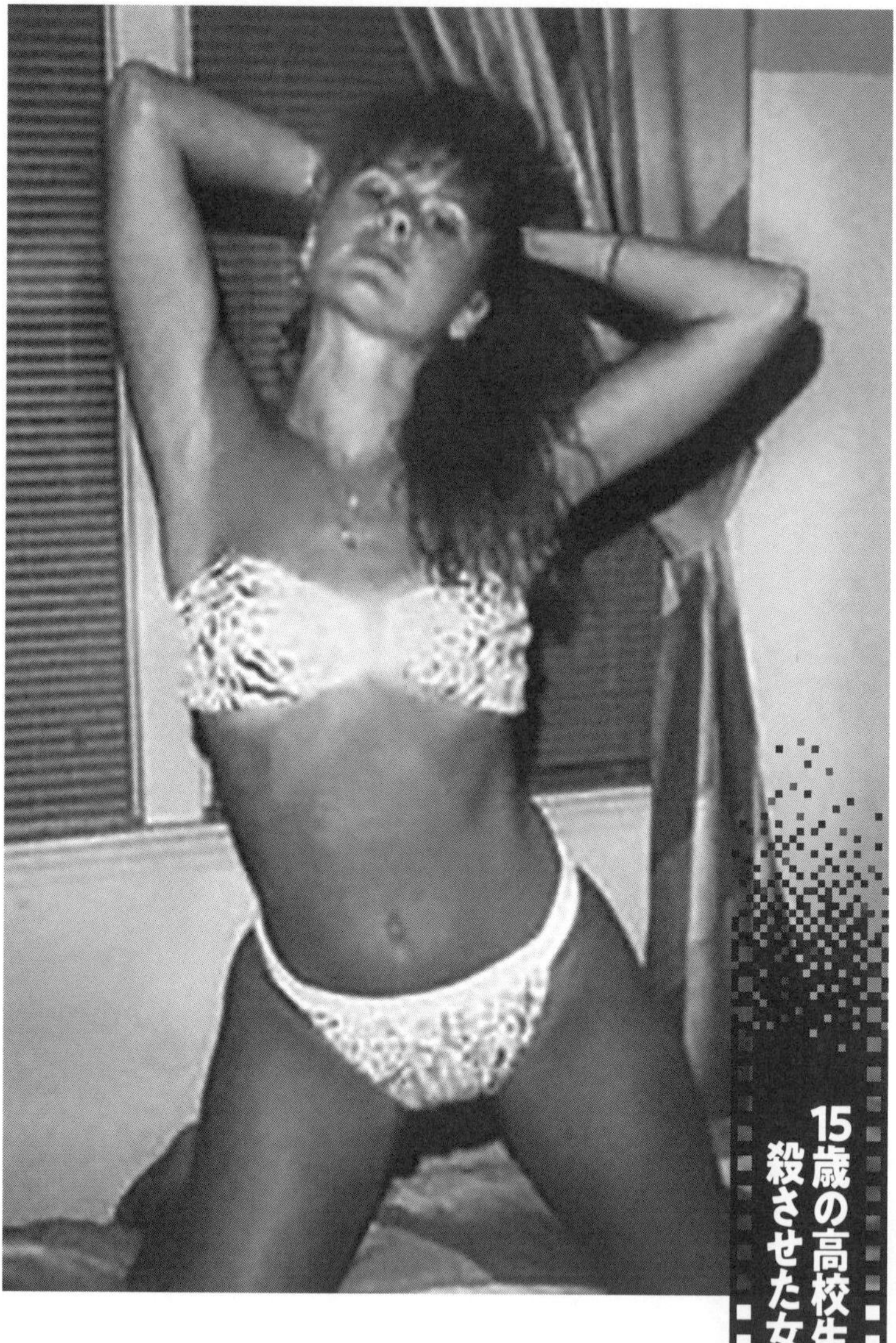

パメラ・スマートのセクシーショット。この写真で、ウィリアムを誘惑したと言われる

誘う女

15歳の高校生に夫を殺させた女性教師

FILMS

パメラ・スマート事件

思春期の男子高生を自らの肉体で骨抜きにした挙げ句、夫を殺すよう仕向ける〝毒婦〟を描いた映画「誘う女」。この作品でゴールデングローブ賞主演女優賞に輝いたニコール・キッドマン演じるヒロインには、実在のモデルがいる。米ニューハンプシャーのローカルTVでお天気キャスターをしていたパメラ・スマートだ。映画では、裁判で不起訴となった後、遺族が依頼した殺し屋によって絶命するが、実際のパメラは、終身刑で収監されている刑務所から今も無罪を訴え続けている。

パメラは1967年、フロリダの中流家庭に生まれた。事件を起こすニューハンプシャーに引っ越したのは1980年代。高校では目立ちたがり屋の尻軽女として有名で、当時の有名ポルノ女優の名前にちなみ〝セカ〟と呼ばれていたらしい。

18歳で夫グレッグと出会い、大学卒業後の1989年に結婚。ロックスターを夢見ていたグレッグが保険外交員になったのとは対照的に、ミセスになってもパメラはニュースキャスターになる夢を捨てられずにいた。

そこで、ローカルTV局でお天気キャスターに潜り込む傍ら、地元の教育委員会が主催するメディアスクールで講師の職に就く。お色気全開の彼女はたちまち思春期の青少年の人気者になる。

結婚から半年後、グレッグの浮気が発覚する。プライドの高いパメラは夫を許せず、自らも浮気で報復した。相手は、ボランティアの男子生徒ウィリアム・フリン（15歳）だった。学校や自動車、夫のいない自宅にウィリアムを連れ込んではセックス漬けにするパメラ。そして事が終わるとウィリアムの耳に囁き続けた。

「夫さえいなければ、あなたといつまでもこうしていられるのに。あなた、殺してよ」

誘う女

1995／アメリカ／監督：ガス・ヴァン・サント
1990年、当時22歳のパメラ・スマートが、15歳の少年ビリーを唆して彼女の夫を殺させた事件を題材としたサスペンス。ジョイス・メイナードの小説『誘惑』が原作。

すでに彼女の肉体の虜になっていたウィリアムに、その依頼を拒む冷静さはなかった。

1990年5月1日22時、グレッグの遺体が、メディアスクールから帰宅したパメラによって発見される。頭を銃で撃たれていた。家の中が荒らされていたため、最初は強盗犯の仕業と思われたが、1ヶ月後ウィリアムが仲間と警察に出頭。凶器の銃を差し出しながら、3人の知人と共にグレッグを殺害したことを自白してしまう。

ウィリアムが殺しの仲間を探しているのは皆に知られていたし、パメラ自身も仲の良い教え子の女生徒に殺害計画を打ち明けていた。とても隠し通せる状況ではなかった。

逮捕されたパメラは、不倫は認めたものの、殺しに関してはあくまで無罪を主張する。しかし、裁判の結果は第一級殺人の謀議と共犯で有罪。1991年3月、仮釈放なしの終身刑が確定した。

22歳の女教師が15歳の教え子を手玉に取って夫を殺させるというセンセーショナルな事件に世間

後に殺害される夫グレッグの横で幸せそうに微笑むパメラ。2人の結婚生活は、わずか半年で破綻した

は驚愕し、裁判は全米に生中継された。図らずも、彼女の〝TVの全国放送に出演する〟という夢が叶ったのである。

現在もパメラは塀の中から自分は無罪だとメッセージを発し続けている。一方、実行犯のウィリアムには懲役40年の実刑が下ったが、2015年6月に仮釈放された。

公判中のパメラ（上）と実行犯のウィリアム。
裁判は全米で生中継された

コンプライアンス／服従の心理

マクドナルドの女性店員を丸裸にして性的暴行を

主人公のマクドナルド
店員を演じたドリーマ・ウォーカー。
映画「コンプライアンス／服従の心理」より

ストリップサーチ
いたずら電話詐欺

FILMS

2012年公開の「コンプライアンス　服従の心理」は、2004年にアメリカで起きた〝ストリップサーチいたずら電話詐欺〟と呼ばれる事件の顛末を、克明に再現したスリラー映画だ。自称警察官の男の電話を盲目的に信じ、店のスタッフらが若い女性店員を裸で身体検査したり、性的暴行を加えたりする様はまさに戦慄もの。人間の心理を利用した犯人の功名な手口と、従順な一般人の素直さが招いた悲劇に背筋が凍る。

2004年4月9日、ケンタッキー州マウントワシントンのマクドナルド店に警察官「スコット巡査」を名乗る男から電話がかかってきた。

「華奢な体つきで黒髪の若い白人の従業員に窃盗の容疑がかけられているが、協力してくれれば穏便に済ます」

電話を受けた店長補佐の女性ドナ・サマーズ（当時48歳）は、その内容を疑うことなく当日シフトに入っていたルイーズ・オグボーン（同18歳）を事務所に呼び出し、もう1人の店長補佐キム（女性）の立ち会いのもと、ルイーズの服を脱がせ身体検査を実施する。が、何も出てこない。

店が混み始め、仕事に戻らなければならなくなったドナは、電話の男に言われるまま、信頼できる人間として婚約者のウォルター・ニックスを呼び出す。男はウォルターに命じ、ルイーズが簡易的に着ていたエプロンを奪って飛び跳ねさせ、さらには指を膣に入れて内部を確認。さらには、ウォルターの膝の上に座ってキスするよう要求、ルイーズが拒むと、命令に従うと誓うまで尻を叩かせた。常軌を逸した行為に、ウォルターが躊躇し

コンプライアンス／服従の心理

2012／アメリカ／監督：クレイグ・ゾベル
2004年にアメリカ・ケンタッキー州のファーストフード店で起こったストリップサーチいたずら電話詐欺事件を再現した戦慄のスリラー。権威へ服従してしまう人間の心理が生々しく描かれている。

たことは言うまでもない。が、相手を警察官だと信じ込んでいる彼に、疑問は生じない。電話の男はルイーズとも会話をし、命令に従わねばさらにひどい罰を受けねばならないと脅した。そして警察に協力したウォルターに対し、ご褒美として、オーラルセックスを行うよう強要する。時間にして約2時間。ウォルターはようやく我に返り、店を後にする。

それでもドナはルイーズの監視を止めず、次にメンテナンス担当の男性を事務所に呼ぶ。彼は冷静に状況を把握し、男の命令に従うことを拒否。ドナに、この異常事態を報告する。ここで初めてドナは疑いを抱き、改めて電話口に出る。男は今回の件は店長にも説明済みだという。が、店長に確認したところ全く承知していないとのこと。やっといたずらだと気づいたドナは、すかさず警察に通報した。

全てが事務所の監視カメラに記録されていたため警察は事態を正確に掴み、電話がフロリダ州のスーパーの公衆電話からテレホンカードでかけられたことを特定。ほどなく民間刑務所の刑務官、デビッド・R・スチュワー

犯人は、店長補佐ドナの婚約者の男性にオーラルセックスを行うよう強制した（監視カメラの映像より）。左の写真の女性が被害者のルイーズ

ト（同37歳）を逮捕する。当時続出していた〝ストリップサーチ〟と呼ばれる同様のいたずら電話事件の犯人だった。

後の裁判で、ウォルターに対し、ルイーズを殴り、性的暴行を加えたとして懲役5年の判決が下った。ドナは会社の内規違反で解雇されたが、裁判では性犯罪には関与していないとして、１年の執行猶予に。被害者のルイーズは、今回の事件より少なくとも2年前から、多くの別の店舗で同様のいたずらが起きていたにもかかわらず適切な対応策を講じなかったとしてマグドナルド本社を提訴、６１０万ドルの損害賠償金を受け取っている。また、ドナも、他の店舗にかかってきていたいたずら電話に関する情報を自分に伝えなかったとして裁判を起こし、慰謝料１１０万ドルを手にしたそうだ。そして、犯人スチュワートは一切お咎めなし。証拠不十分として起訴すらされなかった。こうして、事件は後味の悪い結末をもって収束した。

店長補佐のドナ・サマーズ本人。
彼女は事件の加害者であり、被害者でもある

容疑者デビッド・R・スチュワート

裁判所に向かうジュリエット（右）とポーリーン

乙女の祈り

映画公開後、人気ミステリー作家が自分が犯人と告白

FILMS

女子高生2人による母親殺し パーカー＆ヒューム事件

「ロード・オブ・ザ・リング」（２００１）で一躍有名になったピーター・ジャクソン監督が１９９４年に撮った「乙女の祈り」。今から60年以上前にニュージーランドで実際に起きた女子高生２人による母親殺し「パーカー&ヒューム事件」を題材に、多感な少女たちの内面を幻想的に描いた作品だ。映画は見事にヴェネツィア国際映画祭銀獅子賞を受賞しだが、驚いたのはその後。欧米で活躍するミステリー作家、アン・ペリーが、自分が事件の犯人だと名乗り出たのである。

アン・ペリーこと、ジュリエット・ヒュームは１９３８年、ロンドンに生まれた。１９４８年、大学の学長で天文学者の父の転勤に伴い、ニュージーランド・クライストチャーチに移住。15歳で地元の女子高に入学する。華やかなお嬢様育ちの彼女にクラスメイトの誰もが近づこうとしたが、ジュリエットが親友に選んだのは、内気なポーリーン・パーカーだ。互いに幼い頃から病気がちで、ファンタジー小説が好きなところも気が合った。

２人は急速に仲良くなっていく。放課後になると一緒に物語を作り、作家になる夢を語り合い、さらには互いを架空の名前で呼び合う。ジュリエットとポーリーンが性的な関係を結ぶのは、ある意味自然な流れだった。

もっとも、１９５０年代は、同性愛が深刻な心の病と思われていた時代である。２人の両親は頭を悩ませ、娘たちにカウンセリングを受けさせたり、電気ショック治療を施した。それでも、ますます強くなる２人の絆に恐れおののいた親たちは、彼女らの仲を無理矢理引き裂こうとする。

決定的だったのはジュリエットの両親の決断である。もともと関係が冷めていた夫婦

乙女の祈り

1994／ニュージーランド・アメリカ／監督：ピーター・ジャクソン
妄想を共有するほど心を通じ合わせた多感な女子高生２人が、殺人の凶行に駆り立てられていく心理を丹念に追ったドラマ。1954年、ニュージーランドで実際に起こった殺人事件が題材。

はこれを機に離婚し、ジュリエットを南アフリカの叔母のもとへ預けようと考えたのだ。これが2人を追い込んだ。互いがいない人生など考えられない。口うるさいポーリーンの母親がいなければ、一緒に南アフリカで暮らせるのではないか。思い詰めた2人は、自分たちの愛のため、殺害を企てるに至る。

1954年6月22日、彼女たちは計画どおり、ポーリーンの母親を街の名所ビクトリアパークへ誘い出した。そして、散歩を装い周囲が木に囲まれたエリアに導くや、母親を20回以上殴って殺害する。凶器はレンガを入れた靴下だった。

強盗に襲われたよう施した稚拙な偽装工作はすぐに警察にばれて2人は逮捕、裁判にかけられる。弁護士は犯行時、彼女たちが錯乱状態だったと無罪を主張した。が、家宅捜索で発見された殺害計画が書かれたポーリーンの日記が重要な証拠となり、殺人罪について有罪が確定。それぞれに無期懲役が言い渡された。

その後2人は、別々の少年院に送られたが、通信教育

劇中では、ジュリエットをケイト・ウィンスレット(左)が、ポーリーンをメラニー・リンスキーが演じた。
映画「乙女の祈り」より

や洋裁などを熱心に学ぶ態度が認められ、1959年、仮釈放となる。互いに二度と会わないことが条件だった。

外の世界に戻ったジュリエットは、客室乗務員など様々な仕事に就きながら執筆活動を開始し、1979年、アン・ペリーの名前（事件後に改名）でデビュー。推理小説家として、300万部以上を売るベストセラー作家となる。映画公開後、自身の犯罪について告白したことについては「隠すことが何もなくなってしまったので、これからはありのままの自分で生きていける」と語った。

一方、ポーリーンは、大学で司書の勉強をした後、イギリスに渡って専門学校に勤務。引退後は知的障害児の学校で副校長を務めたり、子供のための乗馬学校を経営するなどして、現在はスコットランドの離島でひっそりと余生を送っているそうだ。

アン・ペリーことジュリエット・ヒューム。現在は、歴史ミステリー小説家として活躍仲

記者時代の
スティーブン・グラス本人と、
事件発覚のきっかけとなった記事
『HACK HEAVEN』(ハッカー天国)

ニュースの天才

ヤラセで作り上げられたスター記者の偶像

『ザ・ニュー・リパブリック』記事捏造事件

FILMS

大統領専用機にも置かれているアメリカの高級政治雑誌『ザ・ニュー・リパブリック』（以下TNR）。同誌の記者で、ユニークな原稿を書くことで有名だったスティーブン・グラス（1972年生まれ）が、在職中の4年間に捏造記事を乱発していた事件を、ほぼ実話どおりに映画化したのが「ニュースの天才」である。弱冠25歳でスター記者の名を欲しいままにした彼の悪事は、通算27本目のでっち上げ記事により白日の下に晒される。

大学新聞の記者として活躍していたグラスがその才能を買われ、ワシントンDCに編集部があるTNRに籍を置くことになったのは1995年、22歳のときだ。当時で創刊90年を数えた同誌は、鋭い政治的論評で多くの読者から信頼を得ていたが、グラスの書く原稿は他の堅い記事とは一線を画していた。

「クリントン大統領の愛人だったモニカ・ルインスキーの名をもじったコンドームが開発されている」

「ブッシュ大統領を神と崇拝する団体がある」

独特の切り口で政治ネタを操る彼は、たちまち読者の人気を獲得。編集長には一目置かれ、やがて『ローリング・ストーン』『ジョージ』など他誌からも執筆を依頼される、スター記者に成長していく。

1998年、グラスは「ハッカー天国」と題された記事を発表する。大手コンピュータ・ソフト会社が15歳の天才ハッカー少年を多額の報酬で雇うことで、自社のソフトへの攻撃を回避したという内容だ。このスクープ記事に、インターネットマガジン『フォ

ニュースの天才

2003／アメリカ／監督：ビリー・レイ
1998年に起きたアメリカの権威ある政治雑誌『ニュー・リパブリック』の記者スティーブン・グラスによる記事の捏造事件を描く。原題の「Shattered Glass」（粉々になったガラス）は主人公Stephen Glass＝スティーブン・グラスをもじったもの。

ーブス・デジタル・ツール』の記者が疑問を持った。記事に出てくるハッカー少年と、企業が特定できないというのだ。連絡を受けた編集長がグラスを呼び真偽を尋ねたところ、彼は心外な顔で情報提供者やハッカー少年の連絡先、少年が所属するというハッカー集団のHPアドレス、少年を取材した際の席順まで書かれたノートを提示する。TNRでは、記者の書いた原稿は何重ものチェックの上で掲載されていたが、データベースにも載っていない企業や個人を取材したものは、記者の取材ノートで事実確認を行うのが常だった。

それまで人気記事を量産していたこともあり、編集長のチャック・レーンはグラスに全幅の信頼を寄せていた。が、半信半疑、グラスの提出した取材材料を洗い直したところ、全てがデタラメであることに気づく。連絡先に電話をかけると、いつも作り声のようなボイスメールが流れ、ハッカー集団のHPにメールを出すと、「地獄に堕ちろ」といった意味不明の返事が届いた。極めつけは、グラスが参加したというハッカー集会だ。グラスに集会

編集部のスタッフ全員がグラス(左。ヘイデン・クリステンセンが演じた)のアイデアを心待ちにしていた。
映画「ニュースの天才」より　

場所のビルを案内させたところ、当日、会場は休みで閉鎖されていたことが判明したのだ。

編集長は、自作自演を認めたグラスを直ちに解雇すると同時に、過去にグラスが書いた記事を精査し、41本中27本が捏造だった事実を突き止める。後にグラス本人が語ったことばによれば「最初は記事の一部を偽って書いていただけだが、あまりに反響が大きく、やがて全てを捏造するようになった」のだという。スター記者として祭り上げられていくなか、後戻りができなくなったらしい。TNRは事件発覚後、誌面に編集部全員の署名が入った謝罪記事を掲載、読者に事の顛末を報告した。

グラスは解雇の後、5年にわたってセラピーに通院すると同時に、ロースクールを卒業して司法試験に合格。映画公開時の2003年には『THE FABURIST』(=でっち上げ屋)のタイトルで、嘘をつき続けるワシントンの記者を主役にした小説を発表したり、テレビの取材にも積極的に応え、己が犯した過ちを告白。また2007年、「ニュースの天才」の監督、ビリー・レイのコメディショウに出演し、現在、ニューヨークの法律事務所に准弁護士として勤務していることを明らかにしたが、2014年、カリフォルニア州の最高裁判所及び弁護士会が、グラスに弁護士として必要な「道徳的な人格」が欠落していると判断したことが報道されている。

グラスの近影。2021年10月現在49歳

クイズ・ショウ

解答は全て事前に教えられていた

FILMS

スキャンダルの舞台となった「21」の実際の放送風景。
中央が司会のジャック・バリー。右がヴァン・ドーレン。
「GERITOL」とはスポンサーの飲料会社で、
番組に絶大な発言権を持っていた

人気クイズ番組「21」八百長スキャンダル

俳優ロバート・レッドフォードがメガホンを取った映画「クイズ・ショウ」は、1950年代アメリカの人気クイズ番組「21」で起きたヤラセ事件の顛末を、ほぼ忠実に描いた作品である。番組プロデューサーはもちろん、テレビ局の社長やスポンサーまでもが司法当局の公聴会で尋問されたこのスキャンダル、事が明らかになったきっかけは、勝者から敗者に落とされた1人の解答者の告発だった。

1950年代半ば、アメリカはテレビの全盛期を迎えていた。ゴールデンタイムに放送される番組の視聴率は軒並み40%を超え、特に視聴者参加型のクイズ番組が人気を誇った。「21」は、CBSの「6万4千ドルの質問」に対抗し、NBCが1956年秋にスタートさせた生放送のクイズ番組だ。2人の解答者が防音ブースに入り、難易順に得点分けされた問題を交互に選び競い合うスタイルで、勝利者は毎週出演が続き賞金も天井知らずに伸びていく。10週以上も勝ち抜けば、それこそお茶間のスター。瞬く間に視聴率が50%に迫るお化け番組に成長した。

チャールズ・ヴァン・ドーレン（1926年生）は、14週を勝ち抜き、当時の金で13万ドルを手にしたスター中のスターだった。コロンビア大学の講師で容姿端麗。ピューリツァー賞受賞の詩人を父親に持つ名門の生まれ。当時のアメリカの知的ヒーローとして『タイム』『ライフ』などの一流雑誌の表紙を飾り、クイズに敗れた後も、モーニングショーのコメンテーターとして人気を博していた。

しかし、彼が築き上げた名声は全て事前に仕組まれたものだった。視聴率を上げるため、番組プロデューサーがテレビ映えのするヴァン・ドーレンに毎週答えを教え、意図

クイズ・ショウ

1994／アメリカ／監督：ロバート・レッドフォード
1950年代に放送されていたNBCの人気テレビ番組「21」をめぐるスキャンダルを映画化。番組に圧力をかけるスポンサーの製薬会社社長役として映画監督のマーティン・スコセッシが出演している。

ハービー・ステンペル本人（上）。演じたジョン・タトゥーロはゴールデングローブ賞の助演男優賞を受賞。映画「クイズ・ショウ」より

チャールズ・ヴァン・ドーレン本人（上）と演じたレイフ・ファインズ。映画「クイズ・ショウ」より

的に国民的スターに祭り上げていたのだ。この事実を暴露したのが、ヴァン・ドーレンの前にチャンピオンの座にいたハービー・ステンペル（1926年生）なる男性だ。彼は、とあるパーティでプロデューサーと知り合い、その博学を買われ番組に出演。ヴァン・ドーレンと同様に事前に答えを教えられ、毎週勝ち続けていた。

冴えない風体の市井の人間が夢のような大金を掴む。これぞアメリカンドリーム。制作側の意図とは裏腹、視聴率は下がり、スポンサーは代わりのチャンピオンを探すよう圧力をかける。それがヴァン・ドーレンだった。

ステンペルは、プロデューサーの「他の番組に出演させる」という口約束を信じ、第28回アカデミー賞の作品名を尋ねる問題に、わざと「波止場」と間違え、ヴァン・ドーレンにチャンピオンの席を譲る。ちなみに正答である「マーティ」を彼は3回も観ていた。

果たして、番組出演の約束は実行されず、一方でヴァン・ドーレンが英雄視されていく。この状況に怒り心頭のステンペルは大陪審に番組の不正を告発する。だが、他の証言者は事実を隠蔽し、調査はいったん封印されてしまう。しかし、この報道を新聞記事で見かけた立法管理小委員会の捜査官、リチャード・グッドウィンが疑問に感じ、独自に調査に乗り出す。彼には有名番組の不正を暴くことで、自分の名が売れるという思惑もあったようだ（ちなみに、映画はグッドウィンが後に事の顛末を著した本を原作としている）。

事の真相は大陪審が開いた聴聞会で白日のもとにさらされる。証人として出廷したヴァン・ドーレンが涙ながらに、自分が八百長に手を染めていたことを告白したのだ。同じくプロデューサーも不正を認めたが、テレビ局自体やスポンサーとの関与は最後まで否定し続けた。

事件発覚後、ヴァン・ドーレンはコロンビア大学を辞め百科事典の編集者を経て作家になり、２０１９年9月に死去。ステンペルは長年交通局に勤務し、２０２０年4月に亡くなった。共に享年93だった。

聴聞委員会に出廷したヴァン・ドーレン（中央）

明日に向って撃て!

西部開拓史末期の悪名高き強盗コンビ

映画史に残る屈指の名シーンとして有名な
ラストのストップモーション。映画「明日に向って撃て!」より

ブッチ&サンダンスの映画とは違う最期

ポール・ニューマン&ロバート・レッドフォード主演の「明日に向って撃て！」は、数々の印象的なシーンとともに今も語り継がれるアメリカン・ニューシネマの代表作だ。が、哀愁とユーモア溢れる作品のテイストとは違い、題材となった西部開拓史末期の実在の強盗団「ワイルド・バンチ」は無法者どもの集まりで、映画の主人公ブッチ・キャシディとサンダンス・キッドの末路も悲惨である。

映画に詳しい説明はないが、劇中で「壁の穴強盗団」と称される犯罪グループは「ワイルド・バンチ」とも呼ばれ、1896年頃にブッチ（P・ニューマン）をボスに結成された。ブッチは当時30歳。10代後半から詐欺、窃盗、強盗などを働き、多くの犯罪者と繋がりを持っていた。グループの構成員はいずれも強盗歴を持つ約10人。R・レッドフォード演じるサンダンス（年齢はブッチの1歳下）もその1人だった。

劇中でサンダンスは銃の名手として描かれている。しかし、メンバーで最も優秀なガンマンはキッド・カーリーなる男で、彼は警察との撃ち合いで少なくとも5人を殺害。片や、サンダンスは後に逃亡するボリビアでの銃撃戦まで誰1人殺していない。劇中でのサンダンスは、このキッドとの組み合わせで作られたキャラクターのようだ。

強盗団は銀行を襲ったり、鉄道会社の給与を運搬途中に盗むなど組織的に犯行を重ねていたが、その名を広く知られるようになるのは、映画の冒頭でも描かれる列車強盗だ。

1899年6月1日深夜1時、白いナプキンで覆面をした一味は、ワイオミング州ウイルコックス近くでユニオン・パシフィック社の列車を襲い現金6万ドルを強奪。事件は大々的に報じられ、警察は犯人たちを全米に指名手配、報奨金をかけて行方を追った。

明日に向って撃て！

1969／アメリカ／監督：ジョージ・ロイ・ヒル
実在の銀行強盗ブッチ・キャシディとサンダンス・キッドの生き様を描くアメリカン・ニューシネマの傑作。主題歌「雨にぬれても」も大ヒットした。1978年、レッドフォードが本作の出演料を元手に、役名に因んだ「サンダンス映画祭」を開設したのは有名な話。

リーダーのブッチは、サンダンスと一緒に逃走、事態が収まるのを待っていたが、事件後に他メンバーが起こす強盗事件に加え、ユニオン・パシフィック社が雇ったピンカートン探偵社（1850年代に設立された警備会社。犯罪者の追跡力は警察以上だったと言われる）の執拗な追及から、これ以上アメリカで犯行を働くのは不可能と判断。1901年2月、南米に移住する。

このとき2人に同行したのが、劇中でキャサリン・ロス演じるエッタ・プレースなる女性。映画ではR・レッドフォードのガールフレンドで、P・ニューマンとも惹かれ合う26歳の女教師という役どころだが、実際はサンダンスの正式な妻で、歳は23歳だった。

映画はこの後、舞台をボリビアに移すが、そこに至るまでに彼らは、過去最高の強盗に成功している。3人はアメリカを出国後、アルゼンチン中央部で牧場を購入。名前を偽り、潜伏生活を送っていた。そのままカタギになるという選択肢もあったが、1905年2月、彼らは居住地としていたチョリラという町から1千キロ離れた銀行を襲撃、10万ドルもの金を奪い逃走する。1906

本物のブッチ・キャシディ（左）とサンダンス・キッド

年6月、ブッチとサンダンスはボリビアに渡り、鉱山会社の給与運搬を護衛する仕事に就く。ちなみに、サンダンスの妻エッタは逃亡生活に疲れ、その直前にアメリカに帰国。映画と違い、ボリビアには同行していない。

2年後の1908年11月6日、2人に最後のときが訪れる。3日前に起こした小さな強盗事件がきっかけで、潜伏先の下宿屋が特定されたのだ。

警察とボリビア騎兵隊が建物を包囲するなか、銃撃戦が始まった。映画はその過程で2人が銃弾を受け負傷、小屋に逃げ込んだものの、最終的に外に飛び出したところを一斉射撃されるストップモーションで終わる。

しかし、事実は違う。深夜2時頃、発砲の休止中に警官隊と兵士たちは家屋の中から男性が悲鳴をあげるのを聞く。まもなく一発の銃声が響き、数分後、もう一発の銃声が。　早朝、家屋に入った警察は、両腕、両脚に多数の銃創を負った遺体2体を見つける。ブッチとサンダンスが覚悟の心中を遂げたのは明らかだった。

ブッチを演じたポール・ニューマン（左）とサンダンス役のロバート・レッドフォード。映画「明日に向って撃て！」より
©REUTERS/TWENTIETH CENTURY FOX

ザ・ナースキラー

シカゴ看護実習生8人虐殺事件の犯人

リチャード・スペックは獄中で女になった

FILMS

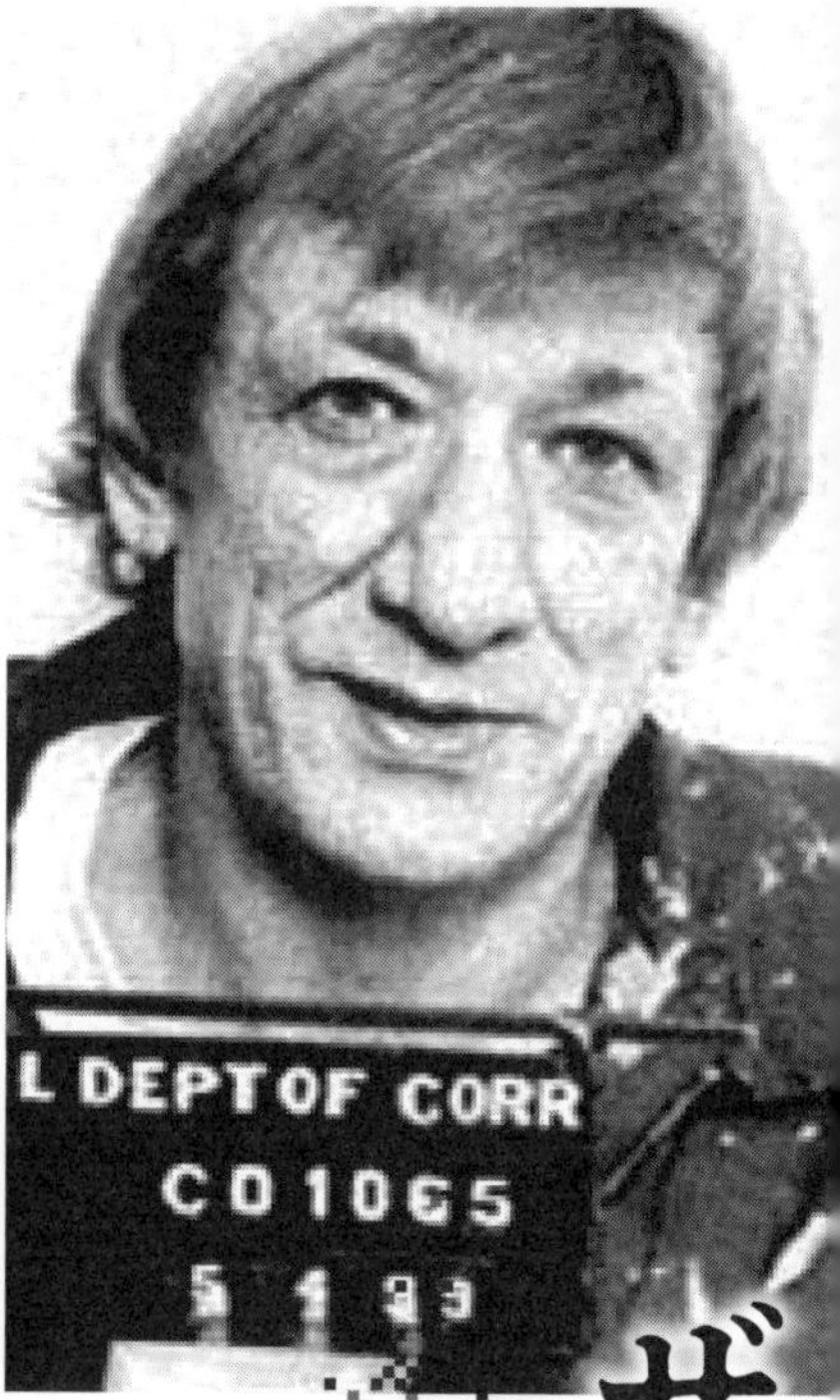

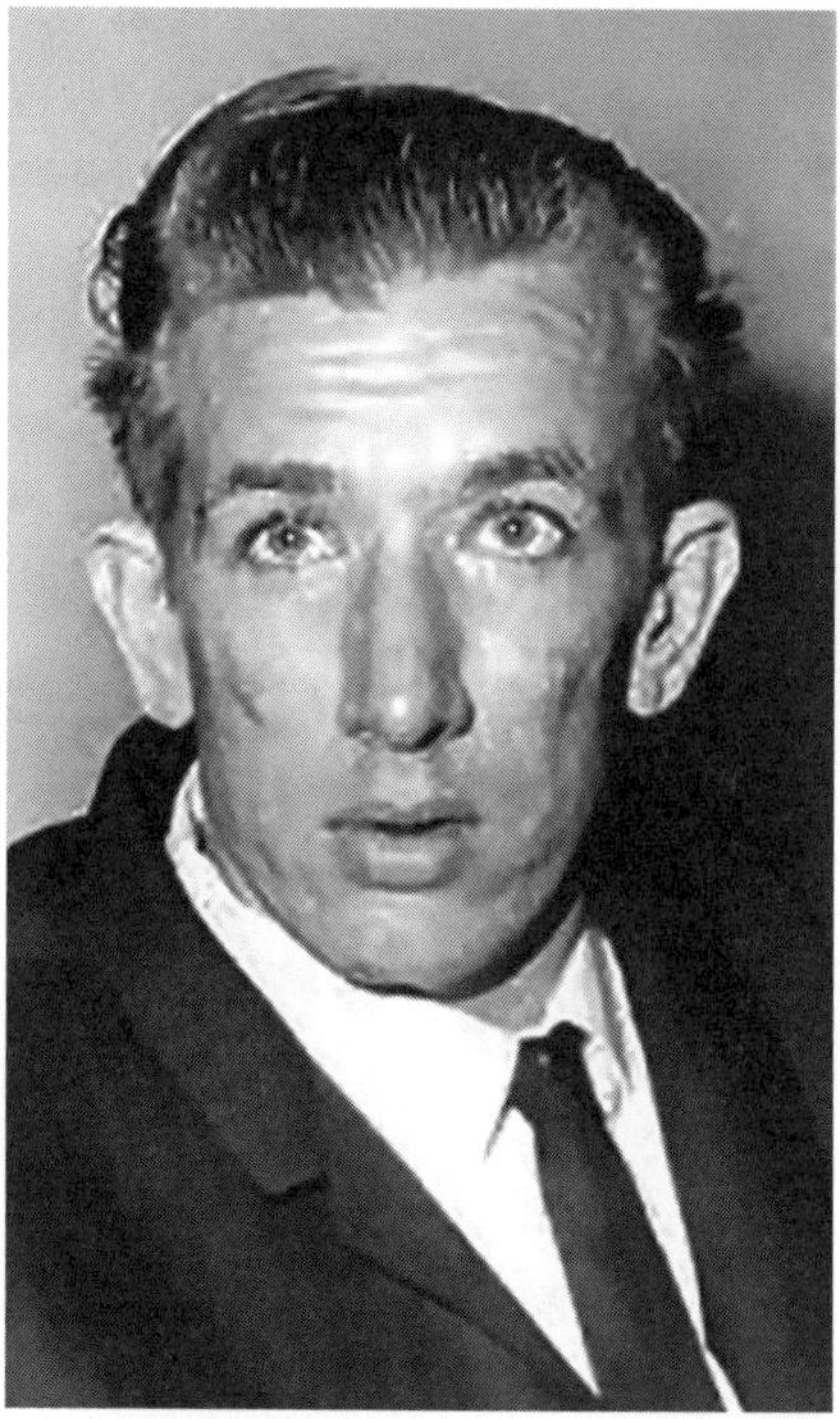

リチャード・スペック。下が逮捕時の1966年（当時24歳）、右が心臓発作で死ぬ3年前の1988年に撮影されたもの（同46歳）

1966年7月13日深夜。米シカゴの看護学校寮で実習生の女性8人が殺害された。犯人の名前はリチャード・スペック（当時24歳）。2007年公開のアメリカ映画「ザ・ナースキラー」の主人公だ。スペックは、生まれつき知能が低く、後の裁判で「（25歳にして）頭脳は10歳の子供並み」と評されている。加えて、6歳のときに誤って釘抜きで頭を強打し、15歳で鉄柱が頭にめり込む大怪我を負った後遺症で、感情のコントロールが制御できないまま育った。

少しでも気にくわないことがあれば、怒りに我を忘れて暴れるのが常で、16歳のとき学校を退学。その後は毎日のようにケンカと強盗を繰り返し、20歳で前科は40犯を超えた。

事件当日。看護師寮に侵入した時点では、まだスペックに殺意はなかったらしい。が、看護実習生たちに銃を突きつけた瞬間、持ち前のサディズムが頭をもたげる。衝動的にロープで全員を縛り上げるとスペックは1人ずつ別室に連れ去り、それぞれをナイフで刺し始めた。被害者の数は8人。事件時、室内には9人の女性がいたが、残りの1人がベッドの下に隠れたことに気づかなかったらしい。この生存者の証言が決め手となり、スペックは凶行の3日後に逮捕された。裁判は異例のスピードで進み、判決は、なんと懲役1200年。スペックは収監されたイリノイ州の刑務所で20年を過ごし、1991年に心臓発作で世を去った。

驚くべき事実が発覚するのは5年後の1996年5月。シカゴのテレビ局に1本のビデオが届いた。1988年頃にスペックと同じ房の受刑囚が撮影したもので、何者かがイリノイ州の刑務所の管理体制を告発すべく、マスコミにバラまいたらしい。再生すると、映し出されたのは獄中で自由に金銭の受け渡しを行い、楽しげにコカインを味わうスペックの姿だった。金髪のオカッパ頭。下半身にはシルクのパンティ。まくりあげたシャツ

ザ・ナースキラー

2007／アメリカ／監督：マイケル・フェイファー
1200年の懲役刑を受けた凶悪犯、リチャード・スペックの半生を描いたスリラー。ストーリーは看護師の殺害がメインで、事件後のエピソードはおまけ程度の扱いになっている。

の下からは、異様にふくらんだバストまで現れた。

不気味な姿をさらしながら、スペックがカメラに語りかける。

「男のペニスをなめるのも、尻を掘られるのも最高だ。オレがここでどんなに楽しんでいるかを知ったら、みんな怒り狂うだろうな」

アメリカの刑務所では、立場の弱い受刑囚がセックスを強要されるケースが少なくない。粗暴なだけで腕力がなかったスペックも、ボス格の受刑囚からホルモン注射を打たれて、20年にわたって性の道具として扱われたらしい。威勢のいい

事件の舞台となった看護師寮と犠牲者8人

言葉とは裏腹、スペックの表情がうつろなのはそのためだ。

映像は全国ネットで放映され、全米にセンセーションを巻き起こした。映画では詳しく描かれないが、スペックの名が全米に知れ渡ったのは、このテープの存在が大きい。

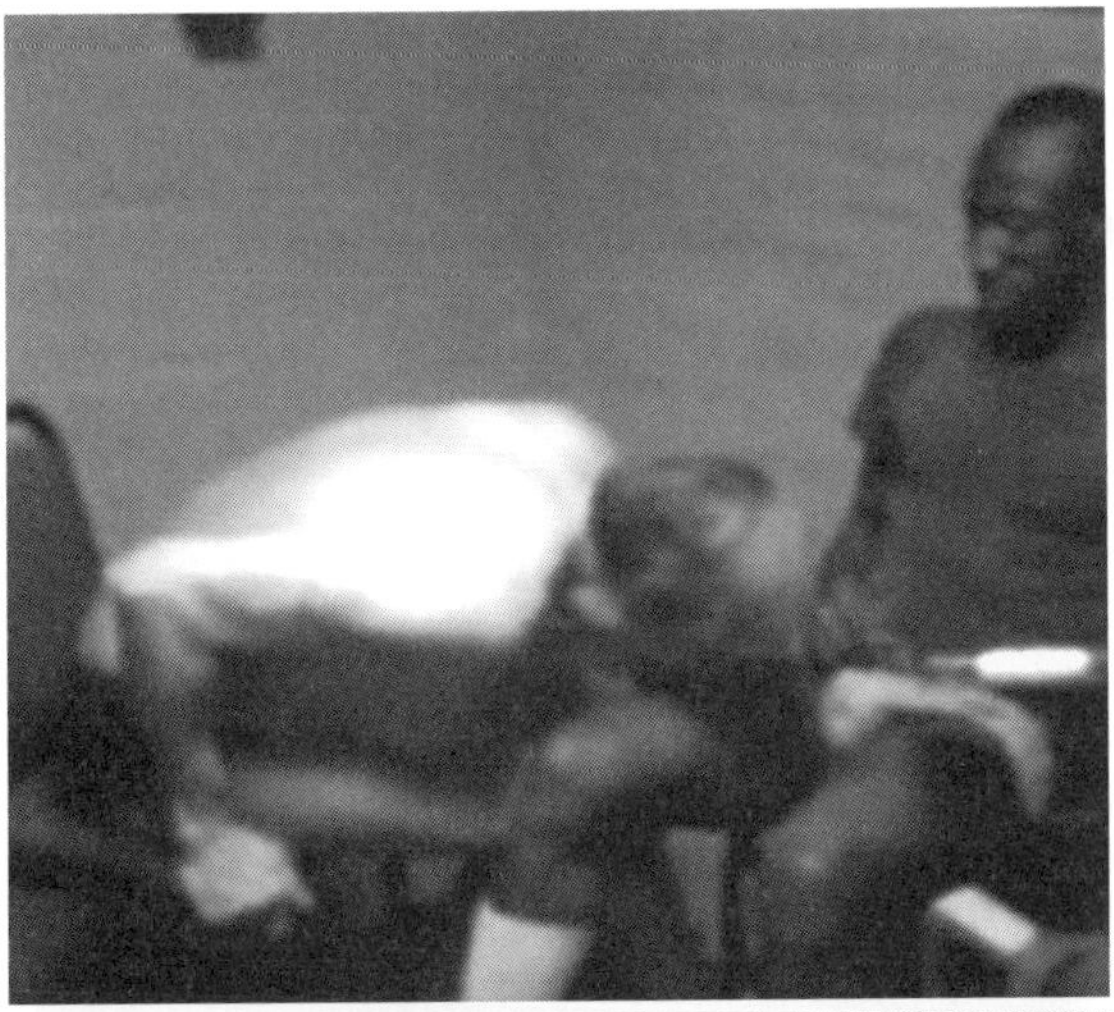

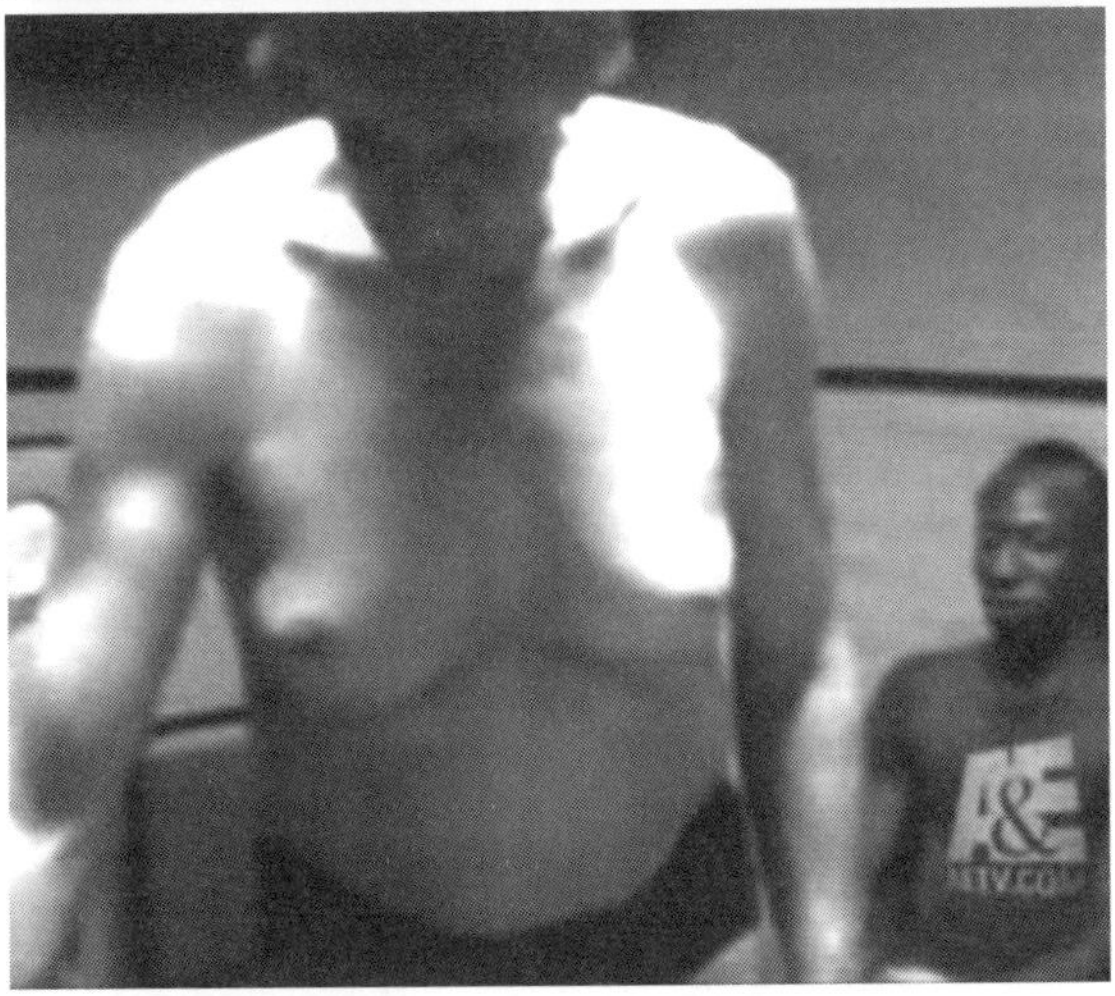

テレビ局に届いた衝撃の獄中映像。ホルモン注射により胸が膨らみ、囚人のオモチャになっていた（ドラッグをもらった御礼に、監房のボスの股間に顔を埋めている様子）

クヒオ大佐

総額1億円を騙し取った
自称・米軍パイロット

「クヒオ大佐」
という名の
結婚詐欺師がいた

クヒオ大佐こと鈴木和宏。
写真は1984年に逮捕された際、本人が所持していた1枚

父親はハワイ王族のカメハメハ大王の末裔。母親はエリザベス女王の双子の妹。私は米軍第五空母航空団のパイロット。自分と婚約すれば軍から5千万円の祝い金が出る——。

片言の日本語で怪しげな話を持ちかけ次々と女性から金を騙し取る結婚詐欺師を描いた映画「クヒオ大佐」。堺雅人が演じる、このうさん臭さ満点のキャラクターには実在のモデルがいる。1980〜1990年代に連日ワイドショーを賑わしたジョナサン・エリザベス・クヒオこと鈴木和宏。身長163センチのれっきとした日本人男性だ。

鈴木は1942年、北海道に生まれた。中学を出て職業訓練校に通った後、建築現場の見習い仕事など様々な職に就いたもののどれも長続きせず、20代前半で陸上自衛隊に入隊する。もっとも自衛隊勤務は本人の弁だから真偽は定かではないが、これが後に米軍パイロットを騙る一因になっているようだ。

20代半ばで、知人から借りたカメラを勝手に売り飛ばし、初逮捕。以後、詐欺などの罪で刑務所と娑婆を行き来しながら、40歳を過ぎた頃より結婚詐欺に手を染める。空軍パイロットのレプリカの制服を身にまとい、自称〝米空軍大佐〟の鈴木は語った。

「私の名前は、プリンス・ジョナ・クヒオ。私と婚約したら軍から5千万、結婚したら5億円の祝い金が出ます。私の伴侶になってください」

見え見えのウソに43歳の中年女性が騙され、米軍の秘密資金として一時借用したいなどの名目で、父親が残してくれた遺産金4千500万円を詐取された。

鈴木の偽装工作は徹底していた。欧米人に似せて顔を整形、髪の毛も金髪に染める。米軍機のコックピットに乗った自分の写真を持ち、時には、自宅アパートから「今、戦

クヒオ大佐

2009／日本／監督：吉田大八
1980年代から1990年代にかけ、約1億円を騙し取った実在の結婚詐欺師を描いた1本。主人公のクヒオ大佐を堺雅人、騙される女性を松雪泰子（弁当屋の経営者）、中村優子（銀座のホステス）、満島ひかり（博物館の学芸員）が演じている。DVD販売元：アミューズソフトエンタテインメント

闘の最中です」と、爆撃の音などを録音したテープを響かせながら、女性に電話をかけてくることもあった（映画にも同様のシーンがある）。

特筆すべきは、鈴木が本心から、自分がアメリカ人で軍のパイロットだと信じていたと思える点だ。鈴木は後に裁判所へ提出した上申書で次のように記している。

「私は、ベトナム戦争時、フィリピンで海兵隊の特殊訓練を受け、ヘリコプターガンシップの射撃手として戦闘に参加し撃墜もされたし、体に複数の傷を受けています」

実際には、この期間、鈴木は前記した最初の詐欺事件で塀の中にいたのだが、少なくとも鈴木の中では妄想が確信に変わっていた。後に離婚した妻が、鈴木をずっと本物の米軍人と信じて疑わなかったというから、そのリアルさは推して知るべしだ。

懲役5年の実刑を終え出所したのが1989年。その4年後に、鈴木は日本人の相棒を使い、会社帰りの25歳ＯＬに接近する。

「日本人女性と結婚したがっている米軍パイロットがいます。あなたは彼にピッタリの人だ。ぜひ一度会ってほしい」

こうして相手と接点を持った後は、同様の手口で女性を信じ込ませる。今回の名目は「米軍横田基地の公金に穴を空けた」というもので、当のＯＬと同様、鈴木の話を信じきっていた彼女の兄から850万円を騙し取った。

再び懲役5年を務めて出所した鈴木は1999年、またも同じ手口で、33歳の女性から650万円を詐取する。被害者は、元銀座の売れっ子ホステスだった。

相談を受けていた彼女の友人が、以前テレビで見た鈴木を覚えていたことで、あえなく御用となるのだが、それまでに鈴木が詐取した金は1億円近いというから驚きだ。

もちろん、全て鈴木の大胆で巧妙な手口ゆえの犯行なのだが、騙された女性側にも邪心があったのも事実。クヒオ大佐と結婚したら米軍から億の金が入るのだから、多少の金は仕方ないと欲をかいたのだ。そして、もう一つ。鈴木は抜群にセックスが上手かったようだ。バイアグラを常用し一晩4回も当たり前。テクニックも文句なしだったという。

その後、鈴木はまたも実刑判決を受け塀の中へと戻るが、現在の消息は不明である。

稀代の結婚詐欺師を堺雅人が怪演。映画「クヒオ大佐」より
©2009「クヒオ大佐」製作委員会

ヒトラーの贋札

第二次世界大戦史上最大の紙幣偽造事件

ナチス・ベルンハルト作戦

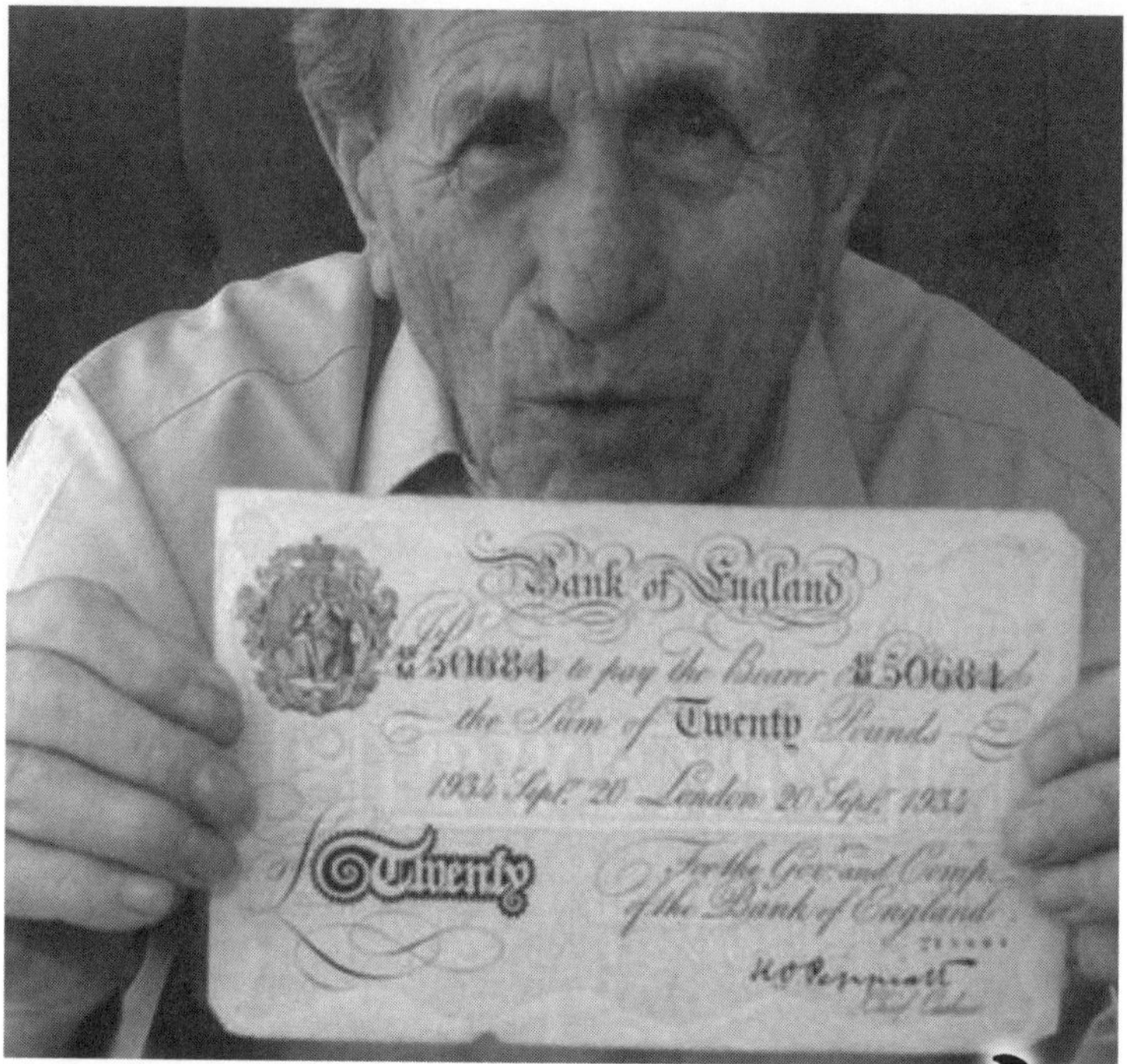

贋札工場で働き、映画の原作本を出版したユダヤ人のアドルフ・ブルガー。手に持っているのは、本人が実際に造った贋のポンド紙幣

映画「ヒトラーの贋札」より。左がアドルフ・ブルガー（演：アウグスト・ディール）、その隣が主人公サロモン・スモリアノフ（役名はサロモン・ソロヴィッチ。演：カール・マルコヴィックス）

FILMS

「ヒトラーの贋札《にせさつ》」は、第二次世界大戦時、ナチ強制収容所のユダヤ人たちが荷担したナチスドイツの紙幣偽装計画「ベルンハルト作戦」を題材にした戦争映画だ。作品は贋札工場の元囚人、アドルフ・ブルガーが２００４年に出版した回想録を基に作られたが、劇中では、本の中で少しだけ紹介されている彼の同僚、サラモン・スモリアノフが主役となっている。

ベルンハルト作戦が世に明るみに出たのは１９５９年。ハンブルグの雑誌『シュテルン』が、１人の元ナチ親衛隊員から、戦時中、ナチスがオーストリアのトプリッツ湖に９つの木箱を沈めたという情報を得たのがきっかけだった。ダイバーが潜ってみると、湖底から１億３千４６０万ポンド（現在の貨幣価値で１兆円以上）ものイギリス紙幣が発見された。が、一緒に見つかった文書から、全てが精巧な贋物と判明する。ナチスが英国の経済かく乱を狙い、ユダヤ人に造らせたものだった。

ベルンハルト作戦は、１９４２年７月、ヨーロッパ中の強制収容所から過去に印刷業や製紙業などに従事していたユダヤ人26名をベルリン郊外のザクスハウゼン収容所に集めるところから始まる。

回想録を残したブルガーが招集されたのは、贋札造りが本格的に稼働していた１９４４年３月のことだ。10代後半から印刷工として働いていた彼は、１９４２年８月、25歳でゲシュタポに捕らえられ、ビルケナウの収容所で、一つの馬小屋に８００人が暮らす地獄のような日々を送っていた。

一方、映画の主役スモリアノフは、幼い頃から絵画に天才的な才能を発揮したものの、

ヒトラーの贋札

2007／ドイツ・オーストリア／監督：シュテファン・ルツォヴィツキー
第二次世界大戦のさなか、ナチスドイツがイギリスの経済撹乱を狙い画策した史上最大の紙幣偽造事件「ベルンハルト作戦」に関わった、ユダヤ人印刷工アドルフ・ブルガーの証言に基づいて製作された1本。2007年度のアカデミー賞で最優秀外国語映画賞を受賞した。

そのスキルを紙幣や旅券の偽造に費やし、矯正不能の犯罪者としてマウトハウゼン強制収容所へ送り込まれていた。映画で、彼が収容所内で親衛隊員の肖像画を描いているシーンは事実のままで、紙幣偽造作戦の指揮官ベルンハルト・クリューガー親衛隊少佐に才能を見込まれ、ザクスハウゼンに送られた。当時57歳。ブルガーの回想録によると、当時144人いた偽造特別班の中で唯一プロと呼べる人物だったらしい。

贋札造りは、植字、製版、印刷、断裁、検査等、行程ごとに担当者が分けられ、ポンド紙幣を中心に生産された。完成紙幣は、イギリスやスイスの銀行でテストにかけられる。ここで贋物と見破られたら一巻の終わり。それはイコール、ユダヤ人作業員の死を意味したが、見事に真札としてチェックをかいくぐる。その労を称え、クリューガーが囚人に卓球台をプレゼントしたのは、劇中のとおりだ。

1944年秋、クリューガーは本格的にドル紙幣の偽造に乗りだし、技術に長けた8人の囚人を選択する。ネガの修正担当として一番手に選ばれたのはスモリア

偽造特別班の囚人たち。前列の一番左がブルガー。写真は解放直後に撮影されたもの

ノフ。最後が印刷担当のブルガーだった。映画では、このドル紙幣偽造の過程で、ブルガーが完成を遅らせるべく作業をサボタージュする人物に描かれているが、事実は少し異なる。ドル札偽造は技術的に極めて難しく、否が応でも時間がかかった。そのうち、囚人たちはナチがまもなく降伏するだろうとの確信を強め、機に乗じて製造を引き延ばしたのが本当のところだ。

業を煮やしたクリューガーが「4週間以内にドル紙幣印刷の準備を終えなければ、全員を射殺する」と叫ぶ。脅しではなく、実際に親衛隊のトップであるハインリヒ・ヒムラーから書面で届いた命令だった。この危機を救ったのがスモリアノフだ。彼は期限が4日を切ったところで、100ドル紙幣の完成品をクリューガーに提出し、難を乗り切ったという。そして、いよいよドル札の大量生産となるのだが、時を同じくしてベルリンが連合国軍の空爆に遭い、作業は1945年3月で停止。映画はここでクリューガーが逃亡、囚人たちが解放されて終わりとなるが、実際はこの後、彼らは3つの収容所を転々とし、最後のエーベンゼー収容所で米軍に解放され初めて自由を得る。同年5月のことだ。

ブルガーは1988年からドイツの学生たちにこの事実を伝える活動に尽力し、2016年12月、プラハで死亡（享年99）。一方、スモリアノフの戦後の消息は一切明らかになっていない。

贋札造りの指揮官、ベルンハルト・クリューガー親衛隊少佐。戦後、米軍によって拘束される（右の写真は逮捕時のもの）が、4ヶ月後に逃亡。10年の潜伏期間の後、1956年、裁判にかけられたが、証拠不十分で無罪となっている。余生はハンブルグで過ごし、1989年に85歳で死亡

映画になった戦慄の実話

True Story Movies

2021年11月22日　第1刷発行

著　者　鉄人ノンフィクション編集部

発行人　稲村　貴

編集人　尾形誠規

発行所　株式会社　鉄人社

〒162-0801 東京都新宿区山吹町332 オフィス87ビル3F

TEL 03-3528-9801　FAX 03-3528-9802

http://tetsujinsya.co.jp

デザイン　鈴木　恵（細工場）

印刷・製本　新灯印刷株式会社

▶主要参考サイト

殺人博物館　世界の怪事件・怪人物　The NY Times　TIME　CBC news　True Crime Library
朝鮮日報　香港三級片与十大奇案　MONSTERS　oxford dnb　ウィキペディア　世界の猟奇殺人者

▶主要参考図書

連続殺人紳士録（中央アート出版社）　なぜ、いじめっ子は殺されたのか？（集英社）
華城事件は終わっていない（辰巳出版）　死体を愛した男（翔泳社）
FBI心理分析官 −異常殺人者たちの素顔に迫る衝撃の手記（ハヤカワ文庫NF）
破滅　梅川昭美の三十年（幻冬舎アウトロー文庫）
別冊歴史読本～殺人百科データファイル（新人物往来社）　Lethal Marriage　Seal Books

▶主要参考ビデオ＆DVD

ディスカバリーチャンネル　ZERO-HOUR：コロンバイン高校乱射事件
惨殺!! ブラック・ダリア 世界でいちばん有名な死体の真実
実録!! ゾディアック～血に飢えた殺人鬼の刻印　シリアルキラー　アイリーン　The Brandon Teena Story

その他、多くのサイト、資料を参考にさせていただきました。

ISBN978-4-86537-226-7　C0076　